GUIDE PRATIQUE
DE LA
photo

GUIDE PRATIQUE DE LA
photo

PETER BURIAN et ROBERT CAPUTO

SOMMAIRE

Pages 2-3 : Des silhouettes se détachant dans un paysage baigné de brume et d'une chaude lumière illustrent la sérénité et la beauté de la réserve nationale naturelle de Chincoteague, en Virginie (É.-U).
James Blair

Page ci-contre : Un sourire sincère et avenant est le plus court chemin pour photographier des gens dans la rue. Ici, David Alan Harvey en reportage à Hanoï.
Kenneth Garrett

INTRODUCTION

par Robert Caputo

Il n'est pas un jour sans que nous soyons assaillis par des photos, – de guerre et de famine, de victoire et de défaite, de célébrités ou d'inconnus, d'objets désirables, de top models, d'intérieurs exceptionnels, d'organismes microscopiques ou d'étoiles lointaines, d'événements historiques et de moments qui n'ont d'importance que pour nous. La photographie nous fait découvrir des lieux situés aux antipodes de chez nous. Elle ressuscite le passé. Nous possédons tous des albums ou, pour ceux qui sont moins bien organisés, des tiroirs remplis de photos de nos proches ou de nous-mêmes, plus jeunes. La photo nous procure des plaisirs d'esthète mais aussi des informations sur ce que nous ne verrons jamais. La photo enfin confère une réalité à nos souvenirs personnels.

Or, parmi ces innombrables photos qui défilent sous nos yeux, seul un petit nombre d'entre elles retient notre attention et reste gravé dans nos mémoires. D'où vient la différence entre ces images et le reste ? Les photographies inoubliables prennent les apparences les plus diverses, mais elles ont toutes un point commun : elles transmettent une émotion forte, qu'il s'agisse de joie, de tristesse, de compassion, de répulsion, ou un plaisir simple mais indescriptible de regarder quelque chose qui séduit nos yeux et notre cerveau. Le photographe communique cette émotion en associant avec succès sa sensibilité – sa vision – à sa maîtrise du matériel et des techniques. Pour obtenir une image à la fois de son sujet et sur son sujet, le photographe regarde, réfléchit, choisit le bon équipement, puis appuie sur le déclencheur.

Au fil de ce guide, nous explorerons et expliquerons les aspects de la composition, de l'éclairage et de l'exposition qui relèvent de la réflexion, et les appareils, les objectifs, les films et autres accessoires

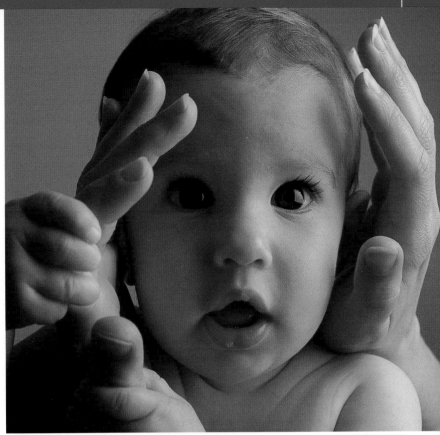

Phil Schermeister

Le visage encadré par les mains aimantes de sa mère, ce bébé ouvre grand les yeux sur un monde nouveau. La lumière de la fenêtre et un apport de lumière artificielle contribuent à créer des tons chauds sur cette image de l'un de nos thèmes favoris : nos enfants.

qui constituent nos outils. Nous étudierons ensuite toutes sortes de situations, du paysage au portrait, de la photographie sous-marine à la vue aérienne. Quelques photographes chevronnés de la National Geographic Society nous confieront leurs « trucs » et leurs conseils. Enfin, nous partirons à la découverte de l'imagerie numérique.

Il n'est pas indispensable d'être un professionnel pour faire de bonnes photos, mais il faut consacrer beaucoup de temps à acquérir la maîtrise de son appareil. Nous espérons que ce guide vous sera utile et qu'ensuite vous irez prendre des rouleaux entiers de photos !

PRINCIPES DE BASE

par Peter Burian

LITTÉRALEMENT TRADUIT DU GREC, le mot « photographie » signifie « dessin lumineux ». La photographie est en effet indissociable de la lumière. C'est la lumière réfléchie par une scène qui crée une image. Lorsque l'obturateur de l'appareil photo est ouvert, la lumière pénètre par l'objectif et expose les grains photosensibles de la pellicule, ou film. Celle-ci subit ensuite un traitement chimique qui donnera naissance au négatif (ou au positif s'il s'agit d'une diapositive). Quand, à son tour, le négatif est projeté sur une feuille de papier photosensible, il se forme une image qui produit une impression en couleurs ou en noir et blanc.

Le photographe en herbe doit non seulement comprendre tout ce processus de base, mais aussi assimiler et maîtriser plusieurs facteurs intervenant dans l'art de la photographie s'il veut dépasser le simple cliché. Si ces notions peuvent occuper toute une année d'études à l'université ou former les fondements d'une carrière, nous nous contenterons ici de les aborder assez rapidement. Enfin, nous vous donnerons des informations pratiques et des références dont vous pourrez vous servir pour améliorer votre style.

LES PREMIERS PAS

f/1.4   f/5.6

f/2   f/8

f/2.8   f/11

f/4   f/16

Un petit nombre f/ (ou diaphragme) correspond à une grande ouverture et un nombre f/ élevé, à une petite ouverture. À chaque fois que vous passez d'un nombre f/ au suivant ou au précédent, vous réduisez de moitié ou doublez l'ouverture et donc la lumière qui passe pendant une durée donnée.

Slim Films

La lumière et l'exposition

La quantité de lumière qui éclaire le sujet varie en fonction de l'heure, du temps et d'autres facteurs que nous verrons ci-après. S'il y a assez de lumière, vous obtiendrez une image distincte dans l'ensemble, et chaque ton du sujet, du blanc au noir, sera restitué tel que vos yeux l'ont vu. L'exposition dépend du niveau de luminosité de la scène, c'est-à-dire de la quantité de lumière qui traverse l'objectif, et de sa durée.

La sensibilité du film

Le nombre en ISO (*International Standards Organization*) – et non plus en ASA – indique la vitesse du film, c'est-à-dire sa sensibilité à la lumière. Plus ce nombre est élevé, plus le film est sensible. Un film de 1 600 ISO a besoin de très peu de lumière pour donner une exposition correcte, mais il en faut 64 fois plus à un 25 ISO.

L'ouverture

L'ouverture du diaphragme de l'objectif laisse passer une certaine quantité de lumière. Plus vous sélectionnez une grande ouverture (que ce soit en mode manuel ou automatique), plus il y aura de lumière pour exposer le négatif pendant un temps donné. La taille de l'ouverture est réglable sur tous les équipements photographiques, à l'exception des plus rudimentaires. Pour indiquer la taille de l'ouverture, on se sert d'une série de nombres f/ qui sont marqués sur une bague de l'objectif. Sur certains appareils récents, un sélecteur vous permet de régler l'ouverture.

Ces réglages, ou diaphragmes, constituent une série croissante : f/1,4 ; f/2 ; f/2,8 ; f/4 ; f/5,6 ; f/8 ; f/11 ; f/16 et f/22 étant les plus courants. Passez d'un diaphragme au nombre inférieur, de f/8 à f/5,6, par exemple, et l'ouverture est deux fois plus grande ; la quantité de lumière qui passe double à chaque niveau. Dans le sens inverse, si vous passez de f/16 à f/22, par exemple, la taille de l'ouverture diminue de moitié ; vous avez réduit de moitié la quantité de lumière qui atteindra le film quand vous prendrez votre photo.

La vitesse d'obturation

La vitesse d'obturation contrôle la durée d'ouverture du rideau de l'obturateur (ou des lamelles métalliques de certains objectifs). Cette durée est réglable. Vous pouvez sélectionner vous-même la vitesse d'obturation ou choisir le mode automatique. Le film sera d'autant plus exposé à la lumière que la durée d'exposition sera longue, et ce quelle que soit l'ouverture. Les vitesses sont indiquées en secondes et en fractions de seconde sur le sélecteur de l'appareil. Nombre d'appareils perfectionnés ont désormais un sélecteur de vitesse électronique. Et les vitesses sont affichées sur un écran à cristaux liquides ou écran LCD (*Liquid Crystal Display*).

Les vitesses d'obturation habituelles sont les suivantes, en partant de la plus lente : 1 seconde, 1/2, 1/4, 1/8, 1/15, 1/30, 1/60, 1/125, 1/250, 1/500 et 1/1 000ᵉ de seconde. Sur certains appareils, vous pouvez sélectionner une vitesse d'obturation intermédiaire, comme 1/350ᵉ de seconde. Il n'est pas rare de trouver des réglages plus longs et plus courts que ceux que nous avons cités. Comme pour les diaphragmes, quand vous passez d'une valeur à l'autre, vous doublez ou diminuez de moitié l'exposition.

La combinaison de l'ouverture et de la vitesse

Si vous sélectionnez une grande ouverture, il vous faut d'autant moins de temps pour bien exposer le film : vous avez donc une vitesse d'obturation rapide. À l'inverse, si l'obturateur reste ouvert longtemps, la taille requise pour l'ouverture sera réduite. Comme vous l'avez déjà sans doute deviné, les nombreuses combinaisons – différentes mais équivalentes – d'ouverture et de vitesse d'obturation produisent la même exposition. Les objectifs dotés de grandes ouvertures maximales sont dits « rapides » parce qu'ils permettent de sélectionner des vitesses supérieures.

marquages
profondeur de
de champ   diaphragmes

bague   échelle
de mise   des distances
au point

Si les commandes et les repères varient d'un objectif à l'autre, les modèles classiques comportent une échelle pour vérifier la distance de mise au point, une bague pour changer la mise au point, des repères pour estimer la profondeur de champ et une bague pour régler la taille de l'ouverture, ou diaphragme.

Avec l'aimable autorisation
de Pentax Corporation

sabot

affichage des données sur écran LCD

affichage des entrées

retardateur

pentaprisme

commandes : mode, compteurs, autofocus (AF), priorité…

œillet de fixation de courroie

déclencheur

objectif

déverrouillage de l'objectif

poussoir du test de profondeur de champ

prise pour cordon de synchronisation

Toutes sortes d'appareils sont proposés aux photographes, le **reflex mono-objectif de format 135 mm** ayant la préférence de ceux qui veulent un grand choix d'objectifs et d'accessoires, ainsi que le cadrage et la mesure à travers l'objectif. Ci-dessus, nous détaillons les fonctions d'un reflex sophistiqué.

Slim Films

Ainsi, une petite ouverture de f/16 à une vitesse d'obturation lente telle que 1/2 seconde donnera la même exposition qu'une ouverture plus grande telle que f/11 pour une vitesse d'obturation plus rapide, soit 1/4 de seconde dans ce cas. Ici, vous avez doublé l'ouverture de façon à réduire de moitié la durée. Le schéma de la page 15 illustre plus en détail ce concept nommé « réciprocité » ou « exposition équivalente ».

Si ce concept ne vous paraît pas très clair, prenons cette analogie. Vous voulez remplir un pichet d'eau. Avec un tuyau d'arrosage, il vous suffira de quelques secondes. Avec la lance à incendie des pompiers, dont le diamètre est très large, le pichet sera rempli instantanément. Si vous vous y prenez avec des tuyaux d'un diamètre de plus en plus petit, le processus durera d'autant plus longtemps. Chaque combinaison équivalente – de temps et de diamètre d'ouverture – produit le résultat « correct » : un pichet rempli dans notre exemple – en photographie, une image bien exposée.

Le posemètre (ou la cellule)

Le posemètre, intégré dans presque tous les appareils récents ou accessoire indépendant du boîtier, vous indique la quantité de lumière nécessaire en toute situation. On peut considérer le posemètre comme un processeur, ce qu'il est d'ailleurs vraiment sur certains appareils sophistiqués. Le système évalue la luminosité de la scène et vous indique si votre réglage fournit une exposition correcte. En mode automatique, l'appareil effectue lui-même le ou les réglages.

Les modes classiques de fonctionnement

La plupart des appareils actuels, à l'exception des automatiques, offrent au moins deux options bien distinctes de réglage pour obtenir une bonne exposition.

Le mode manuel

Lorsque vous utilisez votre appareil en mode manuel, le posemètre vous donne seulement des indications, que vous acceptez ou non. Il vous faut changer l'ouverture et la vitesse d'obturation au moyen des deux sélecteurs différents, jusqu'à ce que l'appareil valide l'exposition. Si vous changez de vitesse, vous devez aussi rectifier l'ouverture, et *vice versa*. C'est un peu lent, et il faut bien procéder aux deux opérations.

Le mode semi-automatique

La plupart des appareils photos proposent au moins un mode qui vous permet de n'opérer qu'une seule sélection, en général l'ouverture. L'appareil réagit automatiquement en donnant la bonne vitesse d'obturation pour que l'exposition soit correcte. C'est l'automatique à priorité ouverture. Beaucoup de modèles offrent une autre option vous permettant de régler la vitesse d'obturation tandis que l'appareil

---

Point pratique

Les fractions, 1/250 ou 1/8, figurent rarement en totalité sur les appareils. Vous trouverez en général des abréviations, « 250 » ou « 8 ». Si vous possédez un boîtier sophistiqué qui admet des vitesses d'obturation très lentes, vous pouvez trouver d'autres abréviations : vérifiez sur votre mode d'emploi.

Grâce à plusieurs nouvelles techniques et à l'informatisation, beaucoup d'appareils comportent désormais des commandes, des sélecteurs et des affichages électroniques (ci-dessous, à gauche). Ces commandes font toute la différence avec les poussoirs et bagues mécaniques des modèles conventionnels.

détermine l'ouverture correspondante (automatique à priorité vitesse). En mode semi-automatique, vous travaillez plus vite qu'en mode manuel.

Le mode automatique

Les appareils reflex de format 135 mm les plus récents fonctionnent parfois en mode totalement automatique. Il est souvent désigné par « A » pour « automatique ». Le processeur de l'appareil choisit aussi bien l'ouverture que la vitesse d'obturation pour optimiser l'exposition. Il se peut d'ailleurs que cette combinaison ne corresponde pas à vos ambitions de création.

La sélection des programmes

Sur certains appareils sophistiqués, vous disposez d'options supplémentaires. La plus courante est le décalage de programme. Un sélecteur sur l'appareil

Mark Thiessen, photographe de la National Geographic Society (NGS)

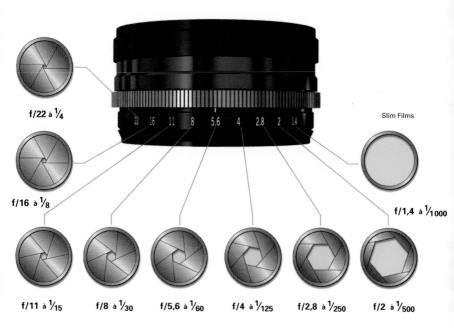

f/22 à ¼

f/16 à ⅛

Slim Films

f/1,4 à ¹⁄₁₀₀₀

f/11 à ¹⁄₁₅   f/8 à ¹⁄₃₀   f/5,6 à ¹⁄₆₀   f/4 à ¹⁄₁₂₅   f/2,8 à ¹⁄₂₅₀   f/2 à ¹⁄₅₀₀

Les combinaisons d'ouverture et de vitesse d'obturation produisent une **exposition équivalente**. Avec une grande ouverture et une vitesse rapide, la profondeur de champ est faible et le mouvement figé. Avec une petite ouverture et une vitesse lente, la profondeur de champ est importante, mais le mouvement difficile à fixer.

vous permet de faire défiler les différentes combinaisons de vitesse d'obturation et d'ouverture qui vous donneront la bonne exposition. Prenez votre cliché lorsque vous avez atteint la combinaison la meilleure. L'appareil peut proposer f/8 à 1/125. Si vous souhaitez une plus grande profondeur de champ face à une colline couverte de fleurs, vous pouvez passer à f/16 à 1/30. Ou bien, si vous voulez « figer » un motard roulant très vite, vous choisirez f/4 à 1/500. Comme toutes les combinaisons sont équivalentes, l'exposition ne changera pas – seules seront concernées la profondeur de champ et la restitution du mouvement.

Les programmes résultats

Un grand nombre d'appareils innovants disposent de programmes conçus pour des types de sujets courants : paysage (favorisant la profondeur de champ), sport (aux vitesses d'obturation élevées), portrait

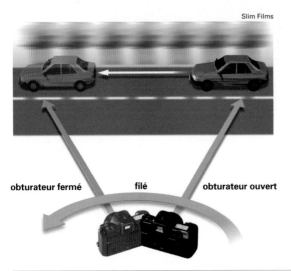

Slim Films

obturateur fermé   filé   obturateur ouvert

Le filé peut être une technique très efficace pour donner le sens du mouvement à une photo (ci-contre). Cette technique exige un bon entraînement à faible vitesse. Il faut essayer de bouger l'appareil exactement à la même vitesse que le sujet. Prenez autant de photos que possible… jusqu'à ce que vous y arriviez.

(modérant l'ouverture) et ainsi de suite. Ces programmes sélectionnent l'ouverture et la vitesse d'obturation qu'un photographe chevronné pourrait choisir pour bien restituer le mouvement et la zone de netteté d'une scène. Si ces réglages ne vous conviennent pas, choisissez l'un des modes qui vous permettent de mieux contrôler la situation.

Le mouvement et la vitesse d'obturation

La vitesse d'obturation détermine l'interprétation du mouvement sur le film. Vous avez fondamentalement deux options : un cliché précis ou un certain flou qui donne une impression de mouvement. Pour un cycliste, vous pouvez décider de photographier à une vitesse de 1/500 ou de 1/30 selon l'effet que vous souhaitez produire : un coureur figé dans le temps ou dans un mouvement fluide. La vitesse d'obturation nécessaire pour fixer le mouvement dépend de plusieurs facteurs. Pour vos expérimentations, reportez-vous à nos suggestions sur le tableau page 248.

Si le modèle en mouvement – le cycliste – traverse votre chemin, tentez une prise en filé. Déplacez l'appareil en suivant doucement la progression du sujet, et déclenchez l'obturateur à un moment donné.

Point pratique

Pour l'instant, nous supposons que le posemètre de votre appareil donne toujours des réglages corrects pour une bonne exposition. Or, ils sont discutables pour les sujets très foncés ou très clairs. Les chapitres sur les films et l'exposition vous conseilleront pour ne pas tenir compte de ces réglages et obtenir de meilleurs résultats.

Keith Philpott

(Continuez à le suivre même une fois la photo prise. Vous obtiendrez un meilleur résultat, comme pour un swing au golf.) Le sujet sera assez net, pour un arrière-plan flou. Essayez cette technique avec différentes vitesses d'obturation – de 1/4 à 1/30 – et l'une de vos photos devrait produire l'effet que vous recherchez. N'oubliez pas que si la vitesse d'obturation est très lente, le moindre mouvement de l'appareil peut poser un problème ; utilisez un pied.

La profondeur de champ et le diaphragme

Nous avons tous vus des photos sur lesquelles tous les éléments de la scène sont restitués avec une grande précision : le sujet, l'arrière-plan et le premier plan. Sur d'autres clichés, le photographe obtient un effet diamétralement opposé : seul le sujet est précis tandis que ce qui l'entoure devient un lavis flou et coloré. Pour obtenir des effets aussi opposés, il existe une méthode consistant à faire varier la « profondeur de champ ». Si nous nous plaçons à une distance de 3 m, par exemple, la profondeur de champ est affectée par les modifications d'ouverture. À f/2, seul le sujet sera tout à fait net. Si l'on descend à f/22, toutefois, le premier plan et les éléments de l'arrière-plan seront au point.

Peter Burian

Plusieurs facteurs techniques affectent la zone de netteté d'une photo. Pour prendre cette image, le photographe a sélectionné un objectif long (280 mm), s'est placé très près du sujet et a choisi une grande ouverture (f/4) pour obtenir une faible profondeur de champ.

Le dilemme technique

Lorsque vous sélectionnez une vitesse d'obturation plus rapide pour fixer le mouvement, le posemètre de l'appareil recommande une ouverture plus importante. Vous aurez une faible profondeur de champ – une étroite bande très nette –, de sorte que certains éléments importants de la scène risquent d'être flous. (Que cela soit ou non l'effet que vous recherchez.) À l'inverse, si vous adoptez une vitesse d'obturation plus lente, vous devez choisir une ouverture plus petite pour obtenir une bonne exposition. Maintenant, les objets étrangers à la scène sont nets. (Sauf si vous faites une prise en filé d'un sujet en mouvement.)

Ce facteur technique limite vos options créatives. Vous ne pouvez pas toujours avoir la combinaison parfaite de vitesse d'obturation et d'ouverture qui correspond à votre désir d'une restitution particulière du mouvement et d'une profondeur de champ spécifique tout en ayant une image nette. C'est l'une des contraintes de la photographie, même si d'autres techniques vous permettent de contrôler – d'augmenter ou de diminuer – la profondeur de champ.

Si la vitesse d'obturation est pour vous le facteur le plus important, pour la photographie d'action, il peut être judicieux de choisir un appareil semi-automatique à priorité vitesse. S'il s'agit de paysage ou de portrait, il importe davantage que l'ouverture convienne à la profondeur de champ et vous aurez intérêt à choisir le mode à priorité ouverture. Les programmes résultats présentent également un intérêt, mais ils vous forcent à vous fier à l'opinion du fabricant en ce qui concerne la vitesse d'obturation et l'ouverture propres à tel ou tel sujet.

La profondeur de champ démystifiée

Ce qui distingue l'amateur du photographe chevronné, c'est l'aptitude à maîtriser la profondeur de champ. Difficile à acquérir, nous vous conseillons d'approfondir son étude, en particulier pour la photographie scientifique, pour bien en apprécier tous les aspects. Ici, nous nous contenterons d'en aborder les caractéristiques les plus pratiques, pas à pas, en allant à l'essentiel. Comme ces informations concernent d'autres chapitres, lisez-les attentivement.

La définition

La profondeur de champ correspond à la « zone de netteté acceptable sur une photo ». Seul le sujet sur lequel vous avez effectué la mise au point – et tout ce qui est à la même distance de l'appareil – sera net. Les autres détails de l'image, devant et derrière le sujet, auront une assez bonne netteté. L'étendue de la profondeur de champ est déterminée par plusieurs facteurs.

La longueur focale

Vous pouvez faire varier la profondeur de champ quelle que soit votre position en utilisant différentes focales (*voir* le chapitre sur les objectifs). Les objectifs longs, de 300 à 600 mm, donnent des images ayant peu de profondeur de champ. Les objectifs courts, de 28 ou 35 mm, l'amplifient.

La distance au sujet

En vous approchant du sujet, vous réduisez la profondeur de champ de votre photo. Sur un très gros plan, la zone de netteté se mesure en millimètres. Mais si vous photographiez la ligne d'horizon d'une ville au lointain, la profondeur de champ sera considérable.

La mise au point

La profondeur de champ s'étend environ pour un tiers devant le point sur lequel vous avez effectué la mise au point et pour deux tiers derrière. (Cela s'applique à presque toutes les catégories de photographies, à l'exception des grossissements extrêmes.) Pour avoir une grande profondeur de champ, si vous voulez prendre, par exemple, un champ de coquelicots, visez un point à environ un tiers de la distance en partant du bas de l'image, avec une ouverture assez petite.

L'ouverture (f/)

Comme nous l'avons déjà précisé, une grande ouverture (petits nombres f/) produit une profondeur de

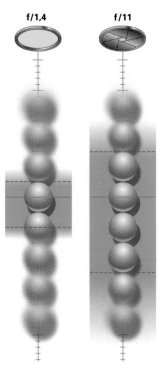

f/1,4   f/11

Même si le plan visé est le seul à être vraiment net dans toute photo, la **zone de netteté** (profondeur de champ) est plus importante. Avec une ouverture grande (à gauche), la profondeur de champ est faible. Si vous choisissez une petite ouverture, elle augmente : une plus grande partie du premier plan et de l'arrière-plan apparaît avec une netteté acceptable.

Slim Films

Frans Lanting

Nous attendons en général des photos de paysages une vaste profondeur de champ, et une image nette du premier plan à l'arrière-plan. Pour y arriver, sélectionnez un grand-angle (les objectifs grands-angles ont toujours une profondeur de champ plus importante quelle que soit l'ouverture), une petite ouverture (peut-être f/11 ou plus), et mettez au point à un tiers environ de la distance. Si votre appareil permet de tester la profondeur de champ, vérifiez avant de déclencher.

champ limitée tandis qu'une petite ouverture (grands nombres f/) accroît la zone de netteté. Lorsque vous réduisez l'ouverture, de f/5,6 à f/8, et ainsi de suite, vous obtenez une profondeur de champ de plus en plus étendue. À f/22, elle devient considérable mais cela dépend bien sûr des autres facteurs cités plus haut.

Vérifier la profondeur de champ

Les appareils modernes vous permettent de regarder la scène avec l'ouverture maximale de l'objectif là où la vue est la plus lumineuse. La vision et la mise au point en sont facilitées. Comme l'appareil ajuste l'ouverture du diaphragme un instant avant que l'obturateur s'ouvre, vous ne pourrez pas voir la profondeur de champ changer au moment où l'objectif passe d'une grande à une plus petite ouverture. La profondeur de champ sera différente à chaque valeur de diaphragme.

Certains appareils (ou objectifs) comportent un poussoir pour le « test de profondeur de champ », qui vous permet d'estimer visuellement la zone de netteté quelle que soit l'ouverture. Vous pouvez voir la scène à différents diaphragmes et prendre la photo quand l'ouverture vous donne la bonne profondeur de champ. Le viseur s'assombrira au fur et à mesure que vous réduisez l'ouverture, alors allez-y lentement – un diaphragme à la fois – pour que votre œil s'accoutume. Il existe encore bien d'autres méthodes pour évaluer la profondeur de champ.

Les marquages des objectifs

Certains objectifs comportent des échelles près de la bague d'ouverture pour évaluer la profondeur de champ à chaque ouverture. Ces marquages toutefois, en particulier sur les objectifs autofocus et les zooms, se font rares. Chez certaines marques, les objectifs n'ont même pas de bague d'ouverture. Consultez votre mode d'emploi pour déterminer exactement comment estimer la profondeur de champ si votre objectif dispose de bagues d'ouverture et d'une échelle de profondeur de champ.

Les tableaux des hyperfocales

Les fabricants d'objectifs éditent souvent des tableaux dans les modes d'emploi pour indiquer la profondeur de champ selon la distance au sujet et l'ouverture. Parfois, ils les publient dans les magazines de photo, qui vous aident à obtenir une profondeur de champ maximale. Ils donnent une liste de focales et indiquent la distance optimale de mise au point. Ainsi, ce type de tableau vous conseillera, avec un objectif de 20 mm réglé sur f/11, de mettre au point l'objectif sur 1,50 m et la profondeur de champ s'étendra de 0,75 cm à l'infini. Ils feront de même pour les autres ouvertures, en général de f/8 à f/32. Ces tableaux sont utiles pour les paysages, champêtres ou urbains, et autres sujets statiques pour une vitesse assez lente de l'obturateur.

Vitesse d'obturation ou diaphragme ?

Comme vous pouvez obtenir une exposition correcte avec de nombreuses combinaisons équivalentes d'ouverture et de vitesse d'obturation, laquelle choisir ? Vaut-il mieux utiliser une grande ouverture et une vitesse d'obturation rapide, ou l'inverse ? Cela dépend de deux facteurs, l'un technique, l'autre créatif.

Point pratique

La zone de netteté semblera plus importante sur les petits tirages que sur les agrandissements. Un objet placé au premier plan qui est net sur un tirage 10 x 15 cm peut être légèrement flou sur un agrandissement de format 40 x 50 cm, et même sur un 20 x 25 cm si vous y regardez de près.

sans trépied

avec trépied

John Agnone, photographe de la NGS

Quand vous photographiez à une vitesse lente en tenant votre appareil à la main, l'image est souvent floue. La photo de gauche a été prise à 1/30e de seconde avec un objectif de 200 mm. Pour obtenir une image nette, utilisez un support ferme ou une vitesse supérieure.

Évitez les images floues

Selon les tireurs des laboratoires, la cause la plus fréquente d'échec est le manque de netteté. À l'exception des erreurs de mise au point, la raison en est souvent que l'appareil ou le sujet a bougé. Si vous tenez votre appareil à la main, il faut choisir une vitesse d'obturation assez rapide pour compenser les mouvements naturels du corps. Un sujet en mouvement sera flou si vous n'utilisez pas une vitesse rapide.

Vous pouvez utiliser un trépied, un pied ou tout autre support – même caler vos coudes sur un rocher ou le toit d'une voiture – pour empêcher l'appareil de bouger. Adoptez du moins une position correcte pour stabiliser l'appareil, tenez l'objectif d'une main et le boîtier de l'autre. Pour augmenter la vitesse d'obturation – et accroître vos chances de parfaite netteté – utilisez un film plus rapide, plus sensible à la lumière, un 400 ISO au lieu d'un 100. Ainsi, vous disposerez de plus de combinaisons d'ouverture et de vitesse.

Notez que plus l'objectif est long, plus vous aurez besoin d'une vitesse d'obturation rapide pour prendre des photos nettes si vous tenez l'appareil à la main. La règle consiste à photographier à une vitesse d'obturation « supérieure d'au moins une unité à la focale choisie ». Par exemple, avec un objectif de 28 mm, choisissez 1/30 ; avec un objectif de 50 mm, 1/60 ; avec un téléobjectif de 200 mm, 1/250 ou plus. Si la luminosité est faible, la vitesse est rarement élevée, aussi utilisez un support ferme pour éviter le flou.

Slim Films

Pour augmenter vos chances de prendre une photo nette sans le flou dû aux mouvements de la main ou du corps, appliquez ces **techniques de posture et de prise en main du boîtier.** Rentrez les coudes, tenez bien l'objectif et adoptez une position de tir debout ou à genoux. Pour plus de stabilité, appuyez-vous contre quelque chose de solide si possible. Suivre ces recommandations est particulièrement important si vous prenez des photos à des vitesses lentes avec une luminosité faible et sans flash.

LA COMPOSITION

Le cadrage vertical convient bien en général aux sujets verticaux. Appliquez la règle des tiers, ou décentrez au moins la composition, et laissez de l'espace devant un sujet animé ou en mouvement. Sur cette photo, le reflet de l'aigrette ajoute un subtil élément de profondeur.

Peter Burian

AUJOURD'HUI, GRÂCE À LA SOPHISTICATION des appareils, des objectifs et des films couleurs, presque tout le monde peut prendre des photos nettes bien exposées. En revanche, les critères de créativité du photographe passionné ne sauraient se satisfaire de la plupart de ces photos acceptables d'un point de vue technique. Il se peut que la perfection photographique, comme la beauté, n'existe que dans l'œil du spectateur, mais en général nous tombons presque tous d'accord sur certains critères. Les arrière-plans encombrés, les flous partiels au premier plan ou les objets minuscules en plein milieu de l'image, écrasés par un espace superflu, sont loin de constituer une formule séduisante.

La composition est l'un des premiers facteurs de réussite et mérite de ce fait une considération approfondie. Malgré la nécessité de se garder de toutes règles rigides, la composition reste essentielle pour réussir une image. Votre travail sera moins apprécié si la composition se révèle défectueuse, même si l'observateur n'en reconnaît pas la raison. Les boîtiers reflex «intelligents» d'aujourd'hui peuvent presque prendre la photo pour vous, mais vous devez les programmer pour rechercher et organiser les éléments visuels qui donneront une image équilibrée. Les indications qui suivent vous seront fort utiles pour obtenir une composition satisfaisante.

La règle des tiers

La règle des tiers, technique classique qui permet d'équilibrer une image et qui consiste à décentrer le sujet, est utilisée depuis longtemps par les peintres. Le centre de l'image n'est pas un endroit où l'œil aime à se reposer, et une composition centrée est statique, et non dynamique. Pour appliquer la règle des tiers, imaginez que le viseur de votre appareil est quadrillé par

Susie Post

La règle des tiers trouve son origine dans les calculs des peintres de la Renaissance. Lorsque le sujet, ou son élément principal, est placé sur l'un des points d'intersection de cette grille imaginaire, il introduit l'œil de l'observateur dans le cliché. Il en résulte une image d'une puissante esthétique.

deux lignes horizontales et deux verticales. Lorsque vous regardez une scène, que vous contempliez un arbre sous la neige, un lion au loin dans la savane ou une ferme au milieu d'un pré, placez le sujet à l'un des points d'intersection. Cette technique fonctionne aussi bien avec un cadrage vertical qu'horizontal et donne de meilleurs résultats qu'une composition centrée. Voici quelques exemples pour vous aider si vous désirez ce type de composition.

Les ciels spectaculaires

Pour mettre en valeur un ciel spectaculaire, placez l'horizon assez bas sur l'image, le long de l'horizontale inférieure de votre grille imaginaire. Si le ciel est sans intérêt, mais non sans importance narrative, placez-le le long de la ligne supérieure.

Le cadrage serré

Pour un portrait, par exemple, placez l'élément le plus important du sujet, l'œil le plus proche de vous peut-être, à l'un des points d'intersection de l'image. Ce point devra être l'un des deux points supérieurs, pour qu'il n'y ait pas trop d'espace vide au-dessus du sujet.

Le sujet en mouvement

Laissez de l'espace à un sujet mobile pour qu'il puisse poursuivre sa lancée. S'il s'agit d'un être vivant au repos, animal ou humain, ménagez un vide pour suggérer la direction de son regard.

De gauche à droite

Les Occidentaux lisent de gauche à droite et font en général de même avec une image. Pour cette raison, il convient de placer le sujet principal sur le côté gauche de l'image. Si celui-ci est exactement au centre, nous serons moins tentés d'explorer les autres zones. Vous pouvez centrer d'abord le sujet pour la mise au point, puis refaire votre composition ; avec la plupart des appareils autofocus, il suffit d'appuyer légèrement sur le déclencheur pour bloquer et maintenir la mise au point.

Rompant avec la règle des tiers volontairement, le photographe a décidé de centrer le sujet principal de la photo ci-dessous. L'image n'en est pas moins très réussie, grâce à l'équilibre apporté par les autres éléments.

David Alan Harvey, photographe de la NGS

Susie Post

Le cadre, ici des ballons colorés, donne du relief à une photo bidimensionnelle. Quand vous trouvez un élément en mouvement qui conviendrait à un cadrage, essayez de vous placer afin de pouvoir en accentuer la profondeur.

Déplacez le sujet

Si vous le pouvez, déplacez le sujet de manière à ce qu'il soit à un endroit qui vous convienne mieux pour suivre ces indications. Sinon, déplacez-vous avec l'appareil. Il vous faudra faire quelques pas sur la gauche, photographier au niveau du sol ou bien parcourir quelques kilomètres jusqu'à un meilleur point de vue.

La composition décentrée

Dans toute composition décentrée ayant un « centre d'intérêt » de petite taille, l'image comporte une part d'espace vide. Composez l'image en intégrant un élément intéressant – voire un sujet secondaire, peut-être plus distant – qui satisfera l'œil de l'observateur. Si vous voulez insister sur l'isolement, laissez l'espace vide.

Cadrer les premiers plans

Souvent, et en particulier dans les photos de paysages et d'architecture, l'espace vide sera rempli par le ciel. Si une étendue d'un azur profond peut contribuer au charme d'une photo, un ciel pâle risque de déranger. Vous pouvez éliminer une bonne partie du ciel en vous rapprochant du sujet, tout en choisissant un objectif plus long ou en recadrant l'image au moment du tirage. Si aucune de ces solutions n'est possible, essayez de trouver un élément au premier plan qui vous servira à encadrer le sujet principal. Une arche, un portail, une porte, la fenêtre d'un bâtiment plus éloigné ou une branche couverte de feuilles ou de fleurs feront tout à fait l'affaire. Il vous faudra peut-être explorer les environs pour trouver un bon point de vue et changer de position avant de prendre la photo. En tout cas, tenez compte des points suivants.

Flou ou netteté

L'élément de cadrage devrait être rendu avec netteté ou dans un flou complet. Pour l'architecture, mieux vaut garder une image nette. Choisissez une petite ouverture (peut-être f/22) avec un objectif grand-angle. S'il s'agit d'éléments naturels comme un feuillage, vous désirerez sans doute produire une image floue ; utilisez une grande ouverture, f/4, et un télé-objectif. Cette tactique radicale donne parfois des images plus fortes que celles que vous obtiendriez en mode automatique, avec le réglage habituel sur f/8.

Les éléments de cadrage

Il est bon que les éléments de cadrage comportent une certaine valeur esthétique, telle celle d'une arche, d'un briquetage inhabituel, d'un bel encadrement de porte, de branches parées de somptueuses couleurs automnales ou de fruits mûrs. L'élément de cadrage ne doit pas être trop grand, étonnant ou coloré, ce qui détournerait l'observateur du centre d'intérêt. S'il est beaucoup plus sombre que le sujet, ou plongé dans l'ombre, vous pouvez ne rendre que sa silhouette. S'il est assez près de vous, vous pouvez l'éclairer au flash ; essayez de photographier la scène avec et sans flash.

Le cadre adéquat

Le cadre n'est que le complément du sujet. Ainsi une mosquée vénérable risque de ne pas être bien mise en valeur par une structure neuve en béton couverte de *graffiti*, à moins que vous ne cherchiez à faire passer un message sur ce contraste architectural ou social.

Melissa Farlow

Au lieu de prendre une photo documentaire de ce monument, la photographe a cherché un endroit d'où elle aurait un cadre adéquat et elle a relevé son boîtier. Avec une approche inventive, on peut porter un sujet souvent photographié à une nouvelle dimension visuelle.

Cadrez le bas de l'image

Un élément de cadrage, adéquat au sujet, situé en bas de la photo peut être tout aussi utile pour animer le sujet. Ainsi pour une prairie herbeuse et vide ou un fouillis compact, ce seront des fleurs aux couleurs vives, des pierres d'un vieux mur de ferme, des buissons ou des engins agricoles… Pour éviter un premier plan en partie flou, et d'un effet discutable, vérifiez la profondeur de champ.

Cadrez avec modération

Évitez les cadrages excessifs, qui peuvent devenir lassants à la longue. Imaginez un montage diapos sur la Grèce dont chaque bâtiment, personnage ou paysage serait cadré ; vous trouveriez vite cela répétitif.

La plupart des photographes n'utilisent pas souvent de ligne directrice – qui exerce ici un attrait puissant sur l'observateur – à cause des difficultés de repérage. Quand vous remarquez un élément qui peut servir de ligne directrice, il vaut la peine d'explorer les lieux pour trouver le meilleur emplacement et profiter de son potentiel.

Raymond Gehman

Les lignes directrices

Pour les paysages et autres scènes panoramiques, essayez de trouver un élément du sujet qui guidera l'œil de l'observateur dans l'image – de gauche à droite ou de bas en haut. Il peut s'agir d'une route fuyant au loin vers les cimes, de blocs de glace dans un torrent au bas d'un glacier, des méandres gracieux d'une rivière serpentant à flanc de montagne, d'un groupe de bateaux de pêche ou de rochers s'échelonnant à l'arrière-plan d'un village. Reportez-vous aux conseils donnés dans les parties sur le cadrage et concernant les sujets complémentaires et la profondeur de champ car ils peuvent vous aider à utiliser les lignes directrices avec succès.

Les autres techniques de composition

Il existe d'autres techniques de composition, qui pourront vous aider à réaliser des photos intéressantes et équilibrées.

Trouvez un centre d'intérêt bien identifié

Si vous ne voulez pas que l'œil de l'observateur se perde dans l'image à la recherche d'un endroit où se reposer ou d'un élément à observer, choisissez un sujet qui offre un centre d'intérêt marquant – mais qui n'est pas de préférence situé au centre du cadrage.

Remplissez l'image

« Si vos photos ne sont pas assez bonnes, c'est que vous n'êtes pas assez près. » Cette sage sentence due à Robert Capa, le célèbre photographe de guerre, constitue sans doute le meilleur avis qui soit en matière de photo. Si vous ne pouvez pas vous rapprocher du sujet, prenez un objectif plus long pour faire un portrait. Quand la scène comporte des lignes verticales, tenez votre appareil à la verticale pour éviter l'espace perdu sur les côtés de l'image. Sinon, recadrez la photo au tirage ou quand vous l'encadrez.

Présentez un message clair

Dans les compositions à champ large que vous prendrez au grand-angle, éliminez les éléments superflus, en particulier les zones très claires qui détournent l'observateur du sujet principal. Supprimez ceux que vous apercevez dans le viseur en changeant de position.

Osez composer et donnez de la profondeur

Quand vous cherchez à prendre une photo d'une scène étendue, tenez compte d'autres composantes artistiques. Recherchez le rythme des éléments répétitifs, une diagonale dynamique, des contrastes de couleurs, de textures ou de formes ou une unité de conception. Il s'agit de techniques sophistiquées dont vous pourrez percer peu à peu les secrets en étudiant les œuvres des plus grands maîtres, peintres ou pho-

Karen Kasmauski

tographes. Utilisez un objectif grand-angle et intégrez des objets au premier plan, au centre et à l'arrière-plan pour donner un effet de relief à une image bidimensionnelle. Prenez une ligne directrice et faites déborder certains éléments, bâtiments ou montagnes…

En conclusion

Les photographes expérimentés ne respectent pas toujours les règles quand ils veulent faire passer un message ou créer un climat. Avant d'en faire autant, il est important que vous maîtrisiez ces notions essentielles. Une fois que vous les aurez assimilées, commencez à expérimenter. Vous pouvez, par exemple, placer un sujet circulaire au centre pour créer une symétrie des formes, inclure des agrégats urbains autour d'un monument ancien, situer la ligne d'horizon près du bord inférieur de la photo pour mettre en valeur des nuages spectaculaires ou placer une personne de manière à ce qu'elle regarde en dehors de l'image pour créer une tension. Faites-le en connaissance de cause et volontairement.

Les règles de la composition ne sont pas rigides, comme l'a démontré cette photographe en réalisant une image puissante qui décapite son sujet. La photo n'en est pas moins réussie car elle se conforme à la règle des tiers et possède une composition équilibrée avec un vigoureux centre d'intérêt.

LES BOÎTIERS

Le reflex mono-objectif utilise le même objectif pour voir la scène et prendre la photo. Quand vous appuyez sur le déclencheur, **le miroir qui reflète** la lumière vers le viseur (en passant par le pentaprisme) se relève, ce qui permet à l'image d'atteindre le plan du film ; le rideau de l'obturateur s'ouvre pour que le film soit exposé à la lumière, puis se ferme ; le miroir reprend alors sa position d'origine automatiquement.

Slim Films

LA PHOTOGRAPHIE A ÉTÉ INVENTÉE il y a plus de cent soixante-dix ans, mais c'est au cours des vingt-cinq dernières années qu'ont été réalisés les progrès les plus considérables pour le perfectionnement du boîtier lui-même. Le boîtier est l'élément principal de l'appareil sans aucun de ses accessoires ni l'objectif. Et ces dix dernières années, l'avancée technologique s'est faite à pas de géant. Aujourd'hui, de nombreux modèles possèdent des microprocesseurs puissants dotés d'une intelligence artificielle. Ils sont conçus pour produire automatiquement des photos nettes et bien exposées. Malgré ces innovations, l'appareil photo a conservé ses caractéristiques de base : le boîtier abrite le film dans une chambre noire, l'obturateur s'ouvre pour un temps donné et le film est exposé à la lumière grâce à un objectif monté sur le boîtier.

Cette description générale regroupe plusieurs types et formats d'appareils. La plupart d'entre eux utilisent des films, quoiqu'il existe des appareils numériques qui s'en passent. Nous allons faire l'inventaire des types d'appareils les plus courants et de leurs avantages, en insistant sur les boîtiers de format 135 mm, qui acceptent des objectifs interchangeables, puisque ce sont les appareils le plus souvent utilisés par les photographes sérieux, ou du moins ceux qui travaillent en dehors d'un studio.

Le format du boîtier se fonde sur celui du film. Il en existe de toutes tailles, des compacts APS (*Advanced Photo System*) aux très grands formats – jusqu'aux plan-films en 24 x 30 cm – des boîtiers dont se servent encore certains professionnels pour la photographie classique de paysage et d'architecture. Si c'est en général la conception du boîtier qui détermine le format du film, certains appareils sont conçus pour s'adapter à plusieurs formats différents, ce qui offre aux photographes des possibilités de création supplémentaires.

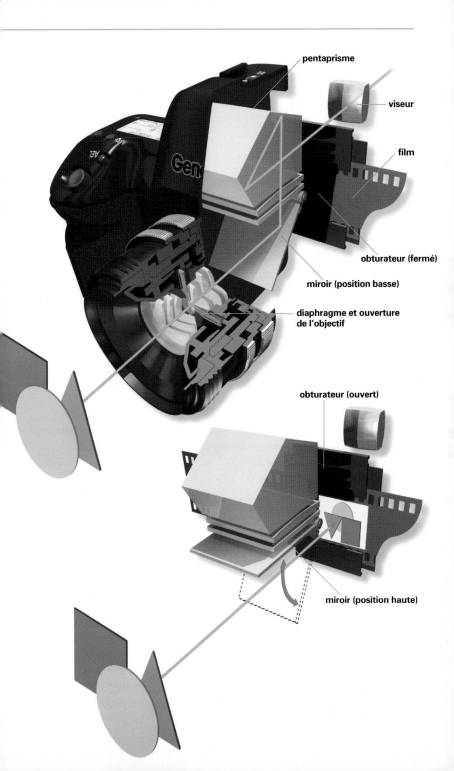

pentaprisme

viseur

film

obturateur (fermé)

miroir (position basse)

diaphragme et ouverture
de l'objectif

obturateur (ouvert)

miroir (position haute)

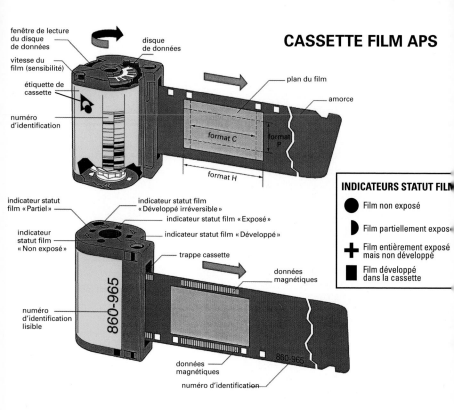

CASSETTE FILM APS

fenêtre de lecture du disque de données

vitesse du film (sensibilité)

étiquette de cassette

numéro d'identification

disque de données

plan du film

amorce

format C

format P

format H

indicateur statut film « Partiel »

indicateur statut film « Non exposé »

indicateur statut film « Développé irréversible »

indicateur statut film « Exposé »

indicateur statut film « Développé »

trappe cassette

données magnétiques

860-965

numéro d'identification lisible

données magnétiques

860-965

numéro d'identification

INDICATEURS STATUT FILM

● Film non exposé

◗ Film partiellement exposé

✚ Film entièrement exposé mais non développé

■ Film développé dans la cassette

La plupart des fabricants proposent désormais des **films en format APS**, conçus spécialement pour les appareils APS. Les fabricants vantent la quantité d'informations enregistrées sur le film et la cassette, qui sont censées augmenter la qualité de l'image en facilitant le travail des photographes.

Avec l'aimable autorisation de Eastman Kodak Company

L'APS

Tout le monde connaît le format de boîtier 135 mm qui représente la norme depuis des années. Quelques formats plus petits ont été commercialisés dans le passé, mais le dernier-né (1996) est l'APS, parfois appelé format 24 mm, dont la fenêtre du cliché mesure 17 x 30 mm, soit presque 42 % de moins qu'en 135 mm. L'APS est censé offrir une alternative au format 135 mm et non le remplacer. Il présente plusieurs avantages : un boîtier plus compact, un chargement fiable et aisé de la cassette – le contenant du film –, une technologie améliorant la qualité des tirages, trois formats distincts (le 4 x 6 cm, le 4 x 7 cm, un peu plus long, et les panoramiques 4 x 10 cm ou 4 x 11,5 cm) ; enfin, les négatifs sont replacés dans la bobine où ils sont archivés et protégés. Bien que l'APS soit commercialisé le plus souvent dans des boîtiers compacts, vous trouverez aussi des appareils APS de la taille des boîtiers de format 135 mm. Ils comprennent toutes sortes d'options, ont des objectifs interchangeables et autres accessoires.

Le verdict sur l'APS

Pour plus de détails sur les avantages et les inconvénients du format APS et celui du 135 mm, reportez-vous au tableau de la page 40. Environ la moitié des appareils compacts neufs vendus sont des APS. Si l'APS convient tout à fait pour les appareils automatiques, la majorité des photographes sérieux sont restés fidèles au reflex de format 135 à cause de sa supériorité en matière de taille de l'image et de choix de films ou de modèles. Si vous commandez régulièrement des tirages en 20 x 25 cm ou plus, gardez le format 135 mm ; sinon, les deux formats devraient vous convenir en termes de potentialités et de qualité.

Les principaux types de boîtiers

Il existe trois grands types d'appareils pour les formats de pellicule (ou film) les plus courants. Chacun présente des avantages et des inconvénients. Aucun n'offre la solution idéale à toutes les situations.

(1) Les compacts

Ces appareils « de poche » comportent un objectif intégré avec un mécanisme d'obturation qui s'ouvre pour que le film puisse être exposé à la lumière. Vous voyez la scène à travers un second élément optique qui n'est pas celui qui prend la photo. Également appelés automatiques, ils le sont en effet, avec des caractéristiques telles que la mise au point automatique ou le système d'exposition automatique. Acceptant des films de format 35 et APS, les compacts vont du modèle très bon

Point pratique

Le terme « panoramique » sert souvent aujourd'hui à désigner le « format allongé » : une longue image étroite sur un négatif unique. Le haut et le bas du négatif sont masqués, ce qui donne des bandes noires coupées par la suite. Quelques boîtiers de format 135 et de moyen format proposent cette option, parfois avec un accessoire.

Point pratique

Par usage, les boîtiers utilisant des films de 35 mm sont désignés comme étant « de format 135 mm ». Il arrive aussi que l'on dise des « boîtiers 24x36 mm », ce qui correspond à la taille réelle de l'image impressionnée sur le film de 35 mm.

Peter Burian

Le laboratoire vous remet une planche index (ci-dessus) montrant les images d'une cassette de film APS, ce qui permet de choisir celles qui seront tirées. Vous ne voyez jamais les négatifs APS, qui sont plus petits que les 35 mm d'environ 42%. Après le tirage, ils sont conservés dans la cassette où ils sont protégés.

marché à l'appareil haut de gamme équipé d'optiques de grande qualité et de châssis en alliage de magnésium. Ainsi, aujourd'hui, la plupart des modèles ont un flash intégré et beaucoup ont un zoom, du grand-angle aux téléobjectifs de 38-120 mm ou de 38-160 mm.

Le pour et le contre

Vous pouvez transporter ces appareils légers dans la poche de votre veste. Ils sont entièrement autonomes. En général, ils sont d'une manipulation simple. À l'exception des modèles très bon marché (aux objectifs

quelconques et aux automatismes un peu simples), ils prennent tous de bonnes photos, du point de vue technique du moins. Les compacts ne sont pas pourtant destinés à la « belle » photo, et ce pour trois raisons. La plupart d'entre eux ne permettent pas d'autre mode que l'automatisme, même de façon limitée ; sans possibilités d'adapter d'autres objectifs ou accessoires, ils sont donc d'un usage restreint ; le cadrage manque de précision parce que si vous faites un gros plan, ce que vous voyez dans le viseur n'est pas exactement ce que voit l'objectif.

Le verdict sur les compacts

Parfaits pour voyager léger et photographier vite, les compacts sont extrêmement pratiques et complètent très bien un appareil plus perfectionné.

John Agnone, photographe de la NGS

Les cassettes APS, plus petites que les rouleaux de 35 mm (à gauche), se chargent automatiquement. Si le choix des films est plus réduit en APS, il en existe assez pour satisfaire la majorité des photographes.

Mark Thiessen, photographe de la NGS

Le format 135 mm contre le format APS

135 mm	APS
Les négatifs plus grands donnent une meilleure qualité à l'impression, surtout en 20 x 25 cm et plus	Certains appareils APS plus petits. Très bonne qualité d'image pour les tirages en 13 x 18 cm, et bonne pour le 20 x 25 avec des films d'une nouvelle technologie, surtout de 100 et 200 ISO
Sur boîtiers modernes, le film est facile à charger	Il suffit de glisser la cassette dans le boîtier
Plus grand choix de types d'appareils, d'objectifs et de films pour la photographie plus « sérieuse »	*Mid-roll change* (sur certains modèles) : possibilité très pratique de changer la cassette film à tout moment ; la plupart des reflex acceptent des objectifs du format 135
La technologie supérieure des films APS est déjà utilisée dans certains films en 35 mm pour améliorer encore la qualité de l'image	La cassette film indique si le rouleau est neuf, a été utilisé, en partie exposé ou développé ; impossible de recharger un film terminé
Les labos bien équipés produisent d'excellents tirages ; coût moindre des films et du tirage, que l'on trouve partout	L'*Information Exchange* (IX) des boîtiers haut de gamme peut donner une meilleure qualité de tirage (si le labo dispose d'un bon équipement)
Les bandes de négatifs, étant plates, sont moins encombrantes	Les négatifs sont remis dans la cassette, ce qui réduit les risques d'éraflures
Certains labos proposent des planches index (ou planches contacts) pour les films en 35 mm	Le labo imprime une planche index de toutes les images du rouleau, ce qui vous permet de sélectionner celles que vous voulez faire tirer
Certains boîtiers de format 135 mm peuvent prendre des vues panoramiques, mais les tirages peuvent toujours être recadrés	Vous avez le choix entre trois formats au moment de prendre la photo, ou au labo
Les appareils ayant un dos dateur peuvent imprimer la date et l'heure	Sélection du titre, de la date, de l'heure et du nombre de poses (sur les modèles sophistiqués)
Plus grand choix de types de films, disponibles dans le monde entier et en général moins chers	Les types de films les plus connus (y compris le noir et blanc) ; la cassette est plus petite de 25 %

Achetez un modèle d'un prix moyen d'une marque connue et vous aurez un zoom de bonne qualité, un autofocus efficace, un flash intégré réduisant l'effet « yeux rouges » et un viseur satisfaisant. Évitez les modèles possédant trop de caractéristiques et de boutons. Les compacts sont parfaits pour les activités sportives en famille comme le canoë ou la randonnée en raison de leur petite taille, de leur poids léger et de la bonne qualité des images. Si vous aimez les prises de vue sous la pluie ou près du sable et de l'eau, cherchez un modèle étanche à l'humidité et à la poussière.

(2) Les reflex

Les photographes chevronnés préfèrent en général les reflex mono-objectifs, même si les compacts sont très pratiques. Le terme de mono-objectif fait allusion au fait que ces appareils possèdent un seul objectif pour viser et prendre la photo. Disponibles en APS, en 135 mm et en moyen format (plus grand), les reflex vont de l'appareil simple (entièrement manuel) à l'automatisé et « intelligent » très sophistiqué qui permet même au novice de faire de bonnes photos du point de vue technique. Tous les modèles actuels intègrent des priorités, ce qui multiplie les

L'appareil APS ci-dessous, qui possède des caractéristiques et des fonctions de pointe, est comparable au boîtier de format 135 figurant plus bas. Les APS ne sont pas toujours plus petits, en particulier s'ils sont équipés de zooms à portée large.

Avec l'aimable autorisation de Eastman Kodak Company (en haut) ; avec l'aimable autorisation de Pentax Corporation (en bas).

possibilités de l'appareil au fur et à mesure que son propriétaire devient plus exigeant et habile.

Le pour et le contre

Voir le sujet par l'objectif qui prend la photo permet de cadrer avec plus de précision. Grâce au miroir interne et au système de prisme, votre photo correspond à ce que vous voyez. La plupart des systèmes reflex comprennent une vaste gamme d'objectifs, d'unités de flash, petites ou puissantes, et d'accessoires pour les applications sophistiquées. Vous pouvez voir exactement ce que vous avez mis au point (et le reste) ; vous pouvez régler la vitesse de l'obturateur pour nuancer la restitution du mouvement ; vous pouvez enfin régler l'ouverture (diaphragme) pour modifier la zone de netteté. En mode automatique, l'appareil calcule une exposition correcte mais il vous est possible de préférer des réglages manuels pour obtenir une image plus claire, plus sombre ou d'une esthétique plus créatrice. Vous pouvez aussi passer en mode manuel pour avoir le contrôle de tous les aspects de la prise de vue.

Le boîtier de format APS (page de droite) est plus compact que son équivalent en 135 mm, tout comme son objectif. L'innovation dans la conception et les matériaux permet de réduire la taille et le poids.

Avec l'aimable autorisation de Nikon Inc.

Le verdict sur les reflex

Les reflex sont de loin les appareils favoris des photographes avertis. Les modèles disponibles vont de l'appareil de base, bon marché, au haut de gamme comportant tous les accessoires, et il en existe un grand nombre dans chaque catégorie de prix. Certains photographes préfèrent un reflex en moyen format à cause de la taille supérieure des films ou des diapos – 4,5 x 6 cm, 6 x 6 cm et 6 x 7 cm étant les plus courants. Même le plus petit de ces négatifs est presque trois fois plus grand qu'un 35 mm. Notez toutefois que les moyens formats tendent à être plus chers, plus grands, plus lourds et en général moins automatisés. La grande taille des négatifs présente un avantage réel si vous voulez réaliser des tirages grand format.

(3) Les appareils à mise au point télémétrique

En format 135 mm comme en moyen format, il existe un autre type d'appareil, acceptant des objectifs interchangeables : les appareils à mise au point télémétrique, dont le système de visée se trouve au-dessus ou à côté de l'objectif. Sur les derniers modèles, la vision est très précise. Vous visualisez ce qui sera imprimé sur le film grâce à un télémètre sophistiqué qui se règle sur l'objectif et la distance de mise au point. Sur certains modèles, le télémètre comporte des lignes qui permettent un cadrage presque parfait en gros plan.

Point pratique

Très peu de reflex montrent 100 % de la zone photographiée dans le viseur. La scène enregistrée sur la diapo ou le négatif sera donc plus grande que ce que vous voyez. La différence est minime pour les diapos puisque leur cadre couvre une partie des bords. La zone supprimée est encore plus importante au tirage d'un négatif, surtout avec les équipements automatisés.

À l'origine, les reflex équipés de microprocesseur, autofocus et autres automatismes utilisaient des poussoirs (à droite). Quelques nouveaux modèles, s'ils sont à la pointe du progrès, offrent néanmoins des commandes classiques. En général hybrides, ils possèdent certaines commandes d'un nouveau style qui servent à accéder aux options avancées.

Avec l'aimable autorisation
de Pentax Corporation

Le pour et le contre

Les appareils à mise au point télémétrique vous permettent de voir le sujet à tout instant parce que la visée n'est pas occultée au moment où vous prenez la photo. Ces appareils (et les objectifs) sont en général petits, discrets et parfaitement silencieux. D'une grande élégance pour la plupart, agréables en main, ils se présentent sous un jour prestigieux ; en prime, les composants mécaniques et l'optique sont excellents. Comparés aux reflex, ils présentent cependant quelques inconvénients : en général moins d'automatisme, un prix plus élevé par rapport à leurs capacités, peu d'accessoires et d'objectifs (souvent du super grand-angle au petit téléobjectif), enfin une vue qui n'est pas tout à fait nette avec les téléobjectifs ou précise à 100 % en gros plan.

Le verdict sur les appareils à mise au point télémétrique

Les aspects que nous venons de citer sont utiles pour photographier des gens, quand il importe de saisir le bon geste ou l'instant décisif. Il n'est donc pas surprenant que ces boîtiers aient la faveur d'un grand

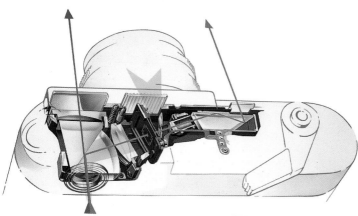

Avec l'aimable autorisation
de Leica Camera, Inc.

nombre de photographes spécialisés dans le journalisme ou le voyage. Le Contax G2 concurrence certains reflex haut de gamme grâce à son autofocus, son moteur intégré et le choix entre mode automatique de base et mode manuel. Si la plupart des propriétaires d'appareils à mise au point télémétrique possèdent aussi un reflex (comportant souvent des téléobjectifs plus longs), rares sont ceux qui voudraient s'en défaire.

Les appareils grand format
Les moyens formats

Si les appareils au format 135 sont très performants, beaucoup de photographes préfèrent un négatif trois à cinq fois plus grand. Un grand nombre d'appareils fonctionnent avec des rouleaux de films supérieurs. Les formats les plus courants produisent un négatif ou une diapo de 5,6 x 4,2 cm (appelés « 645 », parce que l'image fait près de 6 x 4,5 cm), 6 x 6 cm ou 6 x 7 cm; il existe des formats encore plus grands.

Les boîtiers grand format présentent plusieurs atouts. Les retouches s'effectuent plus facilement sur les grands négatifs (imperfections éliminées par un

Le Leica M6 est un appareil à visée télémétrique sophistiqué. Utilisant des prismes, il superpose une partie de deux images presque identiques. Lorsque la mise au point est bien faite, vous ne voyez qu'une seule image sur le petit rectangle de mesure du centre, qui est d'un ton légèrement plus clair que le reste de l'image.

Les reflex de format 135 mm contre les appareils à mise au point télémétrique

Sujet / Situation	Reflex, pour et contre	Visée télémétrique, pour et contre
Personnes: instantanés, événements familiaux, mariages	**Pour:** grande automatisation et nombreux zooms, d'où rapidité des prises de vue **Contre:** visée occultée au moment de la prise de vue; les reflex sont moins discrets	***Pour:** déclencheur presque silencieux; sujet visible dans le viseur à tout moment **Contre:** pas de zooms, quelques modèles moins automatisés, surtout le flash
Faune	***Pour:** objectifs longs pour sujets lointains **Contre:** parfois bruyants	**Pour:** plus silencieux **Contre:** objectif max.: 135 mm, trop court pour la faune
Voyage	***Pour:** zooms; déclenchement et mise au point automatiques disponibles **Contre:** taille et poids élevés	**Pour:** appareils et objectifs petits et légers; une marque offre la mise au point automatique **Contre:** automatisme rare, pas de zooms automatiques
Photo générale au flash	***Pour:** flash TTL et fill-in automatique de pointe en série; flash intégré courant **Contre:** néant	**Pour:** certains des derniers modèles possèdent un flash TTL **Contre:** peu de flashes très puissants; moins d'automatisme
Sport et action	***Pour:** objectifs longs et défilement très rapide du film **Contre:** néant	**Pour:** néant **Contre:** pas d'objectifs longs, ni de défilement très rapide du film
Randonnée, trekking, varappe	**Pour:** un seul objectif peut suffire **Contre:** poids plus élevé	***Pour:** appareils et objectifs petits et légers en général **Contre:** pas de zooms
Prises de vue rapides	***Pour:** automatisme, zooms, et défilement rapide du film **Contre:** néant	**Pour:** légers, un peu d'automatisme **Contre:** changement fréquent de l'objectif; défilement lent du film
Faible luminosité	**Pour:** apparition des objectifs avec stabilisateur optique **Contre:** viseur moins précis	***Pour:** vue plus nette pour la mise au point et le cadrage; avec les objectifs aux ouvertures plus grandes, moins besoin de flash et de trépied **Contre:** néant
Plan très rapproché	***Pour:** beaucoup d'objectifs avec mise au point rapprochée; possibilité de test de profondeur de champ sur certains appareils **Contre:** néant	**Pour:** néant **Contre:** aucun objectif avec mise au point extrêmement rapprochée; cadrage moins précis; pas de test de profondeur de champ
Paysage	***Pour:** pas besoin de régler manuellement l'exposition pour les filtres; peut voir l'effet du filtre polarisant dans le viseur; possibilités de test de profondeur de champ et d'objectifs extrêmement courts **Contre:** néant	**Pour:** les objectifs de 20 mm et de 21 mm sont courants et conviennent presque toujours **Contre:** pas de possibilité de test de profondeur de champ; impossible de voir l'effet du filtre polarisant; il faut calculer le facteur filtre pour une exposition correcte

NB: Le symbole * indique le type d'appareil qui convient le mieux en général à la situation donnée.

retoucheur); ils produisent des images plus nettes à l'agrandissement; et les formats «645» et 6 x 7 cm sont plus près des dimensions des papiers d'impression de format standard et des pages de magazine.

Les appareils moyen format les plus courants sont ceux à mise au point télémétrique et les reflex. Leur niveau d'automatisme varie du plus rudimentaire au plus sophistiqué; la mise au point automatique existe même sur certains formats 645. D'autres systèmes offrent des possibilités supplémentaires grâce à des composants modulaires. Quelques appareils ont un dos détachable pour changer le film à mi-rouleau rapidement. Les photographes spécialisés dans les mariages, le portrait, et les sujets industriels et architecturaux utilisent souvent du matériel de moyen format, à cause de la grande taille de l'image.

Les grands formats

Les grands formats qui utilisent des châssis et des plan-films (le format le plus courant étant 10 x 12,5 cm) sont tout à fait spéciaux et nous n'allons donc pas les aborder en détail ici. Pour maîtriser ces appareils

Il existe un grand nombre de moyens et grands formats à côté des APS et des formats 135 mm. On trouve des films jusqu'en 24 x 30. Le 645 (ci-dessus) et les modèles similaires sont presque comme les 135: assez compacts et automatisés. Les photographes qui veulent une image de très grand format et de grandes possibilités de décentrement préfèrent le 10 x 12,5 cm et les plus grands modèles.

Avec l'aimable autorisation de Mamiya America Corporation (en haut); avec l'aimable autorisation de Calumet Photographic (en bas).

encombrants et volumineux, d'une manipulation et d'un réglage délicats, il faut une formation et une expérience non négligeables. Entièrement manuels, ils ne possèdent pas le moindre automatisme, pas même un posemètre intégré; il faut charger le châssis avec les plan-films, un par un. Le photographe voit et met au point l'image – inversée haut-bas et gauche-droite – sur un écran de verre dépoli en se couvrant la tête d'un voile noir pour chasser la lumière vive.

Toutefois, le grand avantage de ces appareils demeure évident: le format considérable du plan-film se prête beaucoup mieux à l'agrandissement. Un négatif 10 x 12,5 cm est 15 fois plus grand qu'un en 35 mm. Il en résulte une épreuve d'une extrême netteté et d'une

Ces appareils panoramiques représentent deux des différents modèles qu'on trouve sur le marché. Le Fuji Gx617 (à gauche) utilise un super grand-angle fixe qui donne une image en 6 x 17 cm sur un film de format moyen. Le Noblex 135U expose des films en 35 mm avec son objectif rotatif pour produire une image de 24 x 66 mm.

Avec l'aimable autorisation de Fuji Photo Film USA, Inc.
(à gauche); avec l'aimable autorisation de R.T.S. (à droite).

James Stanfield

Pour prendre la place historique de la cathédrale, à La Havane, le photographe s'est servi d'un appareil qui a pivoté sur 360° durant l'exposition. La bande reproduite ici montre le site sur 180°, soit la moitié.

superbe définition dans les détails les plus élaborés. La souplesse presque illimitée du corps avant de l'appareil, qui supporte l'objectif, verticale (de haut en bas) et horizontale (de gauche à droite), le rend encore plus intéressant. Grâce à cette flexibilité, on peut corriger la déformation de la perspective (*voir* le chapitre sur les objectifs) et augmenter la profondeur de champ ; avec un peu d'adresse, on peut obtenir des rochers aussi nets au premier plan que la montagne dans le fond. Toutes ces possibilités font du grand format un appareil aux possibilités multiples, inestimable pour les applications professionnelles comme la photographie publicitaire, de paysage et d'architecture.

Les appareils panoramiques

Bien qu'il ne s'agisse pas de l'un des principaux types d'appareils, les panoramiques, qui existent en 135 mm et en moyen format (plus quelques grands formats) produisent une véritable image panoramique. En général, ils utilisent une très longue bande de film pour produire une image large qui enregistre une scène sur un angle de 140°. Certains modèles utilisent des super grands-angles et n'enregistrent une image que sur la partie centrale du film. D'autres disposent de mécanismes pour faire pivoter l'objectif – ou tout le boîtier – pendant l'exposition. En moyens formats, le 6 x 12 cm est courant, mais certains appareils produisent des négatifs ou des diapos en 6 x 17 cm. Il existe enfin des panoramiques rotatifs qui produisent une image à 360° sur une longue bande de film de 24 x 224 (donc un film en 35 mm) avec un modèle particulier.

Peter Burian

Avec son reflex autofocus, le photographe a pu saisir avec netteté une série d'images de ce sujet mobile. Si certains photographes réussissent bien à suivre un sujet en mouvement avec une mise au point manuelle, l'anticipation de mise au point remporte un succès de plus en plus vif.

Les panoramiques, utilisés par les photographes industriels, de paysage ou d'environnement urbain, créent des images exceptionnelles, très recherchées par certains éditeurs. Les véritables panoramiques sont néanmoins des produits spécialisés conçus pour des professionnels et d'un prix très élevé. C'est surtout dans les labos de professionnels que leurs longs négatifs pourront être traités. Il existe enfin très peu de projecteurs adaptés à ces diapos.

La mise au point : manuelle ou automatique ?

La plupart des reflex vendus aujourd'hui – qu'il s'agisse de boîtiers pour professionnels ou pour amateurs –, et même quelques moyens formats, sont dotés de la mise au point automatique ou autofocus (AF). Même si les appareils à mise au point automatique ne sont pas infaillibles et ne s'adaptent pas à toutes les situations, de récents tests sur des reflex confirment leur très grande fiabilité. Ils fonctionnent bien dans des conditions de faible luminosité et effectuent sans problème la mise au point sur des sujets et des lumières variables.

D'une technologie très complexe, voici le principe de la « phase de détection » de ces appareils : une partie de la lumière entrée par l'objectif est divisée et dirigée vers deux capteurs. Un microprocesseur compare les deux images et, si elles diffèrent, active l'objectif qui pivote jusqu'à ce qu'elles soient «en phase» ou identiques, jusqu'à ce que la mise au point soit effectuée. La plupart des compacts ont recours à une technologie totalement différente, utilisant un rayon infrarouge proche projeté sur le sujet.

À la différence des compacts, les reflex vous permettent de passer à la mise au point manuelle pour les travaux délicats, comme le portrait ou le plan très rapproché dans la nature, et vous indiquent que la mise au point est bonne grâce au voyant qui s'allume dans le viseur. Et même avec la mise au point automatique, vous pouvez déterminer avec précision la zone de netteté maximale, comme un rocher sur le côté d'une vue panoramique. Pour cela, placez le point de mire du viseur sur le rocher et verrouillez la mise au point (en standard sur la plupart des appareils actuels) puis recomposez l'image.

La quasi-totalité des autofocus actuels possède l'anticipation de mise au point, capable de «prévoir» le déplacement d'un sujet mobile. L'anticipation de mise au point permet de saisir le point exact que le sujet atteindra au moment de l'exposition, produisant une série d'épreuves nettes presque chaque fois.

Certains reflex sont équipés de capteurs multizones qui se dirigent sur le sujet à gauche ou à droite du centre pour éviter une composition statique. Cette caractéristique est aussi utile dans la photographie d'action pour poursuivre un sujet qui s'éloigne du centre. Heureusement, tous les boîtiers avec détection de mise au point zone large, à l'exception des plus simples, vous permettent de sélectionner un seul capteur autofocus. Cette caractéristique est essentielle si vous voulez régler vous-même la mise au point au lieu de laisser l'appareil sélectionner la plus logique.

Choisir un boîtier

Face à la quantité de modèles offerts sur le marché, il est difficile de choisir un reflex en format 135 mm. Certains préfèrent une version avec un microprocesseur

Point pratique

Pour faciliter vos recherches, consultez au moins une fois par an les sélections publiées par la plupart des magazines de photo, qui présentent tous les modèles existants et leurs options. Vous les trouverez – ou du moins un numéro précis indiquant tous les modèles d'une certaine catégorie – chez votre marchand de journaux ou dans une librairie.

10 x 12,5 cm

Peter Burian

Ces six photos, toutes tirées de la même diapo en 35 mm, présentent les différentes tailles des négatifs pour les appareils des formats les plus courants. Les avantages du grand format pour négatifs ou diapos – grain et détail relatifs plus fins – se remarquent en particulier avec les agrandissements très importants.

avec les dernières fonctions de pointe comme le multizone, la mise au point automatique, des options sur mesure de modification des modes et toutes sortes de caractéristiques, sans oublier les priorités. D'autres restent fidèles au « tout manuel » et choisissent des modèles mécaniques qui fonctionnent même sans piles.

Entre ces deux extrêmes, il existe de nombreux boîtiers plus ou moins automatisés. La plupart des boîtiers ont au moins quelques fonctions « assistées ». Nous ne pouvons pas ici présenter la cinquantaine de boîtiers reflex en format 135 ni les dizaines d'options existantes. Ce chapitre sur les boîtiers et celui sur l'exposition donnent un aperçu des fonctions de base que vous êtes en droit d'attendre d'un appareil avec contrôle de l'utilisateur. Si vous souhaitez un appareil aux fonctions multiples, le choix ne se limite pas au format 135 mm. Aujourd'hui, étant donné la gamme considérable des moyens formats qui utilisent des grands films, il existe toutes sortes d'options. Certaines marques proposent un boîtier simple et des acces-

6 x 7 cm

6 x 6 cm

soires qui ajoutent des fonctions auto-matisées. Nombre de photographes ont adopté des appareils moyen ou grand format, gardant le reflex de format 135 pour un usage occasionnel, en particu-lier avec les super téléobjectifs qui n'existent pas dans les grands formats, sinon à des prix prohibitifs.

6 x 4,5 cm

Pour acheter le bon modèle, il faut chercher. Sélectionnez trois ou quatre appareils équi-pés des fonctions que vous désirez et qui sont dans votre budget. Ensuite, évaluez leur manipulation, leur logique du schéma de contrôle et leur facilité de fonctionnement. Il est indispensable de les essayer, aussi demandez une démonstration des modèles retenus à votre détaillant. Il s'agit sans doute de la décision la plus sage pour faire un investissement judicieux et, au long terme, en être satisfait.

35 mm

APS

LES OBJECTIFS

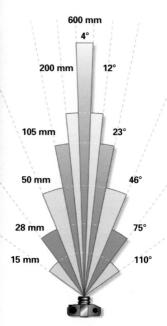

La principale différence entre les objectifs longs et courts est l'**angle de vue**, c'est-à-dire l'étendue d'une scène qui est couverte, exprimée en degrés. L'angle de vue peut être large (objectifs grands-angles) ou étroit (téléobjectifs) comme ci-dessus, ou modifié avec un zoom.

Slim Films

QUEL QUE SOIT SON PRIX ou sa sophistication, un appareil photo n'est ni plus ni moins qu'une chambre noire destinée à recevoir un film. C'est d'abord l'objectif, associé à la vision créatrice du photographe, qui fabrique l'image. Si certains photographes ont réussi à créer une œuvre exceptionnelle avec un seul objectif, la plupart, et de loin, estiment qu'il leur en faut plusieurs. Ainsi le vénérable 50 mm est très utile, mais il ne convient tout simplement pas ni à tous les photographes ni à toutes les situations.

Les reflex présentent l'avantage d'accepter une vaste gamme d'équipements optiques, comme les fish-eyes (ou œil-de-poisson), les grands-angles, les super téléobjectifs, les objectifs « macro » et les zooms. Cela aussi bien pour les appareils de format 135 mm que de format moyen. Par souci de clarté, nous nous placerons dans la perspective des formats 135. Sans oublier de préciser que certains appareils à visée télémétrique acceptent également des objectifs interchangeables mais ils offrent moins de choix, en général du super grand-angle au téléobjectif moyen.

Les fonctions de l'objectif

L'objectif se compose d'éléments multiples en verre optique – concaves et convexes – conçus pour diriger les rayons lumineux sur le film. Afin de produire une image nette, l'objectif doit avoir un pouvoir séparateur élevé (capacité de distinguer les moindres détails) et un bon contraste (distinction bien définie entre les zones claires et sombres). L'objectif contrôle la quantité de lumière qui va impressionner le film. Cette quantité de lumière dépend de la taille de l'ouverture du diaphragme qui se trouve dans le barillet.

La zone de netteté d'une scène (profondeur de champ) dépend de l'ouverture (diaphragme) choi-

Peter Burian

sie, de la focale et des autres facteurs déjà évoqués. Le point exact de netteté maximale – comme l'œil dans un portrait – est contrôlé par le photographe, qui utilise la bague de mise au point de l'objectif pour régler l'image. Avec un appareil autofocus, vous pouvez adopter la mise au point automatique.

La taille du sujet sur l'image est maîtrisée par l'objectif, du moins dans une certaine mesure. Bien sûr, vous pouvez agrandir le sujet, tout simplement en vous en rapprochant. Mais certains objectifs (les téléobjectifs) sont conçus pour agrandir des sujets lointains de manière à ce qu'ils soient beaucoup plus grands sur le négatif ou la diapo. D'autres (les « macro ») permettent une mise au point extrêmement rapprochée pour une amplification maximale.

Si vous réglez votre appareil sur un point, la taille de la scène qui figurera sur l'image dépendra de la longueur focale de l'objectif. Un super grand-angle, de 15 mm par exemple, couvrira une vaste portion d'un paysage tandis qu'un super téléobjectif de 600 mm ne couvrira qu'un seul élément, comme un pygargue à tête blanche perché sur une branche élevée.

Il est possible de créer des images donnant une impression de profondeur et de relief avec un grand-angle (ici, un 20 mm sur un boîtier de format 135). La grande profondeur de champ est due au choix d'un premier plan de masse importante et claire, et d'un arrière-plan bien distinct.

L'objectif normal

En format 135, l'objectif de 50 à 55 mm est considéré comme normal. Il offre un angle de vue d'environ 45°, soit à peu près celui de l'œil. Sauf dans les cadrages très serrés, il produit des images dont l'aspect ou la perspective sont très naturels, sans distorsion. La scène photographiée ressemble tout à fait au souvenir que vous en avez. Avant la mode des zooms, la plupart des reflex étaient vendus avec un objectif de 50 mm. Certains photographes sont restés fidèles au 50 mm, parce qu'il est léger, bon marché, utile en cas de faible luminosité et produit une image d'excellente qualité.

La perspective

La perspective est une notion difficile à expliquer et à bien assimiler. Dans sa définition la plus élémentaire en photographie, la perspective est simplement l'effet qui nous fait voir un objet lointain plus petit qu'un objet proche. Un super téléobjectif rapproche exagérément des objets très éloignés les uns des autres tandis qu'un objectif ultralarge produit l'effet inverse.

En fait, la perspective dépend de la distance de l'appareil au sujet. Prenez une photo avec un objectif de 300 mm et un de 20 mm à exactement la même distance. Si vous agrandissez le centre de la photo, vous remarquerez dans les deux cas que la perspective est identique. Néanmoins, nous utilisons en général des objectifs longs pour les sujets lointains, ce qui aboutit à une perspective « comprimée » ; ces objectifs ont tendance à raccourcir fortement la distance entre le sujet et l'arrière-plan. Avec un grand-angle, nous pouvons nous approcher très près pour remplir l'image. Il en résulte une perspective « exagérée » : le sujet du premier plan apparaît beaucoup plus grand qu'à l'œil nu tandis que les sujets distants semblent reculer vers le lointain. Ainsi en relevant l'objectif pour photographier un bâtiment dans sa totalité, le bas est beaucoup plus près de l'objectif que le haut. Cette opération produit une distorsion apparente de la perspective, une partie du bâtiment semblant toute proche tandis

James Stanfield

que le reste paraît très éloigné. Gardez à l'esprit la perspective apparente et les possibilités que vous avez de la modifier ou d'en profiter pour des effets précis.

Les objectifs grands-angles

Tout objectif ayant une longueur focale de moins de 50 mm peut être appelé «grand-angle». Cette définition regroupe tout ce qui va de 35 à 6 mm, y compris le fish-eye qui couvre un angle de vue de 180°. Les objectifs de 20 mm ou moins sont appelés ultra-larges. Le premier avantage d'un objectif à courte focale consiste à concentrer la scène photographiée sur l'épreuve. Le grand-angle peut être utile, si vous ne pouvez pas reculer, pour que le sujet figure en totalité sur la photo. Il offre également des avantages en matière de création. Ainsi, une colline couverte d'un océan de fleurs se perdant dans l'horizon forme une image agréable. Dans les magazines, vous verrez souvent des photos prises avec un grand-angle sur lesquelles des personnages figurent au premier plan, au deuxième plan et à l'arrière-plan. Des images d'une

Pour prendre cette photo censée attirer notre attention sur l'architecture du monument et les détails de sa façade, le photographe a volontairement exagéré la perspective en se rapprochant et en plaçant l'objectif presque à la verticale.

John Agnone, photographe de la NGS

Cette série illustre les différences d'amplification, d'angle de vue et de profondeur de champ selon les objectifs. Le photographe a pris une même vue d'un emplacement fixe avec huit longueurs focales différentes. Le sujet principal se trouve dans la même position relative sur chacune des prises de vue successives.

Avec l'aimable autorisation de Nikon, Inc.

telle complexité – comportant plusieurs niveaux d'activité et d'information dans une seule photo – sont possibles grâce aux objectifs grands-angles.

Les caractéristiques des grands-angles

Voici quelques éléments communs à ces objectifs. Rappelez-vous que plus la focale est courte, plus les caractéristiques suivantes sont prononcées.

La largeur de l'angle de vue

Un objectif de 28 mm offre un angle de vue (75°) assez comparable à celui de vos deux yeux. Prenez un objectif plus court, comme un 15 mm, et vous noterez une grande différence. Vous avez maintenant un angle de vue ultralarge (110°) qui inclut beaucoup plus d'éléments que votre regard s'il reste fixe.

L'amplification ou l'exagération de la perspective

Ce type de perspective crée une illusion d'optique qui déforme la taille relative des objets et semble éloigner les objets formant une scène. Les plus proches de l'objectif deviennent gigantesques et écrasants. Tout ce qui

Les principaux fabricants d'appareils photos, ainsi que plusieurs marques indépendantes, offrent une grande variété de types d'objectifs et de longueurs focales pour répondre à tous les besoins. La sélection ci-dessus peut paraître imposante, mais il y figure moins de la moitié des objectifs de la gamme Nikkor.

 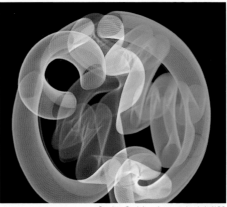

Stephen St. John, photographe de la NGS

La précision de la mise au point est en général une condition essentielle à la réussite technique d'une photo (à gauche). Cependant, dans un but créatif, le photographe peut décider de mettre au point devant ou derrière le point habituel de netteté, ce qui produit une image différente; ici, il a recherché l'abstraction des couleurs et des formes.

est un peu plus loin est repoussé vers l'arrière ou paraît beaucoup plus petit que ce que perçoit l'œil.

La distorsion occasionnelle des lignes

Quand vous pointez l'objectif vers le haut ou vers le bas, les lignes convergent. Dirigez l'objectif vers le haut pour photographier un édifice, par exemple, et celui-ci semblera tomber à la renverse, effet qui est appelé « distorsion en clé de voûte ». Cette distorsion de la perspective peut servir vos intentions créatrices, comme nous l'avons vu plus haut.

L'amplification de la profondeur de champ

Vous pouvez restituer toute une scène avec une mise au point bien nette du premier plan à l'arrière-plan. Avec un objectif de 24 mm, par exemple, vous pouvez photographier un paquebot entier – de la proue à la poupe – avec une netteté convenable, même s'il semble beaucoup plus long que dans la réalité. Naturellement, plus l'ouverture est petite, plus la profondeur de champ augmente.

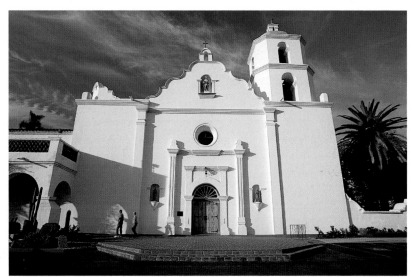

Peter Burian

Le photographe a utilisé un grand-angle de 28 mm, redressé vers le haut, pour prendre cette église en entier à distance rapprochée (ci-dessus). Voulant éviter la distorsion en clé de voûte, il s'est éloigné jusqu'à un point d'où il pouvait prendre l'église en plaçant son appareil parallèlement au sujet, avec un objectif de 70 mm : il obtient une image aux côtés droits et une perspective «normale».

Peter Burian

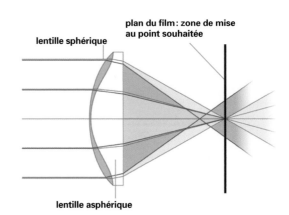

lentille sphérique

plan du film : zone de mise au point souhaitée

lentille asphérique

Avec l'aimable autorisation de Sigma Corporation of America (ci-dessus) ; Slim Films (à droite)

La plupart des fabricants offrent aujourd'hui des objectifs grands-angles et des zooms équipés d'éléments optiques de pointe. Ces **optiques asphériques** forcent les longueurs d'onde de la lumière à converger avec plus de précision sur le film, d'où une plus grande netteté sur les bords de l'image. Ces objectifs présentent un grand intérêt, en particulier pour une focale de 20 mm et moins, si vous commandez souvent des tirages en 24 x 30 cm ou plus.

Point pratique

Il existe maintenant une vaste gamme de téléobjectifs et de zooms professionnels. Du fait de sa haute technologie, leur verre (à faible dispersion) permet une concentration plus précise de toutes les longueurs d'onde de la lumière sur le film. Il en résulte une plus grande netteté et une meilleure restitution des couleurs.

L'allongement des objets au bord de l'image

Il s'agit d'une propriété optique – en particulier avec les longueurs focales très courtes quand l'objectif est incliné – et non d'un signe de conception défectueuse.

Les téléobjectifs

Les objectifs ayant une focale supérieure à environ 60 mm, en général appelés « téléobjectifs », peuvent atteindre 2 000 mm. Les objectifs longs apportent la solution à bien des problèmes. Ils sont utiles pour animer une image avec des sujets lointains. Ils possèdent en général les caractéristiques suivantes, qui sont d'autant plus prononcées que la focale est longue.

Et n'oubliez pas que si vous ne pouvez tout simplement pas vous rapprocher davantage de l'action, choisissez une focale plus longue pour remplir l'image.

L'étroitesse de l'angle de vue

Comme l'image ne correspond qu'à une petite partie de ce que perçoivent vos yeux, le téléobjectif permet d'éliminer plus facilement les éléments qui détournent du centre d'intérêt. Avec un objectif long, il est aussi plus aisé de placer votre sujet devant un petit arrière-plan dégagé, qui le met en valeur.

La compression de la perspective

Par rapport à la vision naturelle, les téléobjectifs rapprochent des objets situés à des distances variées. Dans un paysage urbain, les voitures, les enseignes, les poteaux électriques et les piétons semblent « tassés ». Dans des décors plus champêtres, les téléobjectifs peuvent créer des motifs graphiques en comprimant les lignes, les formes et les couleurs naturelles jusqu'à l'apparition de formes imperceptibles à l'œil nu.

La réduction de la profondeur de champ

La zone de netteté étant assez étroite, seul le sujet sur lequel vous avez effectué la mise au point est vraiment net. À des ouvertures larges, comme f/4 en particulier, vous pouvez créer un flou pour un arrière-plan trop présent et le transformer en un doux lavis coloré avec un objectif plus long. Cela n'est pas possible si le sujet est trop près de l'arrière-plan, puisque l'ensemble sera alors assez net.

Point pratique

Pour augmenter au maximum la profondeur de champ, mettez au point au premier tiers de l'image en partant du bas du cadrage. Réglez sur une petite ouverture (f/16). Si l'appareil a un poussoir du test de profondeur de champ, vérifiez l'effet avec plusieurs ouvertures. Le viseur s'assombrira, donc réduisez peu à peu les ouvertures pour que votre œil s'habitue à la baisse de lumière.

Installé sur la rive, le photographe a utilisé un téléobjectif de 400 mm pour se rapprocher du sportif. La compression des éléments dans une scène et la réduction de la profondeur de champ augmentent avec la longueur focale.

Peter Burian (ci-dessus) ; avec l'aimable autorisation de Canon USA, Inc. (ci-contre).

Melissa Farlow

La photographe a pris cette scène plus ou moins du même endroit avec
deux objectifs différents, un grand-angle de 28 mm (en haut) et un téléobjectif
de 135 mm. Vous pouvez remarquer la différence de perspective apparente,
amplifiée ou comprimée en fonction de la longueur focale de l'objectif.

Les zooms

Les zooms permettent de modifier la longueur focale instantanément, sans changer d'objectif. Vous pouvez prendre une photo d'un immense peloton de cyclistes, et sur l'image suivante, saisir un seul concurrent en plein effort. Les zooms, s'ils sont pratiques, présentent bien sûr quelques inconvénients. S'ils ne sont pas parfaits à tous les égards, ils sont devenus la norme pour les reflex en format 135.

L'importance du poids et de la taille

Les zooms ont tendance à être beaucoup plus lourds et longs que les objectifs à focale fixe. En revanche, un zoom, comme un 28-200 mm, remplace à lui seul plusieurs objectifs.

La réduction de l'ouverture maximale

Beaucoup de zooms (surtout les modèles compacts) ont tendance à être « lents » : leur ouverture maximale ne dépasse souvent pas f/4,5 ou f/5,6. Par comparaison, un objectif à focale fixe est souvent « rapide », avec une grande ouverture de f/2, d'où une plus grande vitesse d'obturation, bien utile quand on tient l'appareil à la main. Les excellents films de 400 ISO ou les flashes électroniques actuels peuvent réduire les besoins en objectifs rapides puisqu'ils oblitèrent les mouvements du sujet ou du photographe.

La fréquence des ouvertures variables

Un zoom de 70-200 mm f/4-5,6 commence – réglé à f/4 – avec une ouverture maximale de f/4, mais plus vous visez loin, plus l'ouverture rétrécit : f/5,6 à 190 mm. En mode automatique, ce n'est pas un problème parce que votre posemètre intégré calcule la quantité de lumière qui atteint réellement le film et garantit une exposition correcte.

La baisse éventuelle de la qualité optique

Les zooms très bon marché, en particulier ceux qui vont du grand-angle au téléobjectif, risquent de ne pas satisfaire à des critères professionnels. Pourtant,

Point pratique

Les objectifs longs ont tendance à amplifier l'effet de brume atmosphérique, ce qui donne une image douce peu contrastée. En cas de brouillard, essayez de vous rapprocher du sujet et de choisir un objectif plus court.

John Agnone, photographe de la NGS

Pour le portrait, les professionnels utilisent souvent des téléobjectifs courts (85 à 135 mm). Ces objectifs leur permettent de faire des prises de vue à une distance confortable, sans étouffer le sujet. Pour le portrait, ces objectifs donnent un aspect très naturel sans distorsion des traits, comme à droite.

certains zooms actuels, conçus par ordinateur, sont d'une grande qualité optique. Les optiques très performantes utilisées dans les zooms professionnels donnent des images d'une qualité remarquable.

Le verdict sur les zooms

Les zooms avaient acquis une mauvaise réputation parce que les premiers modèles n'avaient pas tenu leurs promesses. Aujourd'hui, les avancées de la technologie ont permis d'améliorer leurs performances optiques. Certains zooms ne le cèdent en rien aux meilleurs objectifs à focale fixe de leur catégorie. En fait, les zooms sont les téléobjectifs les plus utilisés par les professionnels (en dehors du studio) : citons les modèles pour professionnels f/2,8 à ouverture « constante » de 20-35 mm, 35-70 mm et 80-200 mm. Le zoom vous donne une grande liberté de composition ainsi que la possibilité de cadrer avec précision quand vous ne pouvez pas changer facilement de position. Au lieu de rater une occasion parce qu'il faut changer d'objectif, vous pouvez saisir un instant fugace, modifier la perspective apparente ou vous concentrer sur la composition alors que la lumière est en train de changer. Si vous voulez un zoom rapide à ouverture constante, optez pour les modèles f/2,8 à ouverture constante. Leur prix, leur taille et leur poids sont plus élevés, mais beaucoup de photographes acceptent ces petits inconvénients, étant donné leurs avantages. S'il n'existe pas de zoom parfait, les zooms se vendent bien mieux que les objectifs à focale fixe et cet engouement est tout à fait explicable.

Les optiques spécialisées

Outre les optiques élémentaires que nous venons de recenser, il en existe d'autres, accessoires compris, qu'il est indispensable d'évoquer.

Point pratique

Quel que soit le type d'objectif, les ouvertures moyennes, f/8 ou f/11, donnent en général les meilleures performances optiques et une netteté maximale.

Le zoom est idéal pour photographier d'un point fixe. Le photographe, se servant d'un zoom de 70-210 mm, se tenait sur la rive d'un lac entouré de montagnes. Sur l'image de gauche, le zoom était réglé sur 70 mm, et sur 210 mm à droite.

Avec l'aimable autorisation de Nikon Inc.

70 mm

210 mm

Peter Burian

Stephen St. John, photographe de la NGS

L'arbre de Noël inspire de belles images classiques (à gauche). Avec son zoom, en changeant de longueur focale pendant une seconde, le photographe a créé une œuvre abstraite riche en couleurs et en mouvement.

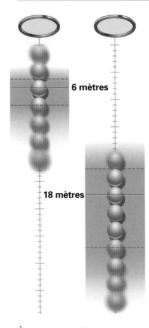

6 mètres

18 mètres

À ouverture fixe, **la mise au point sur un sujet plus éloigné** agrandit la zone de netteté au premier plan et à l'arrière-plan.

Slim Films

Les objectifs à miroirs

Également appelés objectifs catadioptriques, ces objectifs à longue focale, d'un prix abordable, sont légers et très compacts, même dans la catégorie des 500 mm. Ils utilisent des miroirs pour renvoyer la lumière, ce qui leur permet de se contenter d'un barillet court. Il ne leur faut que quelques composants optiques lourds, au lieu d'une dizaine, d'où leur poids minime. La qualité de l'image n'est cependant pas aussi grande qu'avec les téléobjectifs classiques et leur grande puissance ne va pas sans petits inconvénients.

Le principal de ces inconvénients consiste en l'ouverture moyenne – en général f/8 – qui est fixe, de sorte que vous ne pouvez pas changer de diaphragme. Comme f/8 est une assez petite ouverture, une exposition correcte exige une vitesse d'obturation lente. Utilisez un trépied pour éviter de bouger et un film sensible (400 ou 1 000 ISO) pour éviter les flous dus au mouvement de l'appareil ou du sujet. Autre inconvénient, l'objectif à miroirs transforme les hautes lumières floues en anneaux, au lieu des formes arrondies et pleines, plus plaisantes. Nous vous recommandons de bien vous renseigner auprès d'un vendeur averti qui saura vous dire si oui ou non un objectif à miroirs correspond à vos besoins.

Todd Gipstein, photographe de la NGS

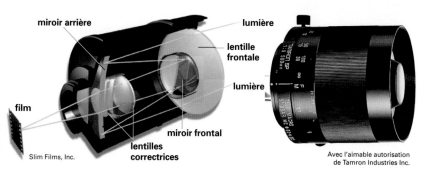

miroir arrière

lumière

lentille
frontale

lumière

film

miroir frontal

lentilles
correctrices

Slim Films, Inc.

Avec l'aimable autorisation
de Tamron Industries Inc.

L'objectif à miroirs renvoie la lumière qui le traverse, d'où son barillet plus court que celui d'un véritable téléobjectif d'une longueur focale similaire. Sur le cliché ci-dessus, à cause du miroir circulaire et du trajet de la lumière, les hautes lumières floues de l'arrière-plan sont annelées, ce qui est une caractéristique fréquente des objectifs à miroirs ou catadioptriques.

Les doubleurs et les multiplicateurs de focale

Les photographes de faune et de sport rêvent des rapides téléobjectifs professionnels de 500 ou 600 mm, dont les prix restent inabordables pour beaucoup. Plus compacts et meilleur marché, les doubleurs et les multiplicateurs de focale offrent une autre solu-

Un objectif de 300 mm convenait tout à fait pour faire une image plein-cadre (à gauche), mais un multiplicateur de focale x1,4 a été ajouté pour accroître le grossissement. Les doubleurs de focale x2, plus fréquents (en bas), et les multiplicateurs de focale x1,4, plus compacts, sont couramment fabriqués.

Peter Burian (ci-dessus) ; avec l'aimable autorisation de Sigma Corporation of America (en bas).

tion raisonnable. Disponibles en x1,4 et x2, ces accessoires allongent la longueur focale réelle d'un objectif plus court. Si vous possédez déjà un téléobjectif de 200 mm f/4, un multiplicateur de focale x1,4 le transformera en un objectif de 280 mm f/5,6. Avec un doubleur de focale x2, vous aurez un 400 mm f/8.

Notez que vous perdez un diaphragme avec le x1,4 et deux avec le modèle x2. La cellule intégrée de votre appareil compensera, mais les vitesses d'obturation s'allongeront. Utilisez un trépied, un pied ou un film sensible (pour augmenter la vitesse d'obturation) afin d'obtenir une image nette.

Très peu de zooms offrent une qualité acceptable de l'image avec un doubleur de focale (vérifiez votre manuel de l'utilisateur) et il est donc préférable de les utiliser avec des objectifs à focale fixe, si possible 180 mm et plus. Le meilleur des doubleurs de focale diminue le contraste et la netteté de l'image dans une certaine mesure. Cette réduction sera radicale avec un modèle très bas de gamme mais négligeable avec les modèles les plus sophistiqués et les plus chers. Vous ferez le bon choix en achetant un doubleur de focale de la même marque que votre objectif et comportant cinq à sept éléments optiques.

Point pratique

Le meilleur des doubleurs de focale est décevant avec un objectif bon marché. Et un doubleur de focale bas de gamme sur un très bon objectif affecte la netteté et le contraste. Achetez le meilleur ensemble selon vos moyens, de préférence avec un x1,4.

Les objectifs « macro »

Le terme « macro » concerne juste la capacité d'un objectif à effectuer une mise au point rapprochée. De nombreux zooms sont qualifiés de « macro » du fait de leur capacité moyenne de mise au point rapprochée, avec une amplification adéquate pour restituer un sujet à un quart ou à un tiers de sa taille réelle sur la diapo ou le négatif. Un véritable objectif macro doit effectuer une mise au point assez rapprochée pour reproduire au moins la moitié de la taille réelle du sujet sur le film, soit une amplification de 50 %. Dans un sens plus strict, un objectif macro doit être capable de reproduire à l'échelle réelle, soit une amplification de 100 %. (À l'échelle réelle, une pièce de 1 euro, par exemple, est reproduite à sa taille exacte sur la diapo ou le négatif.) Les objectifs « macro » sont conçus pour donner des images d'une qualité remarquable en très gros plan mais sont tout aussi utiles, vu leur haute qualité, quelle que soit la distance au sujet.

Point pratique

Pour qu'un objectif puisse effectuer une mise au point rapprochée, choisissez un accessoire comme une bague-allonge ou une bonnette d'approche supplémentaire ; la bonnette ressemble à un filtre muni d'une loupe.

C'est avec un véritable objectif « macro » – capable d'une mise au point assez rapprochée pour une reproduction à 100 % – que le photographe a réalisé cette photo grandeur nature de l'étamine d'une fleur. Les objectifs « macro » existent en différentes longueurs focales. Vous voyez à droite des exemples d'objectifs « macro » courants de 105 mm (en haut) et de 50 mm (en bas).

Peter Burian (à gauche) ; avec l'aimable autorisation de Sigma Corporation of America (à droite).

Peter Burian

Pour illustrer les avantages de l'usage de distances focales plus longues sur un objectif macro, le photographe a utilisé un vrai zoom «macro» (70-180 mm) pour prendre ces photos du même endroit. La focale de 180 mm (à droite) permettant un grossissement plus fort que celle de 70 mm, il n'a pas eu à se rapprocher.

Point pratique

Pour les gros plans dans la nature, usez d'un trépied et d'un déclencheur souple. Choisissez de petites ouvertures (f/16) pour une restitution nette; si votre appareil a un poussoir du test de profondeur de champ, utilisez-le pour vérifier la zone de netteté.

Les objectifs à décentrement

Les objectifs à décentrement résolvent les problèmes de distorsion de la perspective. Celle-ci peut se produire lorsque vous inclinez l'appareil vers le haut pour prendre un sujet en hauteur – dans sa totalité – d'un point de vue bas. Les lignes verticales, en convergeant, font croire que le sujet tombe à la renverse. Ces objectifs sont conçus avec un mécanisme qui déplace uniquement l'optique et non l'appareil, empêchant par là les lignes de converger. Coûteux, ces objectifs sont destinés à la photographie professionnelle d'architecture.

L'objectif fish-eye

Ces objectifs ultralarges disposant d'un angle de vue de 180° (ou même plus sur certains modèles) sont des gadgets pour les uns, des outils de création pour les autres. Ils existent dans des longueurs focales de 6 à

Peter Burian
James Amos

Un fish-eye plein format produit une image aux lignes courbes (en haut, à gauche), tandis qu'un fish-eye circulaire donne une image ronde. Un troisième grand-angle, dont la distorsion est corrigée, permet une image «naturelle» (ci-dessous) aux lignes droites (si l'appareil n'est pas dirigé vers le haut ou le bas). L'objectif de 14 mm ci-contre possède la correction de distorsion, mais est plus large que certains fish-eyes plein format.

Avec l'aimable autorisation de Canon USA, Inc. (au milieu); Chris Johns, photographe de la NGS.

16 mm et sur des zooms plus longs. Vous pouvez aussi trouver des adaptateurs qui imitent l'effet œil-de-poisson sur n'importe quel grand-angle. Les objectifs fish-eyes provoquent une forte distorsion, les lignes de l'image s'incurvant vers l'extérieur.

Il existe deux sortes d'objectifs fish-eyes très différents. Le fish-eye circulaire produit une image bien ronde au milieu du négatif, qui couvre un angle de 180°, avec des lignes extrêmement incurvées. Le fish-eye plein format ou diagonal donne une image rectangulaire plus familière bien que les lignes s'arrondissent vers les bords de la photo.

Les objectifs fish-eyes circulaires, conçus pour le travail scientifique, coûtent cher, mais il existe des accessoires fish-eyes d'un prix plus abordable. Ils produisent des effets particuliers sans grand intérêt pour la plupart des catégories de photographies. Le fish-eye plein format sert pour prendre des espaces très restreints comme l'intérieur d'un petit hélicoptère. La distorsion des lignes et de la perspective produit un effet inhabituel : une motte de terre devient une montagne gigantesque ; les colonnes d'une façade s'arrondissent vers l'extérieur tandis que la porte qu'elles encadrent reste presque rectiligne.

En conclusion

Si vous trouvez un bon emplacement, vous pouvez photographier presque n'importe quoi avec à peu près tous les objectifs de 14 à 600 mm. Pour créer une image parfaite – et qui conviendra au sujet –, le secret consiste à trouver la bonne longueur focale. Les photographes chevronnés approfondissent souvent leur sujet, changeant de longueur focale, de distance et d'angle, ce qui est faisable si vous possédez plusieurs objectifs. Chaque longueur focale ayant un effet différent, vous pouvez en choisir plusieurs pour parvenir à votre but. Inutile d'acheter tous les objectifs existants. Complétez votre matériel pour explorer un nouveau genre, ou pour résoudre des problèmes fréquents. Évitez les acquisitions motivées seulement par un prix abordable. Pour un usage ponctuel, préférez la location du matériel.

Objectifs recommandés

Situation ou sujet	Objectif recommandé	Autre choix	Autres choix
Pièce de monnaie, papillon, fleur	Objectif « macro » pour grossissement important	Zoom « macro » pour grossissement moindre	Bague-allonge ou objectif gros plan (*voir* glossaire)
Action, sport ou course à distance	Téléobjectif de 400 mm ou plus	Zoom ayant une longueur focale de 300 mm ou plus	Multiplicateur de focale x2 ou x1,4 sur un téléobjectif plus court; trépied ou monopode
Bâtiment ou arbre élevé	Objectifs à décentrement de 24 à 35 mm	Grand-angle classique, ou téléobjectif court à une plus grande distance du sujet	Néant
Oiseau ou petit animal lointain	Téléobjectif de 500 mm	Objectif à miroirs 500 mm f/8 ou zoom avec longueur focale de 400 mm	Doubleur de focale sur objectif 200 ou 300 mm; trépied dans tous les cas
Faune en général	Objectif de 300 mm ou zoom à 300 mm	Objectif 400 mm ou zoom à 400 mm	Doubleur de focale et objectif 300 mm; trépied
Intérieurs restreints	Objectif ultralarge, (20 mm). Fish-eye plein format si distorsion acceptable	Grand-angle, par exemple 28 mm	Éventuellement trépied ou film sensible
Intérieurs sans flash ni trépied	Objectif « rapide » de 50 mm à f/1,4 ou f/1,8	Tout objectif f/2,8	Mini-trépied; film 400 ou 800 ISO
Sujets sportifs à distances variées	Objectifs de 100 à 300 mm (ou zooms équivalents)	Zoom plus long	Doubleur de focale avec objectif 200 mm ou plus; film 400 ISO pour fixer l'action
Paysages, campagne ou ville, d'un point fixe	Objectifs de 20 à 35 mm	Zoom de 28-80 mm ou de 80-200 mm pour perspective comprimée	Néant
Portraits (tête et épaules)	Objectifs de 85 à 135 mm	Zoom de 70 à 210 mm (ou similaire)	Multiplicateur de focale x1,4; objectif plus court
Groupe important ou réunion familiale	Objectif de 28 mm ou zoom grand-angle	Longueur focale de 24 mm ou moins si peu d'espace	Néant

D'autre part, un objectif d'un type différent donnera une nouvelle orientation à votre photographie; essayez-le jusqu'à ce que vous sachiez comment tirer le meilleur parti de ses ressources. Quand vous le maîtriserez, vous parviendrez peut-être à vos fins.

LA LUMIÈRE

Il est important d'apprendre à connaître les diverses couleurs de la lumière. La lumière chaude à contre-jour au moment du coucher de soleil a provoqué ce splendide embrasement sur cette image, ce qui souligne l'intérêt d'utiliser un filtre qui complète la lumière du sujet.

R. Ian Lloyd Productions

UNE PHOTOGRAPHIE EST LE PRODUIT de la lumière réfléchie par le sujet et de son impression sur les grains d'une pellicule. De toute évidence, nous ne pouvons pas faire de photos sans lumière. Nous fabriquons des images en utilisant la lumière naturelle, la lumière artificielle ou les deux. Une lumière adéquate au sujet, à l'idée ou aux intentions du photographe, est essentielle pour réussir une photo. En général, nous voulons une lumière qui donne une impression de relief, qui reproduise le sujet de manière flatteuse et crée une ambiance. Plus loin, nous parlerons de l'intensité de la lumière et des techniques de mesure, indispensables à la genèse d'une photo réussie. Ce sont les autres variables de la lumière, sa qualité, sa direction, sa source et sa couleur, qui nous importent ici. Dans ce chapitre, nous allons étudier la lumière sous toutes ses formes et verrons comment la maîtriser, la modifier et la compléter pour créer des images et non pas de banals clichés.

Certaines personnes pensent que lorsque nous prenons des photos en extérieur, loin de l'environnement contrôlé du studio, nous sommes à la merci de la nature. En effet, nous ne pouvons pas repousser les nuages ou déplacer le soleil… En fait, ce qui distingue le vrai photographe du néophyte, c'est la faculté de résoudre ces problèmes d'éclairage. Pour cela, il faut avoir conscience des conditions de l'instant. Parfois, celles-ci sont inacceptables à cause du contraste, de la qualité, du sens ou de la couleur de la lumière…

La qualité de la lumière

La lumière peut être qualifiée de «douce», «mate», «diffuse», «dure», «crue», «contrastée»… En extérieur, la qualité de la lumière est déterminée avant tout par le soleil, ainsi que les nuages, les conditions atmosphériques et tout objet obscurcissant le soleil.

Peter Burian

L'éclairage frontal direct en milieu de matinée ou l'après-midi peut servir à rehausser les couleurs hardies et le caractère graphique de certains sujets. Le photographe a utilisé un filtre polarisant pour réduire les « brillances » sur les surfaces de ces ballons.

Ainsi la lumière par un après-midi pluvieux sera d'une qualité tout à fait différente de celle de la lumière directe du soleil tôt le matin. Si nécessaire, attendez que les conditions s'améliorent, ou essayez un accessoire.

La lumière dure

Quand la lumière provient principalement d'une petite source lumineuse, un flash, une ampoule nue ou le soleil direct, surtout à midi, elle a tendance à être dure et directionnelle. L'effet peut être théâtral, avec des ombres prononcées qui créent de forts contrastes. Les objets projettent des ombres denses aux contours durs, à moins que la lumière soit verticale. Beaucoup de détails risquent de disparaître sur la photo, dans les zones sombres comme dans les zones claires, parce que le film ne peut tout simplement pas préserver les détails des deux zones. Les couleurs, quant à elles, peuvent se révéler précises et intenses à moins que la lumière soit tellement crue qu'elle délave certaines parties de l'image en les aveuglant.

La lumière douce

La lumière douce provient d'une importante source de lumière diffuse ; elle est non directionnelle et elle

Peter Burian

enveloppe les objets, comme par une journée nuageuse. La lumière douce n'offre que très peu de contrastes. Il n'y a ni hautes lumières excessives, ni ombres très foncées ; les sujets projettent tout au plus une ombre ténue.

Les photos prises sous une lumière très douce n'offrent pas un effet théâtral, mais le film n'a aucune difficulté à enregistrer les détails sur la totalité de l'image, ce qui est souvent essentiel pour une image documentaire ou un portrait. Comme les reflets ne posent pas de problème, les tons subtils aussi bien que les nuances riches sont bien reproduits et les couleurs primaires sont vigoureuses, sauf en cas de nuages gris sombre.

La brume et le brouillard

Les particules dans l'air agissent comme des filtres, réduisent les contrastes et donnent aux couleurs des tons pastels. Dans ces conditions, l'aspect global de l'image est doux, surtout sur les vues de sujets lointains. Cela peut donner des photos baignées dans une atmosphère intéressante, mais le faible contraste réduit la netteté et rares seront les couleurs vives, si ce n'est peut-être au tout premier plan.

La direction de la lumière du soleil par rapport au sujet – qui vient d'en haut et de l'arrière ici – varie tout au long de la journée. Pour réaliser cette image, le photographe a attendu que le soleil se place exactement pour obtenir la lumière qu'il souhaitait.

Les accessoires

Sous une lumière crue et très contrastée, demandez au sujet de se placer dans une zone ombragée ou d'attendre que quelques nuages atténuent la lumière du soleil. Dans certains cas, le fill-in flash (*voir* page 101) adoucit les ombres dures et améliore les photos de personnes, de fleurs et d'autres sujets proches. D'autres accessoires s'utilisent avec la seule lumière ambiante.

Les réflecteurs et les diffuseurs

Lorsque vous réalisez des portraits ou des gros plans dans la nature, de fleurs ou d'insectes, vous remarquerez peut-être que les ombres dures masquent certains détails importants. Un réflecteur pliable, blanc, argenté ou doré, est très utile pour renvoyer la lumière vers des parties importantes du sujet. La qualité et la couleur de la lumière dépendront de la taille et de la couleur de votre accessoire ainsi que de votre capacité à déterminer la meilleure position pour le réflecteur.

Sous une lumière crue, intercalez un accessoire diffusant entre le soleil et le sujet, ou utilisez un écran diffuseur monté sur un cadre rigide, plus facile à manipuler. Cela adoucira la lumière, les couleurs seront plus vibrantes et les contrastes excessifs atténués.

Les accessoires « maison »

Vous pouvez fabriquer un réflecteur en peignant en blanc un carton ou en le recouvrant d'une feuille d'aluminium que vous aurez froissée auparavant. Pour diffuser, vous pouvez utiliser une bâche en plastique, épaisse et transparente, et même plusieurs couches de plastique si le soleil est vraiment intense.

La direction de la lumière

La lumière peut être pluridirectionnelle, mais les éclairages les plus courants sont au nombre de quatre.

L'éclairage zénithal

Quand la lumière « tombe à plomb », comme à midi dans un ciel dégagé, elle produit une image « plate »,

Point pratique

Ne vous servez pas de votre posemètre avant d'avoir installé des lumières supplémentaires. Sinon, votre mesure risquerait d'être faussée.

sans relief, sans profondeur ni attrait esthétique. Les ombres sont très courtes et extrêmement foncées. Les images peuvent être frappantes, surtout si le sujet est un motif graphique au sol, mais semblent peu naturelles pour tous les autres types de sujets. Pour les portraits, l'éclairage zénithal creuse les orbites et l'ombre projetée par le menton n'est pas toujours flatteuse.

L'éclairage frontal

Lorsque le soleil se trouve dans le dos du photographe, la lumière frappe le sujet de plein fouet. Dans cette situation, il est facile de photographier, mais le résultat déçoit souvent. Les ombres sont rejetées derrière le sujet, ce qui l'aplatit. Si vous photographiez des personnes, elles risquent, le soleil dans les yeux,

---

Pour réaliser une image restituant bien les détails du sujet, l'éclairage frontal (à gauche) peut être utile. Ayant attendu que le skieur change de position par rapport au soleil, le photographe a pu prendre une vue différente, qui met en valeur l'eau mais ne laisse plus percevoir qu'une silhouette.

Peter Burian

Robert Madden, photographe de la NGS

Le soleil, à son lever ou à son coucher, peut donner de très belles images. Or, l'œil les apprécie davantage si le photographe introduit un autre centre d'intérêt. Dans ce type de situation, essayez de trouver et d'ajouter un premier plan qui, de préférence, fonctionnera bien comme silhouette.

de faire la grimace. Si le soleil est bas dans le ciel, sa lumière chaude peut présenter un certain attrait, mais il peut être difficile d'exclure l'ombre du photographe. L'éclairage frontal sera efficace pour restituer la richesse des couleurs à moins que le sujet ne produise des reflets qui donneront un aspect flou.

L'éclairage latéral

Quand la lumière atteint le sujet sur le côté, elle crée des zones de contraste qui mettent en valeur les textures et les contours. Cette lumière peut être idéale sur les planches rugueuses d'une bergerie délabrée, mais ce type d'éclairage flatte rarement dans un portrait. Sur un paysage, il peut accentuer l'impression de profondeur, grâce aux ombres allongées. Le contraste peut être prononcé, entraînant la perte de certains détails dans les zones de forte lumière et d'ombre, mais dans l'ensemble, l'effet est souvent très séduisant.

L'éclairage à contre-jour

Quand la lumière vient de derrière le sujet, en particulier si la luminosité est très forte, il risque de ne former qu'une silhouette sur le film. La source lumineuse sera le soleil, les reflets d'une colline couverte de neige ou d'une dune, un ciel très brillant… Dans certains cas, le sujet sera entouré d'un halo de lumière. Le contraste est en général très prononcé, de sorte que le photographe n'obtient que peu de détails dans l'arrière-plan lumineux ou un sujet plus sombre s'il n'utilise pas un flash pour «déboucher» les zones d'ombre. Pour les sujets translucides, comme un feuillage d'automne aux belles couleurs, l'éclairage à contre-jour créera des chatoiements aussi intéressants graphiquement qu'esthétiquement.

La lumière peut aussi atteindre le sujet d'un autre angle, si elle est partiellement latérale ou frontale. Si l'angle de la lumière ne vous convient pas, changez de position, ou demandez au modèle de se déplacer ou d'attendre que la lumière adopte une autre direction.

La température de la lumière

La couleur de la lumière change tout au long de la journée ; même si nos yeux n'y sont pas toujours sensibles, les résultats seront tout à fait différents sur une prise de vue en couleurs. La lumière directe du soleil, mêlée à la lumière ambiante, tend vers le blanc ou l'achromatisme, en particulier vers midi. Lorsque

Point pratique

Attention aux lumières parasites sur l'objectif pour les éclairages à contre-jour. Si le soleil figure sur l'image – ou se trouve juste à côté –, ses reflets sur l'objectif feront apparaître celui de l'ouverture de l'objectif, une brume brillante sur toute l'image ou les couleurs de l'arc-en-ciel. Ces effets étant perceptibles dans le viseur, vous pouvez changer de position pour les éviter.

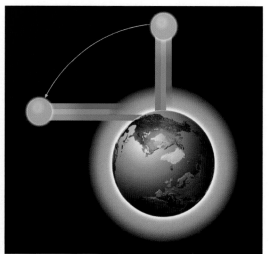

Slim Films

Comme le montre cette illustration, la lumière du soleil traverse une couche atmosphérique plus épaisse au lever et au coucher du soleil qu'à midi. Comme elle subit un filtrage plus important tôt et tard dans la journée, la lumière prend une couleur « chaude » par rapport à sa couleur « froide » quand le soleil est plus haut dans le ciel.

James Stanfield

Peter Burian

Les sources lumineuses mixtes, à gauche, sont intéressantes à cause des diverses couleurs qu'elles produisent sur le film. L'éclairage chaud au tungstène, similaire à celui des ampoules domestiques, peut être rectifié par des filtres bleus ou des films spéciaux pour neutraliser la couleur.

Point pratique

La plupart des films sont équilibrés pour bien restituer un éclairage diurne ou au flash. Certains films sont conçus pour des lumières artificielles au tungstène, mais ils sont destinés à un usage spécifique avec des projecteurs et ne suppriment pas toutes les nuances chaudes produites par un faible éclairage domestique.

le soleil est bas dans le ciel, la lumière tend vers le jaune ou l'orange, à l'extrémité chaude du spectre chromatique. La lumière produite par une lampe à pied, une bougie ou un feu est encore plus chaude. À l'ombre, ou si le sujet est éclairé surtout par le ciel bleu, ou par temps couvert, la lumière devient froide ou bleuâtre. Si la tonalité de la lumière ne vous convient pas, attendez qu'elle change ou placez un filtre sur votre objectif pour la modifier.

La température de la couleur se mesure en degrés Kelvin. La lumière vers midi par temps dégagé mesure environ 5 500 K, tout comme la lumière fournie par un flash électronique et certains tubes fluorescents spéciaux. Le coucher et le lever du soleil se situent souvent entre 1 000 et 3 000 K, tandis que la lumière froide d'un ciel couvert s'approche des 6 000 à 8 000 K.

La lumière chaude

Si vous faites un portrait au coucher du soleil, le sujet apparaît dans un halo jaune ou orangé qui peut vous sembler dégager une chaleur excessive. Et si la plupart des photographes s'accordent à apprécier les

Peter Burian

tons chauds pour les paysages et souvent pour l'architecture, il n'y a pas de règle déterminée en la matière. Si la lumière chaude vous plaît, n'hésitez pas.

La lumière froide

À certaines heures du jour, la lumière semble tout à fait bleue sur un film couleurs : avant le lever du soleil, par temps très couvert ou si le sujet se tient à l'ombre d'un bâtiment, par exemple. En haute altitude, la lumière est froide même par temps ensoleillé, à cause des forts rayonnements ultraviolets. Ainsi cette lumière peut vous convenir si vous voulez mettre l'accent sur la température réellement froide d'une journée enneigée et couverte, mais dans la plupart des situations, un chatoiement chaleureux est bien plus préférable.

Maîtriser la lumière

Comme nous l'avons laissé entendre, la « bonne » lumière – en termes de couleur, de qualité et de restitution – dépend précisément du sujet. Il n'existe pas de règles absolues et les indications de notre tableau page 87 ne sont que des points de départ pour faire des images que presque tout le monde s'accordera à trouver bonnes. L'essentiel est de bien connaître la lumière et de savoir décider quand – et sous quel angle – il vaut mieux prendre tel ou tel type de vue.

Il est rare que l'éclairage convienne au moment où vous décidez de passer à l'acte. Heureusement, il existe toute une gamme d'accessoires à votre disposition. Tout d'abord, vous pouvez changer de

À 7 heures du matin, en été, la lumière chaude du soleil a mis en valeur le cygne (à gauche). À 9 heures (à droite), la couleur de la lumière était plus froide, d'où une restitution plus neutre, quoique moins attirante, de l'oiseau.

Point pratique

Quand le soleil est bas dans le ciel, la couleur de la lumière tend à être chaude. Cela est dû au fait que les rayons obliques doivent traverser plus de poussières et d'eau dans l'atmosphère, où les courtes longueurs d'onde bleues sont dispersées, ce qui donne une lumière rougeoyante.

Todd Gipstein, photographe de la NGS

Au lieu d'utiliser un filtre pour modifier ou neutraliser la couleur de la lumière, le photographe a pris quelques libertés artistiques. Son interprétation évoque le clair de lune, grâce à un filtre bleu foncé et une légère sous-exposition.

Peter Burian

Sans filtre, le feuillage présente de riches couleurs. Avec filtre, celles-ci sont encore plus rehaussées. C'est une question de choix.

position par rapport à la lumière ; vous pouvez aussi parfois déplacer votre sujet ou attendre une lumière plus adéquate. Dans de nombreux cas, vous pouvez aussi exercer un certain contrôle sur la qualité et la couleur de la lumière grâce à des accessoires.

Les filtres modifiant la lumière

Les filtres de couleur peuvent servir à modifier la température de la couleur ; un filtre ambre pâle utilisé une heure après le lever du soleil peut restituer une partie de la lueur chaude qui est apparue naturellement peu de temps auparavant. Si vous faites un portrait au coucher du soleil et si vous préférez une restitution modérée de la chaleur, un filtre bleu pâle produit un aspect plus neutre. Le tableau ci-contre vous donne des informations supplémentaires sur certains filtres conseillés que vous pouvez utiliser pour contrôler et obtenir des effets plus précis dans des situations particulières.

Filtres recommandés pour la photographie en couleurs

Conditions	Résultat attendu	Filtre
Ombre à l'extérieur, lumière froide	Plus neutre, moins bleu	Un ambre clair (81B) pour contrebalancer les teintes bleues
Temps très couvert ou pluvieux	Plus neutre, moins bleu	Un ambre plus foncé (81C) pour atténuer les fortes teintes bleues
Milieu de matinée ou d'après-midi, jour ensoleillé	Un effet un peu plus chaud	Filtre légèrement ambré (81A)
Altitude élevée, forts UV, lumière très bleue	Un effet plus chaud pour réduire brume et éclat	Filtre ultraviolet (UV) plus ambré (81A); filtre polarisant contre brume et reflets; un filtre «polarisant réchauffant» combine les deux
Brouillard	Plus de netteté	Filtre anti-brume 2A; filtre polarisant plus efficace contre la brume
Éclairage fluorescent (vert)	Aspect plus naturel	Un filtre magenta pour contrebalancer les teintes vertes
Feuillage d'automne ou roches rouges, couleurs douces	Couleurs plus vives, plus saturées	Un filtre polarisant enrichit les couleurs en supprimant les éclats; un filtre faible (verre didyme) soutient les tons de terre, mais risque de rehausser le magenta en amplifiant les tons de terre
Lumière très chaude, soleil couchant ou éclairage domestique	Effet plus neutre (moins jaune)	Un bleu (pâle 82A ou foncé 82C) contrebalance les tons trop chauds
Ciel bleu pâle	Un ton plus foncé	Un filtre polarisant fonce le bleu et fait ressortir les nuages si vous le placez à un angle correct par rapport au soleil
Paysage, ciel très clair	Ciel moins clair	Une densité neutre graduée (gris) équilibre l'exposition pour paysage et ciel afin que le film puisse fixer leurs détails
Reflets et éclats sur verre ou surface peinte cachant les détails	Réduire les reflets, enrichir les couleurs	Filtre polarisant pour les deux opérations

NB: Certains filtres réduisent la transmission de la lumière. Les posemètres intégrés peuvent compenser cet effet, mais vous devez parfois le faire manuellement si vous utilisez un posemètre indépendant ou un appareil à visée télémétrique à capteur de lumière externe. Si la transmission de la lumière est réduite, il faut diminuer la vitesse d'obturation ou augmenter l'ouverture.

Prenez des vues avec et sans filtre. Pour avoir des résultats naturels en extérieur, n'utilisez un filtre que pour renforcer la couleur de la lumière et non pour la modifier complètement. En éclairage mixte, prenez des photos sans filtre, sauf si une grande partie de l'éclairage

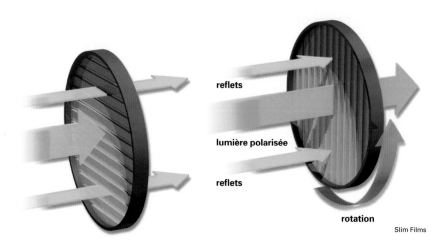

reflets

lumière polarisée

reflets

rotation

Slim Films

En le faisant tourner jusqu'à l'angle adéquat, le **filtre polarisant** bloque seulement la lumière polarisée de manière aléatoire (les reflets) mais laisse passer la lumière polarisée parallèle au filtre. Il élimine donc plus ou moins les reflets des surfaces réfléchissantes, de l'humidité ou de particules en suspension dans l'air.

est fournie par des tubes fluorescents standard. Il existe de nombreux filtres pour les effets spéciaux. Certains créent des images multiples ; d'autres transforment les hautes lumières en étoiles ou le mouvement en filaments. Vous pouvez en essayer certains, mais rappelez-vous que ces effets peuvent vite lasser.

Le filtre polarisant

Le filtre polarisant, ou polariseur, accessoire connu pour assombrir un ciel bleu pâle, n'est pas un filtre coloré et sert aussi bien à la photographie en noir et blanc qu'en couleurs. Il donne des ciels plus denses, car il bloque la lumière polarisée de manière aléatoire par les gouttes d'eau et les particules en présence dans l'air. L'effet est accru quand l'appareil est pointé à angle droit par rapport au soleil. Ce filtre réduit ou élimine aussi les reflets sur certaines surfaces réfléchissantes, le verre, l'eau, les feuillages mouillés ou les surfaces peintes, et même sur des surfaces moins réfléchissantes comme les rochers et la terre. Il en résulte des couleurs plus riches et une meilleure restitution des détails.

Les reflets sur le verre et autres surfaces réfléchissantes peuvent noyer les détails et faire pâlir les couleurs. Avec un filtre polarisant – réglé pour produire un effet maximal (en bas) – le photographe est venu à bout des deux problèmes.

John Agnone photographe de la NGS

Filtre polarisant circulaire ou linéaire ?

Nombre d'appareils actuels nécessitent un filtre polarisant de conception «circulaire», qui remplace l'ancien type «linéaire». Le terme circulaire se réfère au fait qu'il contient un second élément qui laisse de nouveau la lumière vibrer dans tous les axes. Le polariseur circulaire garantit la fiabilité de l'exposition et de la mise au point automatique, ce qui constituait un réel problème sur des modèles linéaires moins récents.

Le filtre dégradé

Le filtre dégradé, moitié transparent et moitié gris, est souvent utilisé pour la photographie de paysages avec des films en noir et blanc comme en couleurs. La ligne de démarcation entre les deux moitiés est fondue, sans transition brutale. Si vous vous trouvez face à un ciel (ou de l'eau) bien plus clair que la terre, positionnez la moitié sombre au-dessus de la zone la plus claire.

Placez la ligne centrale le long de l'horizon ou d'une ligne quelconque. Le filtre équilibre la clarté relative des deux zones, ce qui réduit le contraste et permet au film d'enregistrer plus de détails dans les deux zones. Les filtres 4 x (2 diaphragmes plus sombres sur la moitié grise) sont très utiles pour nombre de situations.

Les filtres pour films noir et blanc

Les filtres améliorant les contrastes sont très utiles en monochrome (noir et blanc) pour modifier les réactions du film à la couleur. Si vous n'utilisez pas de filtre, toutes les couleurs d'une intensité égale sont reproduites dans un même ton de gris sur le film noir et blanc. Une scène comportant un ciel bleu, du feuillage vert et une citrouille orange aboutira à une épreuve sur laquelle tout risque d'apparaître dans le même ton de gris. Le filtre coloré éclaircira certains tons et en assombrira d'autres, ce qui permettra de mieux distinguer les tons similaires. Le tableau ci-contre décrit les effets des filtres les plus courants.

La physique de la lumière

Les photographes n'ont pas besoin de devenir des experts en physique de la lumière, mais il importe de comprendre les caractéristiques de la lumière pour apprécier les aspects pratiques de l'usage du filtre polarisant. Les rayons lumineux circulent sous forme de radiations électromagnétiques, c'est-à-dire d'ondes. Les rayons directs du soleil voyagent en ligne droite mais vibrent dans toutes les directions perpendiculaires à leur trajet. Quand ils touchent un objet – une fenêtre, un rocher, du feuillage mouillé ou la surface d'un lac –, une partie de lumière réfléchie vibre dans un plan unique qui est vertical ou « polaire ».

Le filtre polarisant absorbe la lumière qui vibre à des angles autres que celui sur lequel il est réglé. Ce blocage sélectif, qui ne concerne que la lumière polarisée aléatoirement, supprime les reflets dans leur totalité ou partie. Pour régler la quantité de lumière polarisée transmise, tournez la bague externe du filtre.

Filtres recommandés pour la photographie en noir et blanc

Sujet / situation	Résultat attendu	Filtre
Ciel bleu ou eau	Naturel et plus foncé avec des nuages bien définis	Jaune clair n° 8 et jaune foncé n° 15 pour assombrir : les nuages ressortent bien ; rouge n° 25 pour ciel très sombre
Paysages lointains	Pénétrer la brume	Jaune foncé n° 15 ; rouge n° 25 pour plus d'effet
Fleurs et feuillages	Ton naturel	Jaune-vert n° 11 ou jaune n° 8 ; vert n° 58 pour restitution très claire du feuillage
Rouge, orange et déclinaisons	Plus clair	Rouge n° 25
Édifices en pierre ; bois, tissus	Rendre la texture plus perceptible	Jaune foncé n° 15
Intérieur, éclairage domestique	Effet plus naturel	Jaune-vert n° 11
Portraits en extérieur	Adoucir le rendu tonal des peaux claires et rendre les feuillages plus naturels	Jaune-vert n° 11
Paysages de neige	Augmenter la texture de la neige en lumière naturelle	Jaune n° 15 ou orange n° 16 pour améliorer la texture de la neige
Portrait, complexion rougeaude	Rendu plus esthétique	Bleu n° 47

NB : Les filtres transmettent la lumière de leur propre couleur et soustraient celle des autres couleurs : ainsi un filtre rouge éclaircit nettement des roses rouges et fonce le ciel bleu dans une photo en noir et blanc. La plupart des fabricants utilisent les numéros d'identification cités. Le rouge n° 25 est très foncé et réduit la transmission de la lumière de trois diaphragmes.

Si vous prenez des vues à un endroit situé de 30 à 35° par rapport à un objet réfléchissant, vous pouvez éliminer une bonne partie des reflets avec ce filtre polarisant. Vérifiez-en l'effet dans le viseur de votre reflex.

Pour assombrir au maximum le ciel par temps clair, placez-vous à un angle de 90° par rapport au soleil. Le filtre polarisant augmentera la saturation de couleur du ciel en bloquant la lumière polarisée de manière aléatoire, qui est réfléchie par les gouttes d'eau dans l'air. Et comme le voile atmosphérique est provoqué par des reflets de particules en suspension, le filtre polarisant en réduira aussi les effets. Le filtre a peu d'impact sur les surfaces métalliques non peintes, comme le chrome ou un miroir, parce que les surfaces réfléchissantes ne modifient pas la polarisation de la lumière.

LES FLASHES ET LES ACCESSOIRES ÉLECTRONIQUES

L'usage du flash intégré, très pratique, s'est généralisé. Mais à chaque fois que vous en avez la possibilité, adoptez le flash indépendant, qui met mieux en valeur le sujet et souligne les détails.

SI CERTAINS PHOTOGRAPHES se contentent volontiers de la lumière ambiante, le flash électronique peut aider à faire de bonnes photos quand l'éclairage est faible. Pour les prises de vue en intérieur, une source lumineuse puissante offre un avantage indéniable : elle contribue à réaliser des images bien éclairées, avec de belles couleurs, qui ne présentent pas l'inconvénient du grain d'un film sensible ni du recours au trépied. Cette source lumineuse portable sert de plus en plus d'éclairage d'appoint, en intérieur comme en plein air, pour réaliser des images plus flatteuses.

Quelques notions de base sur le flash

Avant d'aborder les techniques de prise de vue au flash électronique, voici quelques notions de base. Tout d'abord, mettez des piles et fixez le flash sur l'appareil. La fixation se fait en général au niveau du sabot, par une glissière en métal située sur le haut du boîtier. Le sabot comporte des contacts électroniques qui font se déclencher le flash à l'ouverture de l'obturateur. Même si le fonctionnement et du flash et de la mesure de la lumière varient en fonction du type de commande de flash que vous utilisez, le principe de base reste le même pour la plupart des équipements récents.

1. En mettant le flash sous tension, il se recharge en quelques secondes grâce à un condensateur. Un voyant lumineux s'allume quand le flash est prêt.

2. Le photographe règle l'objectif sur la bonne ouverture (diaphragme), en suivant les indications du calculateur situé au dos du flash. Le diaphragme à utiliser sera déterminé en fonction de la distance au sujet. Parfois, les flashes plus récents se passent de ce calcul.

John Agnone, photographe de la NGS

3. Quand le photographe prend la photo, le flash éclaire pendant un laps de temps très bref : de 1/1 000e à 1/40 000e de seconde à l'instant où l'obturateur de l'appareil s'ouvre pour exposer le négatif.

4. Une fois la photo prise, toute l'énergie non utilisée est renvoyée au condensateur par un circuit interne, le « thyristor », pour économiser les piles et accélérer le rechargement.

5. Le flash commence à accumuler l'énergie requise pour la photo suivante et le voyant signale de nouveau quand il est prêt. Si vous attendez une seconde ou deux avant de prendre la photo suivante, il sera entièrement rechargé. Moins vous consommez d'énergie, plus il se recharge vite ; les gros plans sont les moins gourmands en énergie.

La vitesse « synchro »

Le boîtier doit être réglé sur la bonne vitesse d'obturation pour que l'éclair du flash soit synchronisé avec l'obturateur qui s'ouvre pour exposer le film. Certains appareils récents déterminent automatiquement la bonne vitesse d'obturation. Sinon, une partie de la photo sera noire. Pour mieux comprendre, voici comment fonctionne l'obturateur de la plupart des reflex.

Pour exposer toute la fenêtre du cliché sur le négatif, l'obturateur forme une fente, constituée de deux éléments s'ouvrant et se fermant successivement, qui défile sur toute la largeur de l'image. À certaines vitesses d'obturation – 1/60 ou plus sur beaucoup d'appareils – le flash est synchronisé avec l'obturateur pour une exposition totale. Prenez une vitesse d'obturation rapide, par exemple 1/125 et le rideau couvrira la moitié de l'image quand le flash s'allume. En conséquence, la moitié de la photo sera noire (non exposée).

La synchronisation de l'éclair du flash est essentielle. Chaque reflex possède une vitesse synchro maximale, la vitesse d'obturation la plus rapide qui garantisse une photo correcte. Les modèles plus anciens comportent un « X » sur le sélecteur de la vitesse d'obturation ; sélectionnez X et vous aurez la bonne vitesse synchro, en général 1/60. Vous pouvez aussi utiliser des vitesses d'obturation plus lentes : 1/30, 1/15, 1/8, etc. De nombreux appareils de nouvelle génération ont une vitesse synchro maximale plus rapide : 1/125, 1/200 ou 1/500. Quelques-uns tolèrent un flash à n'importe quelle vitesse – jusqu'à 1/4 000. Ils utilisent des flashes qui produisent une série d'éclairs lumineux pendant la durée de l'exposition et non un seul éclair.

Certains moyens formats comportent un mécanisme d'obturation intégré dans l'objectif, comme sur les compacts. Dans ces deux types d'appareils, la totalité de la fenêtre du cliché est exposée quelle que soit la vitesse synchro et les explications sur la vitesse synchro ne les concernent donc pas. Un grand nombre de reflex récents rectifient votre choix de vitesse d'obturation avec un flash. Si votre sélection n'est pas correcte, l'appareil règle automatiquement la vitesse

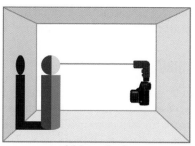

éclairage direct

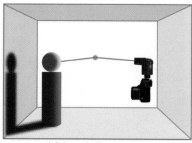

éclairage indirect au mur

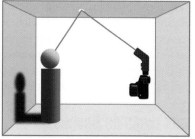

éclairage indirect au plafond

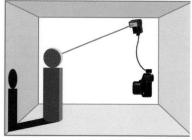

flash à distance direct

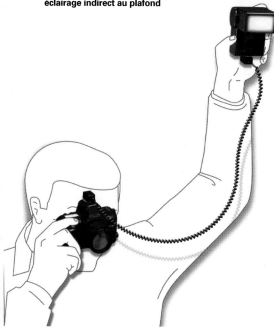

Les effets d'éclairage illustrés ici sont produits par **le flash direct, le flash indirect au mur ou au plafond et le flash à distance direct.** La position et la qualité de l'ombre du sujet changent selon la technique utilisée. Le flash direct, parfois nécessaire, produit une image dure. Le flash indirect adoucit la lumière et les ombres. Le flash indirect au mur est similaire au flash indirect au plafond, mais a l'avantage de mieux révéler la forme du sujet.

Slim Films

Les flashes s'adaptant au sabot de l'appareil constituent une source lumineuse facilement transportable, que vous pouvez aussi utiliser à distance. Il existe un grand choix de caractéristiques, de tailles et de puissances.

Avec l'aimable autorisation de Canon USA, Inc.

d'obturation sur la vitesse synchro dès que le flash s'est rechargé et que vous appuyez sur le déclencheur.

Le nombre guide

Le nombre guide, que les fabricants indiquent en général pour un film de 100 ISO, sert à mesurer la puissance du flash. Choisissez un modèle ayant un nombre guide d'au moins 25 m, sauf si vous avez l'habitude d'utiliser des films de 400 ISO ou de faire du gros plan. Si vous avez l'intention de réaliser beaucoup de photos au flash indirect (*voir* page 108), il vous faudra sans doute un flash plus puissant et envisager un nombre guide proche de 40. Le nombre guide n'est pas un indicateur fixe de la distance révélatrice du flash mais plutôt de sa puissance relative.

Les principaux types de flashes

Il existe trois technologies différentes pour contrôler l'exposition au flash. Nous allons étudier le fonctionnement des principaux types de flashes en insistant sur le plus courant, le flash TTL (*Through The Lens*, à travers l'objectif).

Le flash manuel

C'est le flash le plus simple, mais vous ne pouvez pas contrôler son débit (intensité). Sur certains modèles néanmoins, il est possible de régler le débit, sur un quart, par exemple. Il n'est pas très difficile à utiliser, et le photographe doit effectuer tous les réglages. Tout d'abord, réglez le flash sur la vitesse du film puis effectuez la mise au point. Vérifiez la distance de l'appareil au sujet sur l'objectif. À l'aide du système de mesure d'exposition à l'arrière du flash, décidez sur quel diaphragme vous allez régler l'objectif afin d'avoir une bonne exposition pour cette distance. Plus le sujet est éloigné, plus l'ouverture doit être grande. Plus le sujet est proche, plus l'ouverture diminue.

Il existe une autre méthode, mais seulement avec les films de 100 ISO, pour déterminer le diaphragme. Sachant le nombre guide du flash, divisez la distance au sujet par le nombre guide. Si le nombre guide est égal à 18 et que le sujet est à 3 m de l'appareil, réglez l'objectif sur f/5,6 (18 ÷ 3 = 6, arrondi au diaphragme le plus proche, soit f/5,6). Pour utiliser une ouverture plus grande ou plus petite, vous devez modifier la distance au sujet ou prendre un film d'une sensibilité différente.

Pour les flashes de studio, le contact avec l'appareil se fait en général à l'aide d'un cordon PC ou fil « synchro » (pour synchronisation). Vous pouvez aussi relier de cette manière certains flashes qui se montent sur le sabot. Cela n'est possible que si votre appareil comporte une prise pour cordon PC, mais essayez de trouver d'occasion un accessoire (rare) ayant une prise pour cordon PC que vous pourrez raccorder au sabot de votre appareil.

Tous les types d'appareils ont adopté le flash intégré. Comme leur puissance n'est jamais très élevée, ces flashes servent surtout aux gros plans, aux films sensibles ou comme éclairage d'appoint en extérieur.

Avec l'aimable autorisation de Minolta Corporation

L'autoflash

Ce système plus moderne se fonde sur un capteur externe du flash qui mesure la lumière réfléchie, si vous travaillez en mode automatique. Indiquez d'abord l'indice ISO du film. Réglez la distance au sujet sur le calculateur du flash, puis le diaphragme recommandé pour le mode de flash que vous utilisez. Quand le flash illumine, il détecte automatiquement s'il a fourni une lumière adéquate. Le capteur détecte la lumière réfléchie par le sujet pour déterminer la durée correcte de l'éclair pour cette distance. Une échelle figurant sur le dos du flash indique les distances révélatrices maximales et minimales du flash pour toutes les ouvertures. La plupart des flashes proposent un choix de plusieurs ouvertures et une distance pour n'importe lequel de ces diaphragmes.

Le flash TTL

Grâce à la mesure à travers l'objectif, ou TTL, pour les flashes, il n'a jamais été plus facile d'obtenir de bons résultats. La plupart des reflex fabriqués récemment bénéficient de cette technologie. Une cellule du boîtier mesure la lumière qui atteint le film et un processeur contrôle la durée du flash pour avoir une bonne exposition sur la distance révélatrice du flash.

Point pratique

Un appareil équipé d'un flash TTL risque de ne pas produire une bonne exposition avec des sujets ou un arrière-plan très clairs ou très sombres. Dans ce type de situation, vous devrez augmenter ou réduire l'exposition comme vous le feriez sans flash.

Point pratique

Il est rare qu'un seul diaphragme donne la bonne exposition avec un flash. À chaque diaphragme, l'exposition sera correcte pour une plage de distances : 6-9 m pour f/8, 8-11 m pour f/5,6, etc. Assurez-vous que votre sujet se trouve à l'intérieur de la distance révélatrice correspondant au diaphragme sélectionné.

Avec un appareil à mise au point manuelle, vous aurez sans doute besoin de vérifier la distance du sujet au flash et de choisir un diaphragme correspondant à cette distance. Reportez-vous au guide situé derrière le flash. Sur les appareils plus récents, le système sélectionnera simplement une vitesse d'obturation plus lente, si nécessaire, qui convient au diaphragme que vous avez choisi. Les derniers appareils autofocus équipés d'un « flash intelligent » effectuent d'eux-mêmes toutes ces opérations en déterminant la distance du sujet au flash. En mode automatique, le flash intelligent se charge de régler à la bonne ouverture, mais en mode semi-automatique et manuel, il vous permet de sélectionner d'autres diaphragmes. Consultez votre manuel de l'utilisateur, car il y a de grandes différences d'un système à l'autre et même d'un appareil à l'autre dans une gamme d'un même fabricant.

Les avantages du flash TTL

Les appareils recourant à la technologie TTL de contrôle du flash offrent certains avantages dont sont dépourvus ceux ayant un autoflash, moins performant. Le premier de ces avantages est que l'exposition restera précise même si vous placez un filtre sur l'objectif (réduisant la transmission de la lumière), si vous faites rebondir la lumière du plafond (augmentant la distance au sujet), si vous utilisez un filtre coloré sur le flash, etc. Avec les autres systèmes, il faut calculer la perte de luminosité (*voir* pp 85-91 sur les filtres).

Les reflex sophistiqués et récents offrent d'autres avantages en matière de flash, selon les systèmes. Consultez les instructions de votre manuel. Ce mode « intelligent » peut contrôler le débit du flash afin qu'un objet au premier plan ne soit pas surexposé ; il peut compenser automatiquement en cas de lumière à contre-jour ou si le sujet est très clair ou très sombre ; il peut équilibrer le flash avec la lumière ambiante ; il propose un mode de réduction de l'effet « yeux rouges » ; il fournit enfin une bonne exposition si vous utilisez deux flashes ou plus… Nous verrons rapidement ces différentes performances dans les parties suivantes.

Le bon équipement

Vérifiez sur votre manuel si votre appareil admet un flash TTL. Si oui, assurez-vous que vous utilisez bien un flash TTL. Les fabricants de reflex offrent tous des gammes de modèles compatibles avec leurs appareils. Parmi les flashes TTL de marques indépendantes, sélectionnez-en un qui soit spécialement conçu pour la marque et le modèle de votre appareil, ou demandez à votre détaillant de vérifier la compatibilité.

Certains appareils ont une vitesse synchro de flash très rapide, qui atteint souvent 1/250 au lieu des 1/60 ou 1/125, plus courantes. Cela peut être utile dans des conditions de bonne luminosité pour des sujets proches à une grande ouverture comme f/2,8. La rapidité de la vitesse synchro peut aussi prévenir le filage d'image, c'est-à-dire l'apparition d'une seconde image floue d'un sujet mobile, que provoque l'exposition à la lumière ambiante à une vitesse synchro plus lente. Regardez les brochures des fabricants quand vous achetez un appareil, si cette caractéristique vous intéresse. Certains appareils admettent des vitesses synchro encore plus élevées, mais la distance révélatrice du flash est nettement réduite.

Certains flashes actuels – surtout s'ils sont conçus pour des reflex haut de gamme – sont très sophistiqués et offrent toutes sortes de fonctions tactiles. Vous n'avez presque plus besoin de faire de calculs, d'où une remarquable facilité d'emploi.

Mark Thiessen,
photographe de la NGS

La photographie au flash en extérieur

Avant d'aborder le flash en intérieur ou de nuit, voyons comme l'utiliser en extérieur. Certains photographes refusent d'utiliser un flash à l'extérieur parce que d'anciennes expériences – avec des équipements moins modernes – les ont amenés à croire qu'il produit un effet artificiel. L'illumination peut en effet sembler crue avec les systèmes moins récents (utilisés avec très peu de priorités d'utilisation), puisque le flash devient la première source lumineuse. Le rendu des arrière-plans risque par ailleurs d'être plus foncé, surtout si vous travaillez à l'ombre. Vous pourrez obtenir des résultats plus naturels en mode semi-automatique ou automatique. Pourquoi utiliser un flash en extérieur alors que la lumière est bien suffisante ? Pour trois

sans flash   plein flash   fill-in

Peter Burian

Dans un éclairage très contrasté, des ombres prononcées marquent des parties importantes du sujet (à gauche). Le plein flash donne un rendu exact, sans être pour autant le plus esthétique. Si le débit du flash est réduit au seul fill-in, la lumière solaire reste la principale source lumineuse, et c'est plus subtil (à droite).

raisons. Le flash peut servir à adoucir des ombres dures – comme celles que jette sur un visage le bord d'un chapeau. Le flash peut aussi adoucir des orbites creusées par l'éclairage zénithal du soleil. En cas de contre-jour très prononcé, sans flash, vous aurez un contraste exagéré : le film ne pourra pas retenir les détails à la fois de l'arrière-plan clair et du sujet beaucoup plus sombre. Si vous réglez l'exposition sur les hautes lumières, le sujet à l'ombre sera très foncé, sans beaucoup de détails. Réglez l'exposition sur le sujet, et l'arrière-plan est éclipsé. Servez-vous du flash, et vous pourrez équilibrer l'éclairage afin de bien exposer les deux zones.

S'il y a du vent, les fleurs, l'herbe ou les drapeaux sur leurs hampes vont bouger et risquent d'être flous sur le film. Il en va de même pour une personne qui se déplace. Pour fixer votre sujet, si vous le souhaitez, il suffit d'un bref éclair du flash. Plus la vitesse synchro est rapide, 1/250 au lieu de 1/60, plus cette technique sera efficace. Si vous préférez une image floue, n'utilisez pas de flash, ou sélectionnez un vitesse d'obturation plus lente comme 1/30.

L'arrière-plan peut être très sombre en cas de vitesse d'obturation rapide avec flash. Si l'arrière-plan est dans l'ombre ou très éloigné, il ne profitera pas du flash. Si vous voulez des arrière-plans plus clairs, vous devrez prolonger la durée d'exposition : peut-être une vitesse de 1/15. Vous aurez alors besoin d'un trépied pour stabiliser l'appareil. Le contrôle du flash TTL vérifiera que le sujet le plus proche est bien exposé par le flash. L'arrière-plan est plus clair parce que l'exposition plus longue à la lumière ambiante lui permet de mieux impressionner le film. Avec la plupart des appareils, vous pouvez utiliser cette technique en mode manuel ou semi-automatique.

Les éclairages d'appoint ou le fill-in

Le flash utilisé en extérieur pose un problème puisque l'éclairage artificiel risque d'être plus puissant que la lumière ambiante, ce qui donne une image dure. Cela vous arrive si vous appliquez les techniques de flash décrites plus haut avec un flash manuel et un flash automatique, parce qu'ils sont conçus pour des conditions de faible luminosité. Dans un contexte d'ensoleillement, vous avez intérêt à réduire le débit du flash pour qu'il produise une lumière minime qui suffira pour adoucir les ombres. Afin d'éviter un manque de relief, vous devez conserver certaines ombres douces et ne pas trop éclairer le sujet. La méthode convenant à l'éclairage d'appoint dépend de votre équipement.

L'autoflash

Si vous ne possédez pas un autoflash TTL, il vous faudra « tricher » avec votre flash en lui faisant croire que vous utilisez un film rapide : il limitera la puissance et la durée de l'éclair lumineux. Cela fonctionne à

Dans un éclairage à contre-jour très prononcé, le flash peut être indispensable pour éclairer le sujet et éviter qu'il se réduise à une silhouette. Certaines combinaisons d'appareil et de flash produisent automatiquement ce type de résultats.

Peter Burian

condition que vous indiquiez à votre flash un indice ISO de quatre fois supérieur à l'indice du film qui est réellement chargé dans votre boîtier. S'il est de 100 ISO, réglez votre flash sur 400 ISO (4 x 100 ISO). Le flash s'éteindra avant qu'il n'ait « complètement » illuminé la scène, mais fournira une lumière d'appoint adéquate. À l'extérieur, pour obtenir un effet encore plus subtil, réglez le flash sur un indice ISO six fois supérieur à celui du film (600 ISO dans notre exemple).

Le flash manuel

Avec les systèmes manuels proposant un contrôle de l'utilisateur, le fill-in n'est pas aussi pratique. Mesurez la lumière ambiante avec votre posemètre pour déterminer l'exposition à la vitesse synchro maximale de l'appareil – disons f/8 à 1/60 – et réglez l'objectif sur cette ouverture. Évaluez la distance du flash au sujet (en vous servant du nombre guide ou du calculateur du flash) pour laquelle il faudrait une exposition de deux diaphragmes de plus : f/4 dans notre exemple. Déplacez-vous jusqu'à ce point et prenez votre photo ; il vous faudra peut-être un objectif plus long. Si votre flash dispose d'un contrôle de variation de puissance, vous n'avez pas besoin de vous déplacer. Réglez la puissance sur un niveau qui exige une ouverture plus importante et prenez la photo. Vous pouvez couvrir la tête du flash avec du papier-calque pour réduire l'éclair qui atteint le sujet, mais c'est assez délicat.

Le flash TTL

Sur certains flashes TTL anciens, et si votre appareil le permet, vous pouvez changer la vitesse de votre film, pour que l'éclair du flash soit moins puissant. Si vous utilisez un film de 100 ISO, réglez votre flash sur 400 ISO ; avec un film de 200 ISO, sur 800 ; avec un film de 400 ISO, sur 1 600. Le flash, estimant que vous utilisez un film plus sensible, émettra moins de lumière.

Les flashes TTL sophistiqués

La plupart des reflex récents, et certains des appareils à mise au point manuelle haut de gamme, proposent automatiquement un flash d'appoint pour les scènes en extérieur. Quand la mesure du flash TTL s'associe à ce type de flash « intelligent », la technologie peut produire de bons résultats, sans faire appel aux priorités pour l'appareil ou le flash. Le processeur réduit automatiquement le débit du flash d'environ 1,5 diaphragme. La lumière du soleil reste la principale source lumineuse, celle du flash n'étant qu'un appoint.

Réduire le débit du flash

Certains photographes estiment excessif le flash d'appoint, ou fill-in flash, pour les scènes claires en extérieur parce que l'observateur remarque tout de suite qu'un flash a été utilisé sur cette prise de vue. C'est au tirage que vous pouvez réduire la clarté globale. Vous souhaiterez peut-être des retirages ; expliquez comment vous envisagez l'exposition globale. Si vous réalisez vous-même vos tirages ou si vous avez recours à l'imagerie numérique pour modifier des photos scannées, vous pouvez atténuer la clarté.

Sinon, et en particulier avec les films inversibles, c'est au moment de prendre la photo que vous devrez intervenir pour atténuer la puissance du flash. Certains flashes actuels, très performants, de même que certains boîtiers reflex, sont équipés d'un « correcteur d'exposition pour flash ». Si vous estimez trop intense le flash d'appoint pour les scènes claires en extérieur, sélectionnez un facteur de correction d'exposition pour le flash égal à −1 ou −0,5. Faites tout d'abord quelques expériences pour repérer les réglages qui donnent les effets les plus naturels ; avec la plupart des systèmes, vous aurez besoin d'une correction assez faible par temps très couvert. Si votre appareil n'est pas équipé d'un fill-in flash pour les scènes claires en extérieur, réglez la correction de l'exposition sur −2 ou −2,5 et vous aurez d'excellents résultats.

Éviter la sous-exposition

En cas d'éclairage à contre-jour excessif, ou d'arrière-plan très clair, la plupart des combinaisons boîtier / flash TTL réglées sur l'appoint pour scènes claires en extérieur risquent d'aboutir à une sous-exposition et donc à un rendu trop foncé du sujet. Il faut alors augmenter l'exposition. Si vous disposez d'un correcteur d'exposition pour le flash, réglez-le sur un facteur +1 pour augmenter le débit du flash. Sinon, réglez le correcteur d'exposition de l'appareil sur +1, pour une exposition à la lumière ambiante, en mode automatique. Votre sujet sera plus clair, mais l'arrière-plan sera très lumineux et pas nécessairement du meilleur effet.

Autres techniques

Seuls les boîtiers et les flashes les plus coûteux sont équipés d'un correcteur d'exposition. Si vous estimez que l'éclairage est excessif avec le flash d'appoint pour

Slim Films

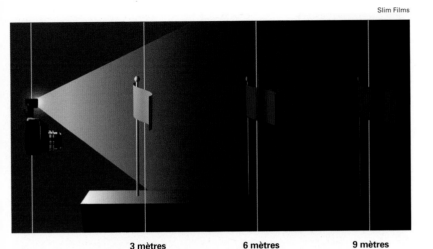

3 mètres   **6 mètres**   **9 mètres**

Le flash n'est pas très utile avec les sujets distants à cause de la loi du carré inversé : quand vous doublez la distance du sujet à la source lumineuse, la lumière qui atteint le sujet ne conserve qu'un quart de son intensité. Si vous triplez la distance, il ne lui reste qu'un neuvième de son intensité.

les scènes lumineuses en extérieur, il vous reste peu d'options. Les flashes récents vous permettent très rarement de changer l'indice ISO sur le flash lui-même. Et il ne sert à rien de couvrir la tête du flash de papier-calque, ou autre, puisque le flash rectifiera en augmentant le débit pour réaliser ce qu'il considère comme une bonne exposition.

Voici une tactique bien pratique. Si votre flash possède une touche de zoom (une fonction automatique qui règle l'angle de couverture du flash selon la focale de l'objectif retenue), choisissez la plus grande ouverture possible. Si vous utilisez un objectif de 100 mm, réglez la touche de zoom sur 28 mm, ou 35 mm si c'est le maximum. La lumière couvrira désormais une zone beaucoup plus grande. Le résultat se traduira par une diminution de la lumière sur le sujet et une plus grande discrétion du flash. Si le flash n'a pas de touche de zoom, un diffuseur vous aidera à étaler la lumière, sans résultat garanti. Testez votre équipement pour trouver comment réduire au mieux le débit du flash.

James Stanfield

Grâce à l'avancée des techniques au flash, les photographes peuvent créer des effets originaux comme l'effet de «bougé» ci-dessus, dû au déplacement de l'appareil pendant une longue pose. La lumière intéressante de la photo ci-dessous a été obtenue avec une autre technique de pointe. Le photographe a utilisé deux sources de lumière, l'une pour la forme et l'autre pour les détails.

Chris Johns, photographe de la NGS

Modifier l'éclairage du flash

Quand le flash sert seulement de lumière d'appoint, il ne fournit qu'un petit pourcentage de la lumière totale. Le flash intégré produit donc des résultats acceptables en extérieur, en particulier si le sujet se tient à 3 m au moins de l'appareil. Pour les prises de vue rapprochées, cependant, vous obtiendrez de meilleurs résultats en tenant le flash à l'écart de l'appareil photo, à un angle de 45° latéralement et de 45° au-dessus du sujet pour commencer. Vous pouvez également vous servir d'accessoires pour les plans rapprochés.

L'accessoire le plus utile pour la photographie en extérieur est le filtre réchauffant que l'on place sur la tête du flash. Si vous prenez des photos au flash au lever ou au coucher du soleil, la lumière du flash est très froide (environ 5 500 K) par rapport à la lumière jaune orangé du soleil (environ 2 000 K). Si vous vous servez d'un flash pour adoucir les ombres du sujet principal, les résultats risquent de sembler très peu naturels, parce que la lumière du soleil sur le reste de la scène aura une température de couleur différente. Dans ce cas, un filtre jaune pâle sera la solution. Les fabricants de filtres proposent toutes sortes de produits intéressants ; renseignez-vous auprès de votre détaillant habituel.

La photo classique au flash

En cas de faible luminosité, surtout en intérieur, le flash devient la première source lumineuse. Les explications sur le flash manuel classique, automatique ou TTL sont désormais valables puisque vous n'aurez pas vraiment envie de réduire le débit du flash. Si votre combinaison boîtier / flash vous donne régulièrement des photos trop claires, vous devrez sans doute réduire le débit, mais bien moins que vous ne le feriez dehors par temps ensoleillé. Pour tirer le meilleur parti de votre flash, il est bon de connaître quelques techniques et accessoires.

Plusieurs fabricants proposent des accessoires pour flash électronique. En général, ils adoucissent et diffusent la lumière. Certains permettent de placer des filtres sur la trajectoire de la lumière afin de créer des effets spéciaux ou d'équilibrer la lumière du flash avec la température de couleur de la lumière existante.

Avec l'aimable autorisation de LumiQuest

éclairage direct

éclairage direct à distance

éclairage indirect au plafond

éclairage indirect au mur

Mark Thiessen, photographe de la NGS

Le flash intégré direct donne un éclairage dur et peu flatteur. En éloignant le flash de l'appareil ou en faisant rebondir la lumière du flash sur une surface proche, vous obtenez des effets différents. Le flash indirect au plafond provoque des ombres marquées dans les orbites, sous le nez et le menton. La meilleure technique en intérieur consiste à faire rebondir la lumière d'un mur proche et de couleur claire.

Le flash indirect

Le flash intégré direct n'est pas flatteur : la lumière, qui atteint le sujet de plein front, élimine toutes les ombres. Elle crée aussi des ombres dures à l'arrière-plan du sujet. Vous pouvez remédier à ces deux problèmes en faisant rebondir la lumière du flash sur un mur ou au plafond. Il vous faut un flash à tête verticale (qui bascule de haut en bas pour faire rebondir la lumière au plafond) ou pivotante (pour les murs). Vous pouvez aussi utiliser le flash à distance de l'appareil en le dirigeant tout simplement vers le mur ou le plafond. La surface sur laquelle la lumière rebondit sera blanche de préférence, pour éviter les nuances de couleur indésirables.

Photographier avec un flash indépendant

Pour vous servir d'un flash indépendant, vous avez besoin d'un cordon qui raccorde l'appareil au flash. Certains reflex classiques ont une prise pour cordon PC synchro destiné aux flashes non TTL. Dans ce cas, n'oubliez pas de calculer la distance du flash à la surface où il rebondit, puis au sujet. Si vous avez un reflex récent, le fabricant propose sans doute un câble TTL pour compléter les performances de l'appareil. Vous raccordez une extrémité au sabot de l'appareil et l'autre, qui comporte un sabot en accessoire, au flash ou à plusieurs flashes. Vous pouvez maintenant placer la source lumineuse là où vous voulez et laisser au système le soin de calculer l'exposition pour vous.

Le rechargement du flash peut durer très longtemps quand vous photographiez au flash indirect. Comme la distance du flash au sujet est allongée, le flash dépense toute son énergie ou presque à chaque exposition. Avec une batterie de piles indépendantes, vous pouvez accélérer le rechargement et prendre des séries de clichés rapidement.

Les barrettes de déport

C'est en tenant le flash à 50-60 cm de l'appareil – à 45° latéralement et au-dessus du sujet – que vous obtiendrez l'effet le plus esthétique, en intérieur ou

Point pratique

Si le plafond est trop haut ou le mur trop loin, le flash indirect ne convient pas, à cause de la loi du carré inversé.

Les fabricants d'appareils photos, de flashes et d'accessoires proposent sur le marché des barrettes de déport. Les conceptions varient, mais le but reste le même : tenir une source lumineuse portable à distance de l'appareil pour mieux éclairer et atténuer l'effet « yeux rouges ».

Avec l'aimable autorisation de Fuji Photo Film USA, Inc.

en extérieur. Les ombres, qui tombent en dessous du sujet et non pas sur le mur placé juste derrière, ne se remarqueront pas sur la photo. Pour cette technique, il vous faut un long cordon TTL ou PC. Vous pouvez vous procurer une barrette de déport très longue pour tenir le flash, ce qui est beaucoup plus pratique que de le brandir. Les barrettes de déport courtes, comme celles qu'utilisent les photographes de mariage et les reporters, sont plus faciles à trouver et donnent aussi de bons résultats.

Correction de l'effet « yeux rouges »

C'est en éclairant les vaisseaux sanguins du fond de l'œil que le flash provoque l'effet « yeux rouges ». Pour atténuer ce phénomène, essayez une ou plusieurs des techniques suivantes. Éloignez le flash de l'objectif ou faites rebondir la lumière sur un mur ou le plafond ; prenez un objectif d'une longueur focale inférieure et rapprochez-vous du sujet ; éclairez la pièce en allumant plus de lampes ; demandez à votre modèle de ne pas regarder l'appareil ; servez-vous de la correction de l'effet « yeux rouges » que propose votre appareil (une lumière vive qui force la pupille à se fermer juste avant l'exposition).

Éviter les reflets indésirables

Essayez de placer le sujet de manière à ce que l'image ne contienne pas d'objets qui pourraient réfléchir la lumière du flash : fenêtre, miroir ou sous-verre…

Les accessoires

Si vous souhaitez un éclairage plus doux pour un effet plus subtil en intérieur, ou des ombres plus nuancées à l'extérieur, choisissez un diffuseur ou un écran pour flash indépendant. Ces accessoires, qui modifient la lumière en l'adoucissant ou en la diffusant, sont utiles en particulier avec un flash intégré. Plus ils sont près du sujet – 1,80 m ou moins de l'appareil – plus ils éclairent. Cependant, ils réduisent la transmission de la lumière, d'où leur intérêt moindre pour les sujets distants, à moins que vous n'ayez un flash très puissant.

Les flashes multiples

Les photographes professionnels de portraits utilisent souvent plusieurs stroboscopes (flashes) dans leur studio : le premier comme source lumineuse principale, le deuxième pour ajouter des reflets aux cheveux, le troisième pour éclairer la toile de fond, le quatrième en fill-in, etc. Si ces techniques dépassent le propos de ce guide, vous pouvez tout de même utiliser plusieurs flashes. Les cordons TTL conçus pour un ou plusieurs flashes sont devenus courants sur les reflex récents. Vous pouvez aussi acheter des cellules de déclenchement asservi qui, sans être raccordées, déclenchent les flashes indépendants en même temps que le flash principal. Les nouveaux systèmes sans cordon, que l'on trouve chez certaines marques de flashes et de reflex autofocus, offrent une solution pratique. Tout en se passant de cordons, ils peuvent assurer la commande du flash TTL.

Les systèmes « sans fil » n'assurent pas tous la mesure flash TTL dans son intégralité. Si c'est le cas, vous aurez besoin d'un flashmètre pour calculer la bonne exposition. Si vous ne pouvez pas utiliser de flash TTL sans cordon sur votre appareil, contentez-vous des rallonges TTL (pour raccorder deux flashes ou plus) qui conservent tous les automatismes.

En conclusion

Naturellement, vos besoins et vos techniques dépendent de vos préférences personnelles, du choix du sujet et du type d'équipement que vous possédez ou pouvez vous offrir. Épluchez les brochures des fabricants et écoutez les conseils des professionnels pour acheter l'équipement et les accessoires qui conviennent à votre type de photographie au flash. Faites des expériences, essayez et vous deviendrez un expert du flash ; un jour, vous ne comprendrez plus comment vous avez pu vous en passer, surtout en extérieur.

L'effet « yeux rouges » est fréquent avec le flash intégré si vous avez une faible luminosité. Le photographe a résolu le problème en éloignant le flash de l'axe de l'objectif (en le tenant à bout de bras ou en utilisant un cordon entre le flash et le boîtier). La couleur des yeux du modèle n'a aucune importance. Cet effet est dû à la lumière convergente qui est renvoyée par les vaisseaux sanguins du fond de l'œil.

Mark Thiessen,
photographe de la NGS

LE FILM : LA PALETTE DU PHOTOGRAPHE

LE CHOIX DU FILM, OU PELLICULE, est un facteur essentiel de la réussite d'une photo. Souvent, nous chargeons un film sans faire attention à sa sensibilité ni à ses avantages spécifiques. Or, les sujets et les scènes varient tant, que le film idéal pour une situation pourrait ne pas convenir à une autre. Voici quelques conseils pour optimiser la qualité de l'image et pour tirer le meilleur parti de votre équipement.

La sensibilité du film

Le film consiste en une base en polyester ou en acétate qui est recouverte de cristaux photosensibles et de couches de colorants appelées émulsion. Anciennement appelé ASA, le système numérique ISO (pour *International Standards Organization*) mesure la sensibilité des films à la lumière. Un film très peu sensible (lent) comporte un petit indice ISO ou très sensible (rapide) un indice ISO élevé. La série des ISO s'étend de 6 à 6 400, les plus courants étant 25, 50, 100, 200, 400, 800, 1 600 et 3 200. Il existe aussi des valeurs intermédiaires, en particulier 64, 160 et 1 000 ISO. Les 50, 64, 100 et 200 ISO sont courants pour les films inversibles – ou diapos.

Il est important de se rappeler que la sensibilité du film à la lumière double en même temps que l'indice ISO. Un film de 200 ISO a donc besoin de deux fois moins de lumière qu'un 100 ISO pour le même temps d'exposition. À l'inverse, un film de 100 ISO exige deux fois plus de lumière qu'un 200 ISO.

Quelle sensibilité choisir ?

Pour obtenir une photo bien exposée avec un film assez peu sensible à la lumière, vous devez ralentir la vitesse d'obturation. Par temps gris et couvert, cela

Todd Gipstein, photographe de la NGS

peut signifier une vitesse d'obturation de 1/30ᵉ de seconde, pour une ouverture de f/5,6 avec un film de 25 ISO. Les films lents – de 25 à 50 ISO – sont les moins sensibles à la lumière ; les 200 ISO, de vitesse moyenne, le sont plus. Quant aux films rapides aux indices ISO élevés, ils sont encore plus sensibles. Plus ils s'approchent des 800 ISO, plus la vitesse d'obturation doit être grande.

Le pour et le contre

Avec les vitesses d'obturation rapides, vous obtenez des images très nettes parce qu'elles vous permettent de fixer le mouvement du sujet et de réduire les risques de vibrations de l'appareil si vous n'avez pas de trépied. Dans ce cas, pourquoi ne pas prendre du 800 ISO pour toutes les situations ? Avant de choisir un film, tenez compte des facteurs suivants, ainsi que des conseils du tableau de la page 117.

■ Plus le film est sensible, moins la qualité de l'image est bonne pour ce qui est de la restitution des détails

Les films en couleurs ne reproduisent pas les tons et les nuances exactement comme l'œil les perçoit et chaque émulsion donne un rendu différent d'un même sujet. C'est un avantage pour les photographes, car ils peuvent sélectionner la palette qui leur convient le mieux ou qui se rapproche le plus de ce qu'ils voient.

Fujichrome Astia

Fujichrome Velvia

Kodachrome 200

Mark Thiessen, photographe de la NGS

Le grain, la netteté, le contraste et la restitution des tons de la peau et du feuillage varient d'un film à l'autre. Tester plusieurs films afin de se familiariser avec leurs caractéristiques n'est pas inutile. Vous pourrez ainsi choisir le film qui convient au sujet, à l'éclairage ou à l'effet recherché dans une situation donnée.

complexes et des couleurs vives, de la netteté et du grain apparent. Un film de 100 ISO (en 35 mm) peut donner de beaux tirages en 40 x 50 cm, mais si vous utilisez un 1 000 ISO, l'épreuve aura du grain, sera moins nette et ses couleurs moins vives.

■ Dans certains cas, vous aurez envie de donner une impression de flou, pour photographier une chute d'eau dans toute sa fluidité ou un marathonien dont vous préférez révéler la vitesse plutôt qu'un mouvement figé. Pour y parvenir, un film lent conviendra mieux par temps très ensoleillé.

■ Si vous utilisez un trépied pour supprimer les vibrations, et que vous ne cherchez pas à figer l'action, la lenteur de la vitesse d'obturation ne posera pas de problème. Choisissez alors un film lent d'excellente qualité plutôt qu'un film rapide ayant du grain.

■ Sans pied, un film de 200 ISO permet des vitesses d'obturation assez rapides pour obtenir une image nette, sauf en cas de faible luminosité.

■ Si vous voulez diminuer l'ouverture pour agrandir la profondeur de champ – f/22 par exemple –, les vitesses d'obturation risquent de devenir très lentes. À moins d'utiliser un trépied, un film rapide est indispensable pour éviter les effets de « bougé ».

■ Si, en photo d'action, le flou peut servir à des desseins créatifs, nous voulons souvent rendre avec netteté notre sujet, qu'il s'agisse d'un champ de fleurs un jour de vent ou de nos enfants jouant au ballon. Les films sensibles permettent d'accélérer la vitesse d'obturation et un 400 ISO conviendra donc mieux qu'un 50 ISO.

■ Les films rapides augmentent la distance révélatrice du flash. Comme ils sont plus sensibles à la lumière, vous pouvez obtenir, pour le même diaphragme, un sujet bien exposé à une distance de 8 m avec 400 ISO, au lieu d'une photo sombre avec 50 ISO.

Un film très sensible, un 800 ISO par exemple, ne convient pas toujours pour une photo en faible luminosité, surtout si on recherche un léger flou (à droite). Nos conseils sur le choix des films (page ci-contre) n'ont qu'une valeur indicative. C'est au créateur qui est en vous de décider du choix du film.

James Stanfield

Point pratique

Aujourd'hui, les marques proposent des films négatifs en couleurs et en noir et blanc de 400 ISO qui sont nettement supérieurs à ceux d'il y a cinq ans. En 35 mm, vous verrez peu de différence entre un 100 ISO et un 400 ISO sur des tirages en 10 x 15 cm. Mais vous pouvez obtenir des tirages excellents en 20 x 25 cm et tout à fait corrects en 24 x 30 cm.

■ Dans les formats supérieurs au 35 mm, vous pouvez obtenir des épreuves de grande taille d'excellente qualité, même avec des films sensibles. Plus un négatif ou une diapo est grand, moins il faudra l'agrandir au tirage, quel qu'en soit le format, et donc meilleur sera le tirage. Vous pourrez donc utiliser un film un peu moins lent.

■ Aujourd'hui, les films négatifs en couleurs de 400 ISO conviennent parfaitement aux épreuves d'au moins 20 x 25 cm en 35 mm. Pour les films inversibles cependant, 200 ISO est la limite maximale si vous désirez une qualité comparable.

Comment choisir la sensibilité d'un film

Situation	Vitesse (sensibilité) recommandée	Autre solution
Intérieur, avec lumière de la fenêtre, reflex et flash indépendant ; sujet proche	100 ISO	400 ISO avec petit flash intégré ou appareil compact
Intérieur, avec lumière de la fenêtre, sujet plus éloigné, même équipement	200 ou 400 ISO	800 ISO, même équipement
Intérieur de nuit avec lumière incandescente et sujet éloigné	400 ISO	800 ISO, rapprochez-vous si possible
Extérieur, temps ensoleillé à la plage ou dans la neige	50 ou 100 ISO	200 ISO avec appareil compact
Temps couvert, sombre, pas de flash	200 ISO ; 50 ou 100 ISO si vous avez un trépied	400 ISO avec appareil compact
Architecture ou paysage sous une lumière modérée, avec petite ouverture (p. ex. f/16) ; reflex	400 ISO si appareil tenu à la main	50 ou 100 ISO si vous avez un trépied
Animaux ou sport, avec objectif 300 à 400 mm	400 ISO pour fixer le bougé et le mouvement de l'appareil	100 ou 200 ISO avec trépied ; 100 ISO pour action floue (filé)
Photographie générale, voyage ou famille, avec reflex	200 ISO	400 ISO avec appareil compact
Pour tirages en grand format	50 ou 100 ISO en format 135	100 ISO est le film le plus lent en APS

NB : Ces conseils ne sont que des suggestions destinées aux photographes utilisant des films pour tirage papier. Avec les films inversibles, la qualité de l'image décroît nettement si la sensibilité des films est supérieure à 200 ISO.

Le verdict sur la sensibilité des films

En 35 mm (et dans le format APS plus petit), les films de 100 ISO sont devenus la norme pour ceux qui se servent d'équipements de haute qualité (un reflex et un objectif « rapide ») et veulent d'excellentes épreuves au grain ultrafin, d'une netteté incroyable, aux couleurs les plus vives et les plus brillantes, et d'une définition superbe donnant une restitution parfaite des détails les plus subtils. Vous aurez tout de même besoin, à l'occasion, d'un trépied ou d'un flash très puissant quand la vitesse d'obturation est lente.

Avec les compacts, toutefois, nous recommandons les films de 400 ISO. Comme leurs objectifs ont de petites ouvertures, leurs vitesses d'obturation sont lentes avec du 100 ISO. Et comme leurs flashes sont d'une faible puissance, leur « couverture » est très courte avec du 100 ISO. Passez au 800 ISO en cas de très faible luminosité. Les films d'un indice supérieur donnent des épreuves qui ont du grain avec des couleurs douces. Il ne vous faudra les utiliser que pour des effets spéciaux ou si vous n'avez pas d'autre solution.

Les différents formats

Si le 35 mm est le format de film le plus courant, il en existe de plus grands et de plus petits. Le plus petit, actuellement, est l'APS. Le format de l'image correspond à 16,7 x 30,2 mm, soit à peu près 42 % de moins que le négatif ou l'inversible en 35 mm, qui mesure 24 x 36 mm. Le format maximal actuellement disponible est le 20 x 25 – c'est-à-dire un plan-film de 20 x 25 cm – qui permet des agrandissements de la taille d'un mur et d'une exceptionnelle qualité. Mais le format 10 x 12,5 cm est plus courant. Entre ces deux extrêmes, on trouve les rouleaux de film des moyens formats (120), qui s'enroulent sur une bobine et non dans une cassette. Parmi les formats courants, tous à partir d'un 120, citons le 6 x 4,5 cm, le 6 x 6 cm, le 6 x 7 cm, le 6 x 9 cm, le 6 x 17 cm panoramique, etc.

Dans ce chapitre, nous nous référons au film de 35 mm, puisqu'il s'agit du produit le plus courant. Nous évoquerons à l'occasion l'APS et les grands ou moyens formats. Certains des produits de nos tableaux existent aussi en plan-films, bien que la plupart des fabricants ne les proposent que pour les boîtiers de moyen et grand format. Pour avoir des précisions sur les films destinés aux moyens et grands formats, contactez votre revendeur ou un fabricant.

Les films inversibles (pour diapos)

Si les films négatifs en couleurs vous conviennent parce que vous aimez les tirages papier, pourquoi ne pas songer tout de même à la diapo ? Les diapos produisent un effet brillant et en relief quand vous les projetez. Il existe de plus des projecteurs à des prix

Point pratique

Une fois imprimé ou agrandi, un négatif ou une diapo de grand format présente une qualité d'image nettement supérieure. Ainsi un négatif en 6 x 7 cm d'un film de 400 ISO donnera une magnifique épreuve de 40 x 50 cm, tandis que le même film en 35 mm risque d'avoir du grain en 40 x 50 cm.

Inversible contre négatif

Inversibles	Négatifs en couleurs
Le développement revient en général moins cher	S'il vous faut des tirages, ils sont moins chers avec des négatifs
La projection peut embellir les diapos parce qu'on les voit avec une lumière transmise (et non réfléchie)	Il est plus facile de faire des tirages excellents à partir de négatifs ; pas besoin de projecteur ni d'écran
Les éditeurs préfèrent acheter des diapos	Peu de photographes travaillent pour l'édition ; ceux qui vendent leurs épreuves utilisent en général des négatifs
Qualité superbe de l'image à 50-100 ISO	Qualité superbe jusqu'à 400 ISO ; choix plus vaste
Faciles à « pousser », en payant un supplément	Plus grande marge d'erreur d'exposition ; bons tirages même en cas de surexposition ou de sous-exposition de un ou deux diaphragmes

NB : Les films inversibles exigent une exposition correcte, sinon l'image sera trop sombre ou comportera trop de hautes lumières. Il faut un appareil ayant un posemètre sophistiqué et admettant parfois des priorités. Les compacts bon marché ne sont pas conçus pour donner d'excellents résultats avec les films inversibles, et ils disposent rarement d'options de contrôle de l'exposition.

raisonnables très performants. Certaines diapos sont dans des formats supérieurs au 35 mm ; les labos ne les montent pas sur des cadres en plastique ou en carton, parce qu'elles ne sont pas destinées à la projection. Il existe pourtant des projecteurs pour ces moyens formats, bien qu'ils soient rares.

Contrairement aux films négatifs, les inversibles produisent une image positive une fois développés : il n'y a pas de négatif. Les fabricants désignent ces derniers par le suffixe « chrome », comme dans Ektachrome ou Fujichrome, quel que soit le format. Il n'y a pas d'explication logique à cette désignation. Bien sûr, il est possible de faire des tirages directement de l'image positive sur du papier inversible, processus qui exige une certaine expérience de la part du labo si les images doivent atteindre une grande qualité.

Inversible contre négatif

Les passionnés de photographie débattent volontiers des avantages et des inconvénients des diapos et des tirages papier. Le tableau ci-dessus récapitule leurs avantages respectifs.

Comme le flash aussi bien que le trépied étaient interdits dans ce musée, le photographe n'a pas pu utiliser son film inversible favori de 100 ISO à sa vitesse normale. Pour accroître la vitesse d'obturation, ce qui donne des images plus nettes, il a réglé son appareil sur 400 ISO pour tout le film. Plus tard, au labo, il a demandé qu'on développe son film en le «poussant» de deux diaphragmes, c'est-à-dire en prolongeant le développement pour compenser la sous-exposition.

Peter Burian

« Pousser » au développement et « sous-développer »

Les films inversibles, en noir et blanc comme en couleurs, sont faciles à «pousser», ce qui revient à les exposer à une vitesse supérieure à leur indice ISO. Cette tactique peut être utile si vous vous servez d'un film lent mais que, le ciel se faisant menaçant, il vous faut une vitesse d'obturation plus élevée. Pour pousser le film, réglez le sélecteur d'ISO de votre appareil sur un indice supérieur à celui du film, ce qui a pour effet d'augmenter sa vitesse réelle. Un développement spécial s'impose pour cet «indice supérieur d'exposition».

«Pousser» un film

Il s'agit d'une technique très simple. Vous réglez votre appareil sur 200 ISO et, avec cet indice, vous utilisez un film de 100 ISO. Quand vous confiez votre pellicule au labo, précisez que vous avez poussé d'un diaphragme. Le labo prolongera le développement afin que vos images définitives ne soient pas, du fait de votre choix, sous-exposées. Ce service n'est d'ailleurs pas gratuit. Avec les films inversibles, le contraste augmente, et vous ne devez donc les pousser qu'en présence d'un éclairage doux ou en intérieur, et uniquement en cas d'absolue nécessité. Vous remarquerez une accentuation du grain, ce qui ne pose problème que sur les tirages grand format.

Les labos ne sont pas tous capables de développer des films classiques en noir et blanc. Et seuls quelques labos très performants proposent de développer des films négatifs en couleurs qui ont été poussés ; en fait, seuls quelques films pour professionnels conviennent à cette technique.

«Sous-développer» un film

La technique inverse, quoique plus rare, consiste à « sous-développer » un film inversible ou en noir et blanc. Si, par mégarde, vous exposez un film de 400 ISO alors que votre appareil est réglé sur 200 ISO, signalez-le au labo et demandez qu'il le « sous-développe » d'un diaphragme. Le labo réduira la durée du développement pour éviter que les photos ne soient surexposées. D'un point de vue pratique, il est assez peu intéressant d'exposer un film inversible à une vitesse inférieure à la sienne. Les experts du noir et blanc le font à l'occasion pour obtenir des effets particuliers ou une certaine gamme de tons.

Les films en noir et blanc

Si nous parlons surtout de la photographie en couleurs dans ce guide, les tirages en noir et blanc sont également très appréciés de certains photographes. Quand vous regardez des photos classiques dans votre journal, notez à quel point le photojournalisme est réa-

---

Point pratique

Vous pouvez «pousser» un film de plus d'un diaphragme : exposez un film de 100 ISO en réglant sur 400 ISO, par exemple, et précisez que vous avez poussé de deux diaphragmes. Les résultats révéleront toutefois un fort contraste (ombres épaisses et hautes lumières désagréables), sauf sous un éclairage très plat. La netteté, le grain et le rendu des couleurs en souffriront aussi, mais moins si vous utilisez les quelques films spécialement conçus pour ce processus.

liste, sans les fioritures de la couleur. Quand vous contemplez les paysages fabuleux d'Eugène Atget ou les portraits incomparables de Jean Loup Sieff, prenez le temps d'apprécier la richesse des noirs et la luminosité des blancs d'une photo tirée avec art. Même si notre œil perçoit le monde en couleurs, le monochrome permet de faire passer une autre vision de la réalité. C'est une représentation qui, sans le biais de la couleur, peut profondément marquer l'observateur.

Pour rendre au noir et blanc les honneurs qui lui sont dus, il vous faut une chambre noire et une expérience acquise par une longue pratique. Vous pouvez aussi commander des tirages sur mesure à un labo professionnel et confier la réalisation de beaux agrandissements à un tireur. Avec les techniques numériques, que nous verrons plus loin, vous retoucherez une photo jusqu'à ce qu'elle vous satisfasse. Les filtres ont également leur importance en noir et blanc (*voir* nos conseils dans le chapitre sur la lumière).

Les laboratoires et le noir et blanc

Les petits laboratoires développent rarement les films en noir et blanc, ce processus étant très différent du développement en couleurs. En général, ils font appel à des laboratoires plus importants pour ce service. Plusieurs fabricants commercialisent aujourd'hui des films en noir et blanc dont la technologie se fonde sur celle de la couleur (films « chromogènes », étiquetés *C-41 Process*). Ces films peuvent être développés et tirés dans n'importe quel labo. Les photos seront peut-être « brun et blanc », mais si l'équipement est bien réglé, vous obtiendrez du véritable noir et blanc. Sélectionnez vos meilleurs clichés en 10 x 15 cm et, pour un résultat parfait, demandez des agrandissements sur du vrai papier pour noir et blanc.

Le verdict sur les films en noir et blanc

Le noir et blanc exige une véritable vision de la part du photographe. Cette technique, qui diffère complètement de la couleur, peut séduire les photographes qui cherchent un nouveau mode de création ou sou-

Maynard Owen Williams

Nous considérons souvent une image en noir et blanc comme étant plus significative. N'étant plus distraits par la couleur, nous apprécions davantage la composition remarquable, le jeu fabuleux des lumières et des ombres et les riches contrastes de tons d'une excellente épreuve en noir et blanc comme celle-ci.

Les films en noir et blanc les plus courants

Marque	Format	Qualités	Commentaires
Fuji Neopan Acros 100	135 mm et 120	Excellente qualité de l'image ; très bon piqué ; grain ultra-fin	Nouveau film, technologie de pointe
Fuji Neopan 400	135 mm et 120	Bon piqué, grain très fin ; contraste moyen	Pour toutes situations ; peut être « poussé » pour vitesses supérieures
Ilford Delta 100 et 400	135 mm et 120	Très bon piqué, grain ultra-fin, bon contraste	Nouveau film, technologie de pointe
Ilford XP-2 Super 400	135 mm, 120, et plans-films	Excellente qualité de l'image, surtout sur papiers n&b ; très grande latitude d'exposition	Traitement C-41
Kodak Advantix Black et White 400	Format APS	Excellente qualité de l'image, surtout sur papiers n&b ; très grande latitude d'exposition	Traitement C-41
Kodak 100 et 400 TMAX	135 mm, 120, et plans-films	Très bon piqué, grain ultra-fin, contrasté	Développement délicat, de préférence avec des produits T-Max
Kodak Black et White 400 et Pro T400 CN	135 mm	Excellente qualité de l'image, surtout sur papiers n&b ; très grande latitude d'exposition	Traitement C-41 ; T400 CN peut être «poussé» jusqu'à 3 200 ISO au développement pour augmenter la sensibilité du film

haitent évoquer la nostalgie d'un village, d'un site à l'abandon, voire dépeindre des personnages pittoresques. L'impact de la photo monochrome dépend davantage d'autres facteurs comme la composition, la perspective dynamique, le graphisme des dessins, des motifs et des textures, et les contrastes.

Les filtres améliorant les contrastes

Si vous décidez d'essayer le noir et blanc, les filtres doivent faire partie de votre matériel de base. Imaginez un champ de blé sous un ciel d'azur ponctué de cumulus cotonneux. Photographiez la scène en noir et blanc, et vous aurez une image plate, où presque tout sera baigné dans un même ton de gris. Avec un filtre orange, vous aurez une photo beaucoup plus puissante : le ciel deviendra sombre et menaçant, les nuages, presque blancs, se découperont bien et le premier plan sera beaucoup plus clair. Prenez le temps de vous familiariser avec les effets produits par différents filtres afin de vous faire une idée de ce que sera l'image définitive.

Les films des grands distributeurs

On trouve sur le marché, à côté des films habituels, des marques génériques, appartenant souvent à de grands distributeurs. Elles portent le nom d'une chaîne de distribution ou de supermarchés. La plupart de ces films sont fournis par les fabricants des grandes marques, mais il est difficile de déterminer leur origine.

Comme les films des grands distributeurs sont souvent les derniers à être améliorés, vous bénéficierez rarement de la dernière innovation. Leur choix se

Point pratique

En noir et blanc, les filtres de couleurs ne colorient pas l'image, mais ils agissent sur le rendu des divers tons de gris, afin d'améliorer le contraste. Le filtre éclaircit sa propre couleur et fonce les couleurs complémentaires.

Les films infrarouges en couleurs comportent une couche d'émulsion qui est sensible à la lumière invisible de la chaleur. Un film classique est conçu pour reproduire une scène telle que nous la voyons (à gauche) tandis qu'un film infrarouge rend la même scène avec de fausses couleurs.

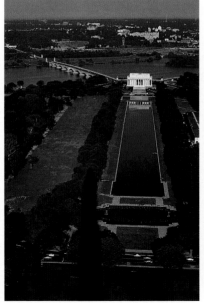 

James Russell

limite en général à un type unique de négatifs en couleurs en 100, 200 et 400 ISO, et parfois d'inversibles. Ils sont parfois vendus avec le développement inclus – uniquement dans les magasins de la chaîne – ce qui vous empêche de vous adresser à votre labo habituel.

Films professionnels/films amateurs

Certains films – surtout en moyen et grand formats – sont qualifiés de «professionnels», ce qui les distingue des produits «amateurs» en vente partout. Les premiers sont souvent vendus par des magasins et des labos dont la clientèle est professionnelle. Ils sont en général plus chers et vendus en gros. Même si nombre de photographes utilisent des films professionnels, nous n'allons pas ici les étudier en détail. Vous pouvez toutefois retenir les informations suivantes :

■ Certains films négatifs en couleurs pour professionnels sont conçus pour des applications spéciales, comme le portrait. Ils sont optimisés pour reproduire le ton de la peau et réduire les contrastes, ce qui donne un aspect plus doux, moins révélateur des défauts. Le 160 ISO est courant.

■ La plupart des films inversibles destinés aux amateurs ont un équivalent professionnel, ce qui est utile si vous tenez à la régularité d'un rouleau ou d'un lot à l'autre. Sinon, il n'y a pas de différence, même si les films professionnels Fujichrome seraient optimisés pour l'impression ; ils conviennent également à la projection.

■ Certains films inversibles professionnels n'ont pas de version amateur. Ainsi, le Fujichrome Velvia (50 ISO) est un film professionnel très apprécié des photographes chevronnés : il a une saturation des couleurs et une netteté très élevées et un grain micro-fin.

■ Certains négatifs en couleurs et inversibles professionnels sont formulés pour donner de meilleurs résultats, quand ils sont «poussés», que les films amateurs.

Si, à partir d'un film négatif en couleurs, votre labo vous remet des tirages sous-exposés ou dont les couleurs sont mauvaises (ci-dessus), vous ne devez pas vous en contenter. Dans la majorité des cas – à cause de la plus grande marge d'exposition des films négatifs – les résultats s'amélioreront au retirage.

Avec l'aimable autorisation de A.R. Williams

Les films négatifs en couleur les plus courants

Marque / Type	Format	Qualités	Commentaires
Agfacolor VISTA, 100, 200, 400, 800	135 mm (également format 110 en 200 ISO)	Très bon piqué ; grain ultra-fin, avec une saturation élevée des couleurs	Grande précision des couleurs sous les éclairages inhabituels et cristaux très efficaces
Fujicolor Superia 100 à 1 600	135 mm	Grande précision des couleurs sous tous les éclairages	Saturation élevée des couleurs
Fujicolor Portrait 160, 400	135 mm et 120	Bon piqué, grain ultra-fin, optimisés pour les tons chair	Le 160 a un contraste moyen ; le 400 offre une saturation très élevée des couleurs
Kodak Gold 100, 200 et MAX 400 et 800	135 mm	Bon piqué, grain ultra-fin	Saturation élevée des couleurs
Kodak Portra 160, 400, 800 VC et NC	135 mm et 120	Divers films pour portraits	VC pour saturation élevée des couleurs ; NC pour couleurs neutres
Konica Centuria 100 à 1 600	135 mm	Très bon piqué, grain très fin, saturation des couleurs assez élevée	Optimisé pour rendre avec fidélité les tons de chair et les couleurs
Agfacolor Futura 200, 400	Format APS	Similaire à Agfacolor VISTA	Néant
Fujicolor Nexia 200, 400, 800	Format APS	Similaire à Fujicolor Superia	Néant
Kodak Advantix 200, 400	Format APS	Similaire à Kodak Gold et MAX	Néant
Konica Centuria APS 200, 400, 800	Format APS	Similaire à Centuria 135 mm	APS 200 offre une saturation des couleurs très élevée

NB : les films négatifs en couleur de plus de 400 ISO ont en général plus de grain, un contraste plus prononcé et ont moins de netteté.

Le verdict sur les films professionnels

Certains photographes, estimant que les produits destinés aux amateurs sont par nature inférieurs, n'utilisent que des films professionnels. Rien ne justifie cette position. Si certains films de distributeurs peuvent être de qualité inférieure, les films des grandes marques, dans leur majorité, sont excellents. Utilisez des films professionnels si vous avez des besoins particuliers : un type ou un format de film non disponibles autrement,

la régularité absolue des couleurs d'un rouleau à
l'autre, un voyage ou un événement exceptionnels
pour lesquels vous voulez des résultats parfaits.

Tirages et diapos de grande qualité

Grâce aux innovations technologiques, les films négatifs en couleurs actuels donnent des photos nettes, au
grain fin et aux couleurs brillantes et vives. Cela sup-
pose bien sûr que le labo ait des critères élevés de
contrôle de qualité. Quand vos photos reviennent du
labo, êtes-vous vraiment satisfait ? Vous devriez l'être,
à moins que votre appareil ait mal fonctionné, ou que
votre technique ou un éclairage inhabituel aient posé
des problèmes difficiles à rectifier. Pour augmenter
vos chances de réussite, voici quelques suggestions :

■ Servez-vous de films récents (qui n'approchent pas
de la date d'expiration), de bonne qualité, qui ont été
conservés à des températures inférieures à 23 °C. Ne
laissez jamais un film exposé à une forte chaleur
– dans votre voiture un jour de canicule, par exemple.

■ Si vous envoyez des films à un labo en été, portez
les négatifs au bureau de poste ; évitez les boîtes aux
lettres qui peuvent devenir très chaudes.

■ Choisissez une marque et un type de film que votre
labo connaît bien. Les labos règlent rarement leur équipement pour obtenir un résultat parfait avec des films
peu courants.

■ Si vos photos vous déçoivent, parlez-en avec le responsable du labo. Il peut vous proposer de refaire les
tirages ou vous expliquer comment faire mieux la
prochaine fois. Par exemple : « Ne prenez pas de photos au flash de sujets à 30 m de l'appareil dans une
cathédrale plongée dans l'obscurité. »

■ Expliquez les raisons de votre déception : « Je préfère un ton rose sur la peau, pas bleu » ; « Cette grange
était marron foncé et non rouge » ; « Les photos sont

trop sombres ». Même les équipements de labo automatisés permettent quelques initiatives ; si le labo comprend ce que vous cherchez, les retirages devraient vous donner satisfaction.

■ Adressez-vous à un labo qui fournit un travail d'une grande régularité qualitative. Pour commencer, faites développer le même négatif par plusieurs labos, afin de comparer lequel produit les meilleurs résultats avec le type de film et de sujet qui vous plaît.

■ Si vous trouvez un labo fiable, restez-lui fidèle ; ne changez pas de labo à chaque fois que vous remarquez une promotion.

■ Pour les épreuves dépassant le 20 x 25 cm ou les photos importantes, vous pouvez envisager un labo professionnel. Consultez l'annuaire ou les annonces d'un magazine de photo, ou demandez des conseils à un club photo local.

■ Le développement des films inversibles est standardisé (en ce qui concerne la durée et la température), mais certains labos les réussissent mieux que d'autres. Le club photo local peut vous orienter sur des labos réputés pour la qualité de leur développement des diapos. Ainsi, seul Kodak et quelques autres peuvent développer les films Kodachrome.

Les films chez NATIONAL GEOGRAPHIC

Les photographes du NATIONAL GEOGRAPHIC, comme la plupart de ceux qui travaillent pour des publications, utilisent des films inversibles pour presque tous leurs travaux. La marque varie selon les photographes, souvent en fonction de préférences personnelles et d'une connaissance intime d'un film donné. Le type et la sensibilité dépendent de la situation, de l'éclairage et de l'effet recherché. Dans le passé, le Kodachrome 64 était la norme au NATIONAL GEOGRAPHIC, le Kodachrome 200 étant réservé aux faibles luminosités.

Les films inversibles en couleur les plus courants

Marque / Type	Format	Qualités	Commentaires
Agfachrome RSX II 100 (pro)	135 mm, 120 et plans-films	Très bon piqué, grain très fin ; saturation élevée des couleurs ; couleurs réalistes ; balance neutre ; contraste moyen	Excellent film pour tous sujets, surtout les tons chair
Fujichrome Astia 100 (pro)	135 mm, 120 et plans-films	Film très net au grain très fin pour rendu naturel des couleurs ; rendu des tons chair très précis et grande fidélité des couleurs	Le meilleur film Fujichrome pour les tons chair
Fujichrome Provia 100F et 400F (pro) et Sensia 400	Films pros : tous formats sauf APS ; Sensia 400 : 135 mm seulement	Actuellement, le grain le plus fin dans cette sensibilité ; définition et netteté exceptionnelles ; saturation des couleurs très élevée ; légèrement « chaud » ; contraste moyennement élevé	Excellent film pour tous sujets, surtout pour les très grandes reproductions ; les films Provia sont optimisés pour développement « poussé » aux vitesses supérieures
Fujichrome Velvia 50 (pro)	135 mm, 120, et plans-films	Très bon piqué, grain ultra-fin ; saturation des couleurs extrêmement élevée ; balance couleur « chaude » ; contraste élevé	Souvent utilisé à 40 ISO ; sert avant tout aux paysages, nature, architecture ; excellent en particulier pour les très grandes reproductions
Fujichrome Sensia II 100	135 mm	Extrêmement net ; grain ultra-fin ; saturation des couleurs très élevée ; couleurs réalistes ; contraste moyennement élevé	Excellent film pour tous sujets
Kodak Ektachrome 100G et 100GX (pro) et Elite Chrome 100	Films pros : tous formats sauf APS ; Elite Chrome 100 en 135 mm uniquement	Nouveaux films d'une très grande netteté, au grain ultra-fin ; 100G et Elite Chrome 100 ont une balance des couleurs neutre ; balance couleur chaude chez 100GX	Saturation des couleurs élevée, grande précision des couleurs ; rendu excellent des tons chair
Kodak Ektachrome E100 VS (Vivid Saturation) pro et Elite Chrome 100EC (Extra Color)	E100VS : tous formats ; Elite Chrome 100EC en 135 mm uniquement	Grande netteté, grain fin, avec une « hyper-saturation » des couleurs. Couleurs extrêmement vives	Excellent pour photographie de voyage et pub, surtout si l'on veut rehausser le rendu des couleurs
Kodak Ektachrome E200 (pro)	135 mm et 120	Bon piqué, grain fin ; saturation des couleurs et contraste moyennement élevés ; balance neutre	Optimisé pour développement « poussé » jusqu'à 3 diaphragmes

Les films inversibles en couleur les plus courants (suite)

Marque / Type	Format	Qualités	Commentaires
Kodak Ektachrome E200 (pro)	135 mm et 120	Très net, grain fin ; saturation des couleurs et contraste moyennement élevés ; balance neutre	Optimisé pour développement « poussé » jusqu'à 3 diaphragmes
Kodak Kodachrome 64	135 mm	Très net, grain assez fin, saturation des couleurs moyenne ; couleurs précises ; contraste moyennement élevé	Développement uniquement par Kodak et labos spécialisés ; les couleurs ne passent pas si conservé dans l'obscurité
Kodak Kodachrome 200	135 mm	Très net, grain moyen ; saturation moyenne ; balance chaude ; contraste moyennement élevé	Développement uniquement par Kodak et labos spécialisés ; balance très chaude surtout si « poussé »

NB : les films inversibles de 400 ISO et plus ont en général un grain et un contraste plus marqués et une netteté moins prononcée que les films moins rapides ; de plus, les couleurs sont rendues avec moins de vivacité. Comme nous l'avons remarqué plus haut, Fujichrome Provia 400F et Sensia 400 font toutefois exception à cette règle.

Les trois photos ci-contre démontrent bien à quel point la saturation des couleurs et le rendu des éléments bleus et rouges varient d'un film inversible à l'autre. Certains produisent des couleurs très neutres, d'autres sont conçus pour accentuer les couleurs.

Actuellement, les films de 50 et 100 ISO et l'Ektachrome E 200 (avec un équilibre plus neutre des couleurs) ont gagné du terrain. Les films les plus récents bénéficient des dernières innovations en matière d'émulsion et offrent un grain plus fin et des couleurs plus vives, caractéristiques qui se maintiennent même en cas de développement « poussé ».

En conclusion

Au dernier recensement, il existait plus de 150 films sur le marché, en couleurs ou en noir et blanc, films inversibles ou pour instantanés, ainsi que les produits spécialisés comme les films infrarouges, les films pour le portrait, plusieurs grands formats… c'est-à-dire beaucoup trop pour ce guide. Les magazines de photo, qui rendent compte de leurs tests sur les nouveaux produits et présentent de temps en temps un aperçu de tous les films existants, sont une autre bonne source d'information.

Kodachrome 64

Fujichrome Velvia

Ektachrome E100 VS

Peter Burian

L'EXPOSITION ET LA MESURE DE L'EXPOSITION

Si vous avez d'autres ambitions que celles de l'amateur, il est nécessaire que vous maîtrisiez bien les principes de l'exposition et le fonctionnement des posemètres. Grâce à ces connaissances, vous améliorerez vos photos du point de vue technique, même si vous pouvez toujours faire appel au microprocesseur d'un appareil sophistiqué pour qu'il se charge des réglages et vous donne de bonnes images. Presque tous les modèles vous permettant de choisir une priorité à l'aide d'une touche ou d'un sélecteur, vous pouvez facilement varier les effets. Les contrôles de l'utilisateur étant assez rares sur les compacts, ce chapitre concerne surtout les reflex équipés de toutes les commandes disponibles, sans oublier le mode manuel.

Les principes de l'exposition

Pour prendre une photo nette, il faut avoir une exposition correcte, autrement dit que le film soit exposé à une quantité suffisante de lumière. Cela dépend de la sensibilité du film et de deux autres facteurs. Le premier, la vitesse d'obturation, détermine la durée pendant laquelle la lumière atteint le film. Le second, la taille de l'ouverture (diaphragme), contrôle la quantité de lumière qui traverse l'objectif. Vous pouvez laisser l'appareil effectuer l'un ou l'autre des réglages, ou les deux, selon que vous êtes en mode semi-automatique ou automatique. Sinon, sélectionnez le mode manuel et effectuez les deux réglages avec le sélecteur de vitesse d'obturation et la bague d'ouverture.

La mesure de la lumière

Presque tous les appareils vendus aujourd'hui disposent d'un posemètre intégré (couramment appelé cellule). Réglez l'appareil sur la sensibilité du film

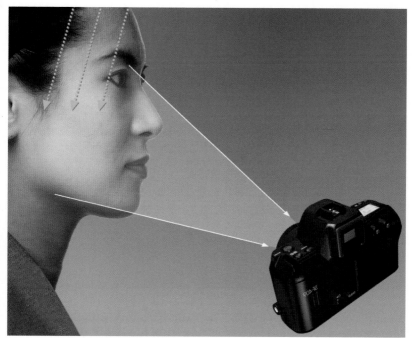

Slim Films

Les **cellules intégrées** mesurent l'intensité de la lumière réfléchie par le sujet afin de déterminer les combinaisons de vitesse d'obturation et d'ouverture qui donneront la «bonne» exposition. Ce système n'est d'ailleurs pas infaillible. Les sujets très sombres ou très clairs incitent le posemètre à surexposer ou à sous-exposer à moins que vous ne rectifiiez la mesure.

(ISO), dirigez l'objectif sur le sujet et le posemètre mesure le degré de luminosité. Vous pouvez accepter la recommandation de l'appareil et prendre la photo. Si vous préférez un réglage personnalisé, nous le verrons page 140. Les cellules intégrées, ou cellules en lumière réfléchie, sont ainsi appelées parce qu'elles mesurent la quantité de lumière réfléchie par le sujet.

L'exposition «correcte»

Il n'existe pas de définition simple de l'exposition correcte. Certains photographes apprécient les photos un peu sombres. D'autres estiment l'exposition correcte du moment qu'ils distinguent le sujet et son

Peter Burian

Beaucoup de scènes, comme celle-ci, donnent en moyenne une demi-teinte, ce qui facilite la mesure de l'exposition. Quand elle se compose surtout de sujets clairs ou sombres, mesurez l'exposition à l'aide d'une carte gris neutre. Vous pouvez utiliser les cartes qui se trouvent à l'intérieur de la couverture de ce guide. La carte ci-dessous n'est qu'une illustration.

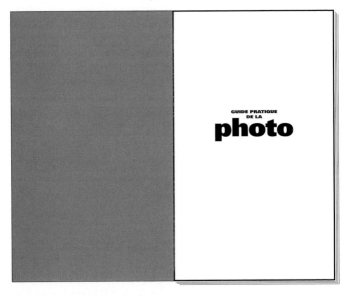

environnement. En principe, une bonne exposition est fidèle à ce que l'œil a vu : de la neige blanche ou une panthère noire avec tous les détails, de l'herbe vert printemps, etc. Il faut que ces détails ou la texture soient visibles dans presque toutes les parties de la photo. Si la neige ou la panthère prennent une teinte grise, que l'herbe est pâle, l'exposition risque de ne pas être considérée comme correcte.

Les films négatifs

Si vous avez pris des photos avec un film négatif, le laboratoire peut apporter d'importantes modifications à l'exposition. En règle générale, vous obtiendrez une bonne épreuve, même si le négatif en couleurs a été sous-exposé d'un diaphragme ou surexposé de deux diaphragmes. Il n'en reste pas moins que les meilleures épreuves sont tirées d'un négatif en couleurs bien exposé ou à la rigueur légèrement surexposé.

Les films inversibles

Pour les films inversibles, l'exposition est décisive. Une diapo surexposée sera trop claire ; sous-exposée, elle sera sombre et terne. Vous pouvez demander un retirage corrigé ou faire une retouche sur votre ordinateur. La correction sera cependant limitée. Par ailleurs, les diapos surexposées comportent souvent des zones de hautes lumières qui manquent de détails. Nous vous conseillons d'apprendre à bien exposer vos diapos.

La demi-teinte

Tous les posemètres sont préprogrammés pour donner une bonne exposition d'une demi-teinte, c'est-à-dire d'une scène ni trop sombre, ni trop claire. Un certain ton de gris correspond à la demi-teinte, mais une demi-teinte n'est pas forcément grise. La couleur grise d'un rocher, une nuance sombre de béton ou l'écorce d'un palmier correspondent souvent à une demi-teinte, ou s'en approchent. Un visage bronzé, un ciel nordique bleu et dégagé ou de l'herbe et des feuilles vertes peuvent aussi tendre vers la demi-teinte, mais cela dépend de l'ombre. Les verts printaniers sont plus clairs, par exemple, qu'une demi-teinte.

Point pratique

De récentes études scientifiques ont conclu qu'une scène moyenne reflète 13 % (et non 18 %) de la lumière incidente. Nous avons cependant conservé les cartes gris neutre à 18 %, comme celle de ce guide. Quand vous utilisez une carte gris neutre à 18 % pour une lecture moyenne, augmentez l'exposition d'un demi-diaphragme (facteur de compensation de +0,5) pour la plupart des sujets, comme le recommande Kodak. Si le sujet est très clair, un paysage de neige, par exemple, diminuez en revanche l'exposition d'un demi-diaphragme (facteur de compensation de – 0,5) par rapport à la mesure d'après la carte gris neutre. Vous préserverez les détails et la texture.

Peter Burian

Quand un sujet en demi-teinte est entouré d'une grande zone très claire, la photo sera sous-exposée (à gauche) si vous la prenez en vous fiant à la cellule de votre appareil. Pour améliorer l'exposition, le photographe l'a augmentée de 1,5 diaphragme par rapport à la mesure indiquée.

Les zones claires et les zones sombres

Il vous arrivera fréquemment de photographier une scène comportant des zones claires comme des zones sombres. En moyenne, elles valent une demi-teinte. Prenons une image typique : de l'herbe verte au premier plan, des gens portant des vêtements de différentes couleurs et un peu de ciel clair. Cette scène sera correctement exposée, ou presque. Pourtant, vous serez confronté à toutes sortes de scènes et de sujets pour lesquels vous ne pouvez pas vous fier au posemètre pour mesurer l'exposition correcte.

Les sujets blancs ou noirs

Si une scène se compose principalement de sujets blancs ou noirs, ou comprend de grandes zones extrêmement claires ou sombres, la plupart des posemètres fourniront des résultats peu satisfaisants. Si vous faites un cliché rapide d'une voiture noire, elle sera rendue en gris sur une diapo en couleurs. Prenez un bonhomme de neige, et lui aussi virera au gris. Un paysage comprenant une vaste étendue d'eau ou de ciel clair sera foncé parce que le posemètre a tendance à rendre la scène dans une demi-teinte moyenne. Dans les situations s'éloignant de la moyenne, vous ne pouvez pas vous fier à la cellule intégrée pour faire – ou conseiller – des réglages qui aboutiront à une bonne exposition.

La lecture moyenne

La première méthode pour améliorer l'exposition est sans doute la plus simple. Dirigez l'objectif vers une zone en demi-teinte et relevez la mesure du posemètre. Cadrez la scène selon vos souhaits et utilisez l'ouverture et la vitesse d'obturation que vous avez relevées. Si le ciel est trop clair, mesurez l'exposition d'après le reste de la scène.

Dans l'exemple ci-dessus, vous faites une estimation, dans l'hypothèse que le reste de la scène correspond bien à une demi-teinte. Vous n'avez pas besoin de vous livrer à ce type de spéculation si vous prenez un étalon équivalent à une demi-teinte. L'idéal, c'est la carte gris neutre (un morceau de carton gris mat qui réfléchit – c'est garanti – 18 % de la lumière). Posez la carte près du sujet principal et approchez-vous pour mesurer la lumière d'après la carte seule après avoir réglé votre appareil photo sur le mode manuel. Trouvez la combinaison de vitesse d'obturation et d'ouverture qu'indique le posemètre, suivez notre conseil page 137, et vous aurez une bonne exposition.

Conserver la mesure de l'exposition

Il existe deux méthodes pour conserver les réglages pendant que vous refaites votre composition. En mode manuel, l'appareil ne changera pas les réglages, donc vous n'avez rien à faire. Ne tenez pas compte de ses avertissements une fois que vous avez le bon cadrage. En mode automatique, l'appareil modifie les

Point pratique

Pour bien réussir avec des films négatifs en couleurs, mesurez l'exposition d'après les ombres, en plaçant une carte gris neutre dans une partie ombragée d'un paysage. Avec les films inversibles, mesurez les hautes lumières à partir d'une demi-teinte dans une zone ensoleillée.

réglages quand vous refaites votre composition. Vous devez maintenir enfoncée la touche de mémorisation de l'exposition tout en relevant la mesure obtenue avec la carte gris neutre.

Vérifiez sur votre manuel si vous avez une touche de mémorisation de l'exposition ou si vous pouvez verrouiller l'exposition en appuyant légèrement sur le déclencheur. Si vous n'avez pas de touche de mémorisation de l'exposition, photographiez en mode manuel pour vous servir de la lecture moyenne. Tous les reflex, sans exception, proposent le mode manuel.

Les réglages personnalisés

Si vous n'avez pas de carte gris neutre ou que la lecture moyenne n'est pas possible – vous vous trouvez, par exemple, au milieu d'une étendue de neige – il vous faudra peut-être commencer par relever la mesure de l'exposition fournie par votre appareil et ne pas en tenir compte si le sujet n'est pas égal à une demi-teinte. En règle générale, augmentez l'exposition pour les sujets blancs ou clairs, pour qu'ils le restent, et diminuez l'exposition pour rendre avec précision les sujets sombres. La procédure varie selon que vous vous servez du mode manuel ou du mode automatique.

Le mode manuel

Réglez soit la bague d'ouverture (diaphragme), soit le sélecteur de vitesse d'obturation, ou les deux, jusqu'à ce que l'indicateur de mesure du viseur vous indique que l'exposition est correcte. Ensuite, sélectionnez une ouverture plus grande et/ou une vitesse d'obturation plus lente pour compenser, si le sujet est clair; ou une ouverture plus petite et/ou une vitesse d'obturation plus rapide, si le sujet est sombre. En passant de f/11 à f/8, vous doublez la taille de l'ouverture et donc la quantité de lumière qui atteint le film (+1 dans notre tableau, soit une augmentation d'un diaphragme). Si vous passez de 1/250 à 1/500, vous réduisez de moitié le temps de pose, et donc la quantité de lumière qui atteint le film (−1 dans notre tableau, soit une diminution d'un diaphragme).

Options d'exposition

Scène / situation	Problème de mesure	Solution
Pente enneigée	Il y aura sous-exposition (neige grise)	Augmenter l'exposition de 1,5 diaphragme
Enfant sur la plage, mer et sable brillants	Il y aura sous-exposition (enfant trop foncé)	Augmenter l'exposition de 1,5 diaphragme
Sujet très sombre : 1) voiture noire remplissant l'image ou 2) petite personne ou objet devant un bâtiment noir	Il y aura surexposition (sujet gris)	Réduire l'exposition de 1 ou 1,5 diaphragme
Paysage : les deux tiers de l'image remplis par un ciel clair et brumeux	Il y aura sous-exposition (premier plan trop foncé)	Augmenter l'exposition de 1 diaphragme
Contre-jour – personne ou objet devant le soleil	Il y aura sous-exposition (le sujet apparaîtra en silhouette)	Augmenter l'exposition de 2 diaphragmes ou utiliser un flash (si possible)
Personne éclairée par un spot, entourée d'une grande zone sombre	Risque de surexposition	Diminuer l'exposition de 1 diaphragme
Paysage avec soleil dans le cadrage	Haut risque de sous-exposition	Augmenter l'exposition de 2,5 diaphragmes

NB : Nos conseils pour personnaliser les réglages de l'exposition – à partir d'une mesure pondérée – concernent les films négatifs. Avec les films inversibles, prenez-les seulement comme points de départ pour réaliser un essai ou un bracketing.

Le mode automatique

En mode automatique, les modifications de l'ouverture et / ou de la vitesse d'obturation ne vont pas affecter l'exposition. Si vous voulez modifier l'exposition, faites la correction de la mesure. Regardez dans votre manuel si vous ne voyez pas un sélecteur bien marqué avec une série de numéros précédés du signe + ou –. Un réglage de +1 signifie que vous augmentez la quantité de lumière d'un diaphragme par rapport à la mesure de la cellule ; un réglage de –1/2 (ou –0,5), que vous diminuez la quantité de lumière d'un demi-diaphragme par rapport à la mesure de la cellule.

Les posemètres intégrés

Il existe trois types de cellules (ou posemètres) en lumière réfléchie sur les boîtiers actuels. Elles mesurent toutes la lumière réfléchie par le sujet, mais comportent quelques différences.

La mesure pondérée

Ces posemètres mesurent la lumière dans la majeure partie de la zone que vous voyez dans le viseur, mais ils favorisent les sujets près du centre et ne tiennent pas compte, par exemple, du ciel très clair tout en haut de la scène. Comme le posemètre mesure la moyenne des tons sur une surface assez étendue, l'exposition aura tendance à être correcte pour la plupart des scènes classiques d'extérieur.

La mesure sélective (ou spot)

Ces cellules moins courantes mesurent la lumière réfléchie sur une zone beaucoup plus restreinte. Vous pouvez donc mesurer la lumière d'après un élément de petite taille, comme le visage d'un enfant à contre-jour ou une carte gris neutre. En général, la zone d'étalonnage est cernée par un cercle en verre dépoli dans le viseur. Rappelez-vous que vous devrez rectifier la mesure si le sujet ne correspond pas à une demi-teinte.

Le multizone

Dans ce type de mesure, plusieurs cellules évaluent différentes zones lumineuses d'une scène et effectuent des réglages grâce à un microprocesseur. Elles peuvent, par exemple, ne pas tenir compte d'une zone très claire de l'image (comme le soleil) et ne mesurer que le reste de la scène. En général, le multizone donne des résultats plus précis que la mesure pondérée, si vous faites des prises rapides. Certains des derniers modèles très perfectionnés détectent les parties très brillantes et compensent automatiquement. Les meilleurs appareils vous livreront des négatifs dignes d'être tirés (même s'ils ne sont pas forcément parfaits) dans 95 % des cas.

Quelques bons conseils sur l'exposition

Vous pouvez ne pas tenir compte du tout du posemètre de votre appareil et régler l'exposition d'après les suggestions du fabricant qui accompagnent certains films. Pour cela, vous avez besoin du mode manuel. Selon ces conseils, vous réglerez, par

Exposition conseillée avec un film de 100 ISO

Situation	Réglage	Commentaires
Skieur sur une piste enneigée, un jour de soleil	f/5,6 à 1/1 000	Pour fixer le mouvement
Enfants courant sur du sable blanc, un jour de soleil	f/8 à 1/500	Pour fixer le mouvement
Paysage, neige ou plage claire	f/16 à 1/125	Augmente la profondeur de champ
Sports amateurs, journée claire et nuageuse	f/5,6 à 1/250	Pour fixer le mouvement le plus possible, sauf si très près de l'appareil ; dans ce cas, essayez f/4 à 1/500
La lune, la nuit	f/8 à 1/250	Certains conseillent f/16 à 1/125 (ou équivalent), mais risque de sous-exposition
Personnes, journée claire et nuageuse	f/8 à 1/125	Néant
Personnes à contre-jour	f/5,6 à 1/125	Le fill-in flash peut permettre d'améliorer les résultats
Personnes, journée couverte et sombre	f/4 à 1/125	Comme ci-dessus
Personnes à l'ombre	f/4 à 1/125	Comme ci-dessus
Rue en ville, la nuit, très éclairée	f/2 à 1/30	Il existe peu d'objectifs ayant f/2 ; f/4 à 1/8 est équivalent
Néons	f/4 à 1/30	Ou f/5,6 à 1/15
Ligne d'horizon d'une ville, 10 minutes après le coucher du soleil	f/4 à 1/30	Ou f/5,6 à 1/15

NB : Ces recommandations, règles générales ou estimations, s'appliquent aux films négatifs. Avec les films inversibles, fondez-vous sur ces conseils seulement pour réaliser un essai ou un bracketing. De nombreuses combinaisons d'ouverture (diaphragme) produisant une exposition équivalente, notre tableau s'attache au type de sujet et à l'effet que vous recherchez sans doute. Nous avons déjà étudié les facteurs liés à la profondeur de champ et au rendu du mouvement.

exemple, sur f/16 à 1/125 pour une scène de neige au soleil avec un film de 100 ISO. De nombreuses combinaisons d'ouverture et de vitesse d'obturation vous donneront la même exposition – une grande ouverture avec un temps de pose bref, une petite ouverture avec un temps de pose plus long.

L'exposition équivalente

Comme vous l'avez compris, vous pouvez obtenir exactement la même exposition avec des réglages différents : f/16 à 1/125, f/11 à 1/250, f/8 à 1/500, f/5,6 à 1/1 000, f/4 à 1/2 000, etc. Si votre modèle est un

Pour réussir cet effet de flou, le photographe a choisi une vitesse d'obturation lente et une petite ouverture. Puis, ayant ensuite décidé de figer l'action, il a sélectionné une vitesse d'obturation rapide et la grande ouverture correspondante. Étant donné que l'exposition résulte de nombreuses combinaisons de vitesse d'obturation et d'ouverture, le choix dépend de l'intention du créateur.

Bruce Dale

skieur et que vous ne voulez pas de flou, choisissez f/5,6 à 1/500, pour fixer le mouvement. S'il s'agit d'un paysage que vous souhaitez rendre avec une grande netteté, vous pouvez préférer f/16 à 1/125.

La règle de l'ouverture à f/16

« Par temps ensoleillé, utilisez f/16 comme ouverture et l'indice ISO du film comme vitesse d'obturation pour obtenir de bons résultats en mode manuel. » Avec un film de 100 ISO, par exemple, vous réglerez sur f/16 avec 1/100. Avec un 400 ISO, vous utiliserez 1/400. Les appareils proposant rarement ces vitesses d'obturation, vous pouvez choisir la plus proche, soit 1/125 et 1/500 dans les exemples cités.

Le verdict sur la règle de l'ouverture à f/16

Restez prudent. La règle de f/16 s'applique aux journées très ensoleillées avec une bonne part de lumière réfléchie (neige ou sable clair). Les conseils des fabricants le confirment. Cependant, dans des conditions normales, avec de l'herbe, des arbres, des gens et un peu de ciel, vous risquez de sous-exposer si vous

Bruce Dale

suivez cette règle. Vous ne le remarquerez peut-être
pas avec un film négatif, mais sur un film inversible
les images risquent d'être plus foncées que prévu.

Le bracketing

Pour un film inversible, la précision de l'exposition
est cruciale. Dans la plupart des cas, les résultats vous
décevront si votre exposition est fausse de plus d'un
demi-diaphragme. Le bracketing est une pratique
prudente, surtout en cas d'éclairage difficile. Vous
photographiez trois fois la même scène, en modifiant
légèrement l'exposition à chaque fois.

Le bracketing manuel

En mode manuel, prenez le premier cliché en respectant le réglage du posemètre ou ces instructions: f/16
à 1/125 pour un paysage, d'après une mesure effectuée avec une carte gris neutre ou des buissons. Pour
la photo suivante, augmentez l'ouverture d'un demi-
diaphragme (un demi-réglage sur la bague ou le sélecteur des ouvertures). Pour la troisième photo, revenez
au premier réglage et réduisez d'un demi-diaphragme.

mesure de la cellule -1/3

mesure de la cellule

mesure de la cellule +1/3

Peter Burian

Vous pouvez aussi effectuer un bracketing en réglant la vitesse d'obturation, mais beaucoup d'appareils ne permettent pas des réglages aussi fins. Par ailleurs, les appareils et les objectifs ne permettent pas tous de régler les diaphragmes avec de si petits écarts. Dans ce cas, le bracketing doit se faire en mode automatique à l'aide du correcteur d'exposition.

Le bracketing en mode automatique

Prenez le premier cliché d'après la valeur mesurée. Pour le suivant, augmentez l'exposition en modifiant le correcteur d'exposition de +1/2 (ou +0,5). Pour le troisième cliché, diminuez de −1/2 (ou −0,5). Certains appareils sont équipés d'un dispositif de bracketing automatique ; quand vous le sélectionnez, il déclenche automatiquement la correction d'exposition.

Les résultats du bracketing

C'est en comparant vos trois diapos que vous constaterez si l'exposition d'origine était correcte ou non. À moins que le réglage d'origine ait été faux, l'une des trois devrait être proche de la perfection. Avec un film négatif en couleurs, le bracketing ne s'effectue que par diaphragmes entiers, et en surexposant (+1 et +2) ; ces films réagissent mal à la sous-exposition.

Les posemètres indépendants

La plupart des formats 135 mm et des moyens formats sont équipés d'un posemètre qui mesure la luminosité et vous indique le bon réglage. Vous verrez souvent des photographes utiliser aussi un posemètre indépendant. Certains professionnels ne font jamais confiance à leur cellule intégrée, d'autres apprécient le complément d'information fourni par l'accessoire. Le posemètre indépendant mesure l'intensité lumineuse, traduit cette information en valeurs d'exposition et propose des combinaisons de vitesse d'obturation et de diaphragme. C'est à vous d'effectuer ensuite ces réglages sur l'appareil, en mode manuel. Bien sûr, vous pouvez décider de contourner les recommandations de la cellule pour certains sujets.

La précision de l'exposition est importante pour les films inversibles, d'où l'intérêt du bracketing qui permet d'avoir au moins une diapo parfaitement exposée. Le photographe a pris trois clichés pour la série ci-contre, en modifiant à chaque fois l'exposition d'un tiers de diaphragme, ce qui produit trois nuances subtiles.

Les posemètres indépendants comprennent les cellules en lumière incidente – lumière qui tombe sur le sujet – et les mesures spots (en bas) qui quantifient la lumière réfléchie par une zone restreinte du sujet. Certaines cellules évaluent aussi bien la lumière réfléchie que la lumière incidente.

Avec l'aimable autorisation de Minolta Corporation (en haut) ; avec l'aimable autorisation de Bogen Photo Corp. (en bas).

La cellule en lumière réfléchie

Ces cellules, comme les cellules intégrées, mesurent la lumière réfléchie. La mesure sélective (ou spot) est la plus commune : elle ne considère la lumière réfléchie que sur une zone très petite (souvent d'un angle de un degré) et donne un résultat très précis. Certaines cellules peuvent prendre plusieurs mesures rapidement : d'une zone d'ombre, d'une demi-teinte et d'une zone claire par exemple, ce qui permet d'avoir avec précision les contrastes. Certaines mesures spots donnent en plus la moyenne de leurs mesures.

La cellule en lumière incidente

Ces cellules mesurent la lumière qui tombe sur le sujet et non celle qu'il renvoie. Si vous savez vous en servir, la cellule en lumière incidente donne les informations les plus précises sur la luminosité. Au lieu de diriger la cellule vers le sujet, tenez le diffuseur sphérique devant le sujet, en l'orientant vers l'appareil. Si vous photographiez une rue encombrée, placez la cellule dans la même lumière que le sujet. Dans certains cas, vous serez amené à vous écarter du réglage recommandé. Avec un sujet clair (comme la neige), diminuez légèrement l'exposition pour conserver la texture. Si votre modèle est un chat noir à l'ombre, augmentez légèrement l'exposition. Cette technique est l'inverse de la mesure en lumière réfléchie, mais convient avec une cellule en lumière incidente.

Les cellules pour flashes

Si vous travaillez en studio avec des flashes, la cellule en lumière incidente pour flash peut être indispensable. Elle indique les bons réglages après avoir réalisé un éclair de contrôle.

Le verdict sur les cellules

Vous pouvez faire appel à un posemètre indépendant, mais la plupart des photographes se satisfont d'un appareil qui propose plusieurs types de mesure : spot, mesure pondérée et multizone. L'utilisation du posemètre indépendant est un peu plus complexe mais accessible. Si vous voulez contrôler davantage vos créations, vous devez bien maîtriser tous les facteurs qui régissent l'exposition. Vos efforts seront récompensés par la qualité et la régularité de vos résultats.

Quand vous utilisez une **cellule en lumière incidente** pour mesurer l'intensité de la lumière tombant sur un sujet, tenez-la près du sujet, le diffuseur sphérique étant dirigé vers l'appareil. Si vous ne pouvez pas vous rapprocher du sujet (qui se tient, par exemple, de l'autre côté d'une rivière), effectuez votre mesure dans une lumière similaire. Transférez les réglages sur votre appareil en mode manuel.

Slim Films

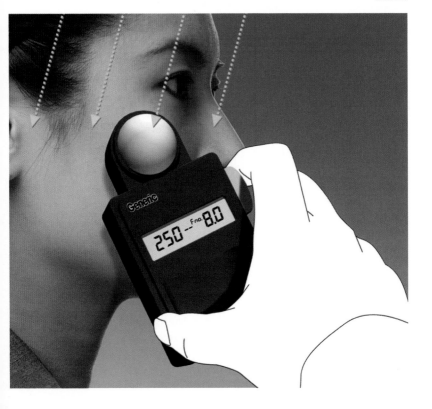

LES ACCESSOIRES ET L'ENTRETIEN

Les trépieds

LES PHOTOGRAPHES SAVENT BIEN qu'il n'est pas de photo sans appareil ni objectif, mais ils oublient souvent le trépied. Si parfois travailler avec cet accessoire se révèle fastidieux et frustrant, en extérieur ou en intérieur, le soutien stable qu'il procure offre plusieurs avantages. Le trépied, en maintenant très fermement l'appareil, supprime les vibrations et améliore la netteté des photos. Vous pouvez ainsi utiliser le film, l'ouverture et la vitesse d'obturation qui conviennent le mieux au sujet, sans vous soucier du flou dû au bougé de l'appareil pendant les poses prolongées. Il vous permet d'étudier soigneusement la composition dans le viseur. Vous pouvez régler la hauteur ou l'angle de l'appareil et continuer à effectuer de petits réglages, jusqu'à ce que le cadrage soit parfait.

Dans les studios, les photographes n'hésitent pas à se servir des trépieds grands et lourds, mais très efficaces. La photographie d'extérieur et de voyage exige cependant des modèles plus petits et plus légers. Vous aurez même plaisir à porter un modèle ultraléger, mais il risque de ne pas offrir un soutien assez ferme aux appareils équipés de téléobjectifs. En revanche, un trépied trop lourd risque de rester la plupart du temps au fond du placard.

Acheter un trépied

Avant d'acheter un trépied, vérifiez la rigidité de plusieurs modèles ; ceux qui oscillent trop facilement ne vous seront pas d'une grande utilité.

■ Les jambes en trois sections offrent en général une meilleure rigidité que celles à quatre sections.

■ Les modèles en métal tubulaire offrent une stabilité supérieure à ceux en U.

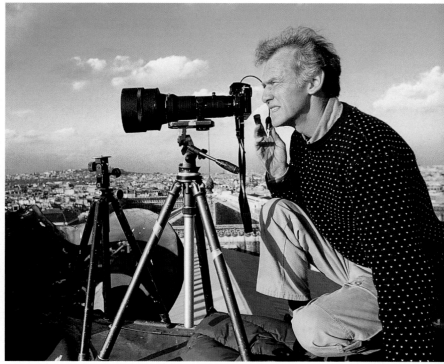

James Stanfield

■ Pour la photographie d'extérieur, les pieds terminés par des pointes peuvent se révéler très efficaces sur un terrain meuble, mais assurez-vous qu'elles soient rétractables afin de pouvoir utiliser aussi le trépied à l'intérieur ou sur des surfaces dures.

■ Le réglage individuel de l'angle des jambes est très pratique sur un terrain inégal ; vous pouvez modifier séparément l'écartement de chaque jambe.

■ Les pieds sont équipés de verrouillages qui les empêchent de s'effondrer. Les bagues de serrage sont d'une manipulation aisée, mais certains photographes préfèrent les vis filetées, qui offrent une sécurité maximale.

Bien que la plupart des trépieds soient vendus avec une rotule déjà fixée, celle-ci risque d'être peu solide. La rotule panoramique bien connue (avec deux ou trois boutons) reste la plus courante, mais certains

Un trépied rigide est particulièrement précieux pour stabiliser les téléobjectifs. Comme les longues focales amplifient l'effet des vibrations, le trépied apporte un soutien essentiel à la netteté de vos photos.

Vous trouverez un grand choix de trépieds et de rotules dans n'importe quel magasin bien approvisionné. Toutes les marques proposent des tailles et des conceptions très variées. Laissez-vous guider dans votre choix par le poids et la taille que vous pouvez porter, mais aussi par le type d'équipement que vous utilisez.

Avec l'aimable autorisation de Hakuba USA, Inc. (en haut à gauche) ; avec l'aimable autorisation de Bogen Photo Corp. (en haut à droite, au milieu, ci-dessous).

photographes trouvent long et peu pratique le maniement de ces boutons. Les nouvelles rotules boules sont
d'un maniement plus rapide : un seul bouton commande le réglage de la position du boîtier, et vous pouvez le modifier autant de fois que nécessaire. Certains
modèles comprennent aussi un contrôle de tension.
Il vous sert à augmenter la tension de la rotule boule
quand vous montez un objectif lourd. Ainsi, la rotule
ne risque pas de s'effondrer ni de laisser l'objectif heur-
ter une jambe du trépied quand vous relâchez la commande primaire. Souvent, la rotule possède un
mécanisme de fixation simplifié, ce qui facilite gran-
dement sa manipulation. Ce mécanisme consiste en
un plateau fixé à l'appareil – ou au téléobjectif – et une
bague sur la rotule du trépied. Vous changez beaucoup
plus vite d'appareil ou d'objectif qu'avec les rotules
classiques qu'il faut visser et dévisser.

En conclusion

Avant d'acquérir un trépied, comparez plusieurs
marques et modèles. Prenez celui qui semble le plus
stable tout en étant d'une manipulation sûre et rapide.
Pour franchir le fossé qui sépare l'amateur du professionnel, ou du moins pour améliorer la qualité technique de vos photos, le trépied est indispensable.

Les sacoches

Les photographes en exercice estiment qu'il leur faut
trois types de sacoches : une petite pour les excursions
et les voyages en famille, une plus grande pour la
photo de travail et un sac à dos qui offre une grande
liberté de mouvement pour la photographie d'aventure et d'action. Si vous n'avez pas fait cet achat depuis
plusieurs années, vous serez agréablement surpris
par l'amélioration de leur conception, de leur ligne,
de leur résistance et de leur finition.

Les sacs à bandoulière

De loin le type le plus courant, le sac à bandoulière
est idéal si vous êtes pressé, que vous travaillez dans
la foule ou que vous voulez accéder rapidement à

Avec l'aimable autorisation de
Bogen Photo Corp.

Pour la photographie
de sport et d'action,
vous pouvez accorder
plus d'importance
à la mobilité qu'à la
fermeté d'une plate-
forme très stable pour
l'appareil et l'objectif.
Le monopode, léger
et maniable, offre un
soutien pratique. Les
monopodes gagnent
en efficacité appuyés
contre un objet solide.

Point pratique

Pour que le soutien
reste bien ferme,
évitez d'allonger les
jambes du trépied
– surtout la jambe
centrale – plus qu'il
n'est nécessaire,
en particulier s'il
y a du vent.

votre matériel. Il en existe de toutes les tailles, du petit sac au plus grand qui peut contenir tous les accessoires pour un boîtier moyen format. Les modèles bon marché ont en général des garnitures légèrement rembourrées en mousse que vous ne pouvez pas modifier à votre guise. Sur les sacs haut de gamme, mieux rembourrés, vous pouvez organiser les garnitures à votre convenance, en fonction de l'équipement que vous décidez d'emmener.

Les sacs à dos

Les sacs à dos sont de plus en plus utilisés. Pour la randonnée ou le ski de fond, rien de plus pratique qu'un sac configuré spécialement pour contenir du matériel photo. Un système de suspension, qui répartit le poids sur une grande partie du dos, assure votre liberté de mouvement et une moindre fatigue. Seul inconvénient, vous devez en général enlever votre sac pour accéder au matériel.

Point pratique

Achetez un sac à dos bien rembourré, au harnais adaptable avec des sangles au niveau des épaules, de la taille et du sternum. Pour trouver votre bonheur, essayez plusieurs marques (en chargeant bien les sacs).

Ce sac à bandoulière (page de gauche) et ce sac à dos pour matériel photo (ci-contre), deux exemples parmi tant d'autres de l'offre actuelle, contiennent une grande quantité de matériel. Certains photographes préfèrent un sac beaucoup plus petit ou un style totalement différent. N'importe quel magasin bien approvisionné vous proposera un vaste choix.

Avec l'aimable autorisation de Lowepro (les deux)

Les caisses

Les photographes qui prennent l'avion avec un équipement considérable, qui doit voyager dans la soute, utilisent souvent des caisses rigides en ABS, en polycarbonates ou en aluminium : elles offrent une protection maximale. Certaines caisses sont vendues avec des garnitures prédécoupées, d'autres le sont avec une grande quantité de mousse que vous taillez en fonction de votre équipement. Cette solution remporte depuis quelque temps un vif succès. Une fois arrivé à destination, vous pouvez transférer votre équipement dans un sac en fonction de vos besoins.

Les fourre-tout

Les fourre-tout, enfin, peuvent contenir un reflex avec son zoom. Des sacs plus grands, portés sur la hanche ou le bas du dos, vous permettent d'emporter quelques objectifs de plus et un flash complet. Comme vous avez tout de suite accès à votre équipement, ces sacs sont bien pratiques à vélo, en bateau ou en randonnée. Pour photographier, vous faites glisser le sac devant. Les avis restent partagés sur les avantages et les inconvénients de l'ouverture devant ou derrière.

Les gilets de reportage

Sur le terrain, nombre de photographes préfèrent un gilet de reportage, parce qu'il répartit le poids de l'équipement sur les épaules et le dos. Il offre la solution idéale si vous avez besoin de changer d'objectif rapidement. Vous trouverez aussi bien des gilets à la coupe cintrée, et donc à la capacité limitée, que des gilets aux poches immenses pour les accessoires surdimensionnés. Dans les nombreuses poches de différentes tailles, vous rangerez vos appareils, les objectifs, les films et les accessoires. En été, choisissez un gilet en coton doublé de maille pour une meilleure aération. Le rembourrage des épaules offre un confort supplémentaire, si vous portez un trépied ou un sac lourd.

Le pour et le contre

Il n'existe pas un type de sacoche, de caisse ou de gilet qui convienne à toutes les situations.

■ Les fourre-tout portés sur la hanche ou à la taille ne sont guère pratiques avec un manteau, une veste de ski ou un vêtement épais. Un sac à bandoulière ou un gilet de grande taille sont alors préférables.

■ Le sac à dos n'offre pas la solution idéale si vous devez constamment avoir accès à son contenu. Vous devrez le poser par terre pour changer d'objectif. Il vaut mieux porter un sac à bandoulière.

■ Le gilet de reportage doit avoir à chaque poche une fermeture Velcro, pour décourager les pickpockets.

■ En ville, un élégant sac à bandoulière produira un meilleur effet qu'un fourre-tout ou un sac à dos. Cependant, partout où le vol est possible, prenez un vieux sac usé pour protéger le précieux contenu.

La sacoche idéale

S'il se peut que la sacoche idéale n'existe pas, cherchez une combinaison des caractéristiques suivantes pour être sûr que votre achat sera satisfaisant.

■ Des matériaux résistants, toile ou Nylon (au moins 1 000 deniers) avec des coutures solides renforcées aux endroits les plus sollicités.

■ Pour les sacs à dos, un fond rigide rembourré de mousse pour protéger le matériel contre les chocs.

■ Des garnitures internes rembourrées en mousse haute densité ; si vous voulez en organiser l'intérieur, préférez les garnitures adaptables et amovibles.

■ Il vous faut de nombreuses poches extérieures pour accéder rapidement aux films et autres petits objets, et plusieurs compartiments intérieurs pour ranger vos boîtiers et vos objectifs.

Il existe des fourre-tout imperméables, mais plus rarement étanches, comme ceux-ci. Pensez à la sécurité qu'offre ce type de sac quand votre équipement doit affronter les éclaboussures, l'eau de mer, voire l'immersion.

Avec l'aimable autorisation de Tiffen Company

■ Des fermetures à glissière larges, des pièces métalliques soudées ou du plastique résistant, des fermetures à pression ou à cliquet et un rabat contre la pluie.

■ Des sangles solides avec un rembourrage au niveau des épaules pour plus de confort si vous êtes chargé.

■ Un harnais bien conçu s'il s'agit d'un sac à dos, et si possible qui corresponde à votre stature.

■ Si vous prenez l'avion, essayez de choisir un sac conforme aux règlements internationaux pour les bagages de cabine. Ces règlements varient, aussi renseignez-vous auprès de votre compagnie aérienne avant de partir.

L'entretien du matériel photographique

Le boîtier et l'objectif

Le sable, la poussière, les peluches, des lambeaux de film peuvent enrayer les mécanismes délicats ou érafler le film. Ouvrez le dos de l'appareil et tenez le boîtier à l'envers. Avec une grande poire, soufflez pour déloger les matières indésirables. Veillez à ne jamais toucher le fragile mécanisme de l'obturateur.

Éliminez les traces de doigt, les poussières ou les gouttelettes d'eau sur les lentilles avant et arrière. Soufflez dessus ou versez une goutte d'un nettoyant pour lentille de qualité ; servez-vous plutôt d'un chiffon en microfibres. Pour éviter de salir l'objectif, recouvrez-le d'un cache quand vous ne photographiez pas.

Pour éviter d'abîmer la précieuse lentille frontale, protégez-la avec un filtre UV, 1A ou skylight presque transparent. Avec un pare-soleil en métal, vous pouvez aussi protéger l'objectif contre les chocs.

L'électricité statique

En cas de faible humidité, les lentilles et les filtres se transforment en aimants à poussière. Procurez-vous un pinceau antistatique. En quelques coups de pinceau, vous chasserez ainsi l'électricité statique qui attire la poussière.

L'alimentation

Aujourd'hui, la plupart des appareils photo sont inutiles sans alimentation électrique : emportez des piles de rechange, surtout si elles sont d'un type peu courant. Si le contact se fait mal, frottez les pôles des piles – et ceux de l'appareil – avec une gomme pour crayon afin d'éliminer l'oxydation. Enlevez les particules de gomme avec une poire. Retirez les piles si vous n'utilisez pas votre appareil pendant un mois ou plus, afin d'éviter tous dégâts ou risques de corrosion.

L'eau et l'humidité

L'eau peut gravement endommager les boîtiers et les objectifs électroniques et mécaniques. Gardez vos rouleaux de films dans leurs boîtiers en plastique ; emballez chaque accessoire séparément dans un sac en plastique hermétique ; envisagez d'acheter une caisse dure. L'humidité pose aussi des problèmes, or les sachets de cristaux de silice sont saturés en quelques minutes et perdent leur pouvoir absorbant. Les magasins de photo pour professionnels vendent de grandes boîtes de gel de silice que vous pouvez réactiver dans un four ou au-dessus d'un feu de camp.

L'eau salée

Les gouttelettes d'eau de mer peuvent oxyder n'importe quelle pièce métallique du boîtier et du barillet de l'objectif. Enveloppez tout le boîtier et l'objectif dans un sac en plastique transparent, même pour vos réglages. Découpez un trou pour la lentille frontale.

La condensation

Quand vous quittez une pièce ou une voiture climatisée dans un lieu humide, il se forme tout de suite de la condensation sur votre appareil et l'objectif ; comme si, en hiver, vous entriez dans une maison très humide avec un équipement glacé. Utilisez aussitôt un séchoir à cheveux pour chasser la condensation ; emballez chaque élément dans un sac en plastique fermé ; ou mettez le tout dans un sac poubelle. La condensation se formera à l'extérieur du sac. Attendez que l'équipement soit à la température ambiante.

Point pratique

Il est rare que l'on puisse réparer les appareils et les flashes électroniques actuels quand ils ont été immergés, ne serait-ce qu'un instant. Demandez à votre assureur d'ajouter à votre contrat d'assurance habitation une clause tous risques concernant votre matériel photo, afin d'être couvert.

LA PHOTOGRAPHIE EN NOIR ET BLANC : DU FILM AU TIRAGE

Ansel Adams Publishing
Rights/Corbis

La photographie est plus qu'un simple moyen d'expression pour communiquer des idées. C'est un art créatif.

Ansel Adams

ANSEL ADAMS, L'UN DES MAÎTRES de la photographie en noir et blanc, était aussi un expert dans la chambre noire. Convaincu que le développement et le tirage étaient des aspects essentiels du métier de photographe, il consacrait de longues heures à faire des tirages qui incarnaient sa vision du paysage américain. « Le négatif peut se comparer à la partition du musicien », écrivit Adams, « et chaque tirage à sa manière de jouer. Il ne joue jamais deux fois tout à fait de la même façon. »

La photographie en noir et blanc diffère de la photo en couleur selon deux aspects essentiels : l'esthétique et le métier. Puisque nous voyons le monde en couleur, les tons de gris, formant une image monochrome, offrent une vision plus abstraite, qui laisse davantage de place à l'interprétation. Par ailleurs, le noir et blanc offre plus de latitude à la créativité lors du tirage, le photographe pouvant contrôler des composantes essentielles du cliché définitif comme le contraste, la gamme des tons, la gradation du papier, le piqué, entre autres.

Les techniques du noir et blanc procurent beaucoup de plaisir à ceux qui s'y adonnent. Estimant l'investissement rentable, ils transforment la chambre noire en un exutoire créatif. Le noir et blanc permet aux photographes passionnés de donner une touche subjective au tirage au lieu de céder le contrôle de la création à un laboratoire commercial.

Ansel Adams/National Archives

Photographe de renom, Ansel Adams (ci-contre dans son laboratoire) travaillait presque exclusivement en noir et blanc. Technicien remarquable dans la chambre noire, il sut rendre la majesté de l'Ouest américain. Sa vision créative et personnelle dépassait de loin la simple reproduction d'un paysage.

Le procédé de base

Il n'est guère possible, en un seul chapitre, de couvrir tous les aspects du noir et blanc et des techniques de la chambre noire (il arrive que des livres entiers se consacrent à un seul aspect de cet art). Cependant, ce chapitre aborde les notions de base nécessaires pour réaliser des photos en noir et blanc bien exposées, les développer et les tirer.

Une excellente image monochrome commence par un négatif bien exposé. Évitez de surexposer si

David Alan Harvey

Le noir et blanc donne une forte intensité à ce portrait du peintre américain Andrew Wyeth réalisé par David Alan Harvey, pour le magazine NATIONAL GEOGRAPHIC.

vous voulez conserver les détails des zones d'ombre importantes. Si vous désirez étudier les techniques d'exposition, vous pouvez acheter un manuel sur le Zone System. C'est une méthode très efficace pour apprendre à jouer sur la mesure de la lumière et le développement du film afin d'harmoniser la gamme tonale du négatif à celle du papier photographique utilisé. Le Zone System, outil des spécialistes du noir et blanc, permet d'acquérir une maîtrise parfaite.

Le développement

Les films noir et blanc dits « chromogènes » ont recours à la même technologie que les films en couleur. Tous les laboratoires « couleur » sont en mesure de développer des films chromogènes.

Il est plus facile de développer soi-même les films noir et blanc classiques. Par cette opération, vous acquerrez le contrôle de tous les facteurs importants. Vous pouvez utiliser le révélateur qui convient le mieux au type de votre film, plutôt qu'une solution générique. Avec un peu d'expérience, vous saurez aussi augmenter ou réduire la vitesse réelle du film et contrôler le contraste, le piqué et le grain ; enfin, vous réaliserez des négatifs plus faciles à tirer.

Il faut retirer le rouleau de la cassette du film et l'enrouler sur la bobine de la cuve de développement, dans le noir le plus total. Pour être sûr de bien enrouler le film sur la bobine, il est conseillé de s'entraîner avec un vieux film. Une fois que vous avez chargé le film et remis en place le couvercle étanche à la lumière de la cuve de développement, vous pouvez rallumer la lumière. Suivez les instructions du fabricant en ce qui concerne la durée de l'agitation et du développement. Cela dépend de la température exacte de la solution, que vous devez mesurer avec un thermomètre extrêmement précis conçu pour l'usage en laboratoire. Le révélateur transforme en argent métallique les cristaux d'halogénure d'argent de l'émulsion du film ; l'argent arrête la lumière, ce qui produit l'image négative que vous voyez une fois le film développé.

Après le développement, retirez le couvercle étanche à la lumière de la cuve de développement et jetez le révélateur.

L'étape suivante consiste à stopper l'activité chimique du révélateur restant sur le film avec un « bain d'arrêt » acide, qui neutralise le révélateur alcalin. Ensuite, le bain de fixation sert à éliminer l'argent qui n'a pas été révélé.

Après le bain de fixation, il faut retirer les produits chimiques présents sur le film. Une solution pour éliminer l'hyposulfite permet d'accélérer l'opération. Puis, lavez le film avec de l'eau d'une température égale à celle des produits chimiques, pour éviter de l'endommager. Ensuite, faites-le tremper pendant trente secondes dans un agent mouillant comme Kodak Photoflo. Cette dernière étape évite les marques laissées par l'eau sur le film en séchant.

Les étapes suivantes

Une fois le film complètement sec, choisissez un négatif et placez-le dans le porte-négatifs de l'agrandisseur qui projette l'image sur le papier photosen-

Point pratique

Il est rare qu'un laboratoire maison soit étanche à la lumière, même si l'éclairage inactinique est éteint. Comme la moindre lumière peut voiler le film, on utilise souvent un manchon de chargement pour placer le film dans la cuve de développement. Cet accessoire, en vente dans tous les magasins de photo, consiste en un sac hermétique qui ne laisse pas passer la lumière, avec des trous pour les bras.

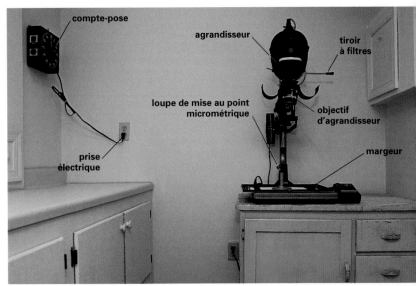

compte-pose

agrandisseur

tiroir à filtres

loupe de mise au point micrométrique

objectif d'agrandisseur

prise électrique

margeur

Charles Kogod, photographe de la NGS

Installez votre **chambre noire** dans la salle de bains ou la buanderie. Il est indispensable de rendre la pièce étanche à la lumière et de disposer d'eau courante. Il vous sera également très utile d'avoir des prises électriques et de quoi ranger le papier, les produits chimiques et le matériel.

sible. Exposez le papier pendant la durée adéquate, développez-le, rincez-le dans un bain d'arrêt et fixez-le avec des produits chimiques dans plusieurs bacs. Ce processus est le même que pour les films, mais les photos sont développées dans des bacs.

L'équipement de la chambre noire

Comme le film exposé et les papiers sont sensibles à la lumière, vous aurez besoin d'au moins une chambre noire temporaire : une pièce où vous pouvez faire l'obscurité complète. Pour vérifier si votre chambre noire est tout à fait étanche à la lumière, placez une pièce de monnaie sur du papier photosensible et laissez-le exposé sur le plan de travail pendant cinq minutes, puis faites un tirage. Si vous distinguez le contour de la pièce de monnaie, votre chambre noire laisse pénétrer un peu trop de lumière.

Les salles de bains et surtout les buanderies avec des robinets et un grand lavabo sont les pièces les mieux adaptées, grâce à l'eau courante qui est indispensable pour laver les tirages. Il vous faut au moins deux prises électriques raccordées à la terre et équipées d'un disjoncteur pour plus de sécurité.

Comme vous travaillerez avec des produits chimiques, il est essentiel que la chambre noire soit bien ventilée. Les ventilateurs extracteurs éliminent les émanations tout en étant complètement étanches à la lumière.

Divisez la chambre noire en deux parties : une partie sèche pour manipuler l'agrandisseur et une partie humide pour le développement et le lavage.

L'agrandisseur

Élément clé de la chambre noire, l'agrandisseur fait passer la lumière à travers le négatif et projette l'image agrandie sur le papier photosensible pour former une image positive. Dans la tête d'un agrandisseur moderne, on trouve : une lampe, une fente pour placer les négatifs sur le porte-négatifs, un objectif avec un mécanisme de mise au point et un tiroir à filtres ou des filtres intégrés dans un module réglable.

L'objectif de l'agrandisseur a plusieurs diaphragmes que vous sélectionnez pour contrôler la quantité de lumière projetée. La tête, placée sur une colonne, monte ou descend pour augmenter ou réduire la taille de l'image projetée. Elle est fixée sur un plateau solide afin que le papier se trouve parfaitement à plat et parallèle au négatif.

Il existe deux types d'agrandisseurs pour les tirages en noir et blanc.

Le plus courant, l'agrandisseur avec condensateur, projette de la lumière directe, d'où un tirage au contraste élevé et une définition fine des détails. L'inconvénient de ce type d'agrandisseur, est qu'il tend à souligner les éraflures sur le négatif.

Moins répandu, l'agrandisseur à lumière diffuse (disperse) la lumière projetée. En conséquence, les détails fins et les éraflures se remarquent moins.

Les filtres de l'agrandisseur

Le contraste du tirage ne dépend plus du type de papier utilisé. Bien sûr, on trouve toujours des papiers à gradation unique (de l'extra-doux à l'extra-dur), mais la majorité des photographes préfèrent le papier à contraste variable, comme

Point pratique

Les produits chimiques décrits dans ce chapitre s'achètent chez les détaillants de produits pour chambre noire. Vous devez les diluer avant utilisation. Vous choisirez votre révélateur en fonction du type du film (ou du processus particulier de révélation). Les ouvrages de référence et les fabricants de films recommandent des révélateurs donnant un grain fin et un faible contraste.

compte-pose

éprouvettes graduées

thermomètre
de laboratoire

bobine de
développement

cuve de
développement
et couvercle

Les accessoires pour le développement : des bobines sur lesquelles on enroule le film, une cuve de développement munie d'un couvercle étanche à la lumière les éprouvettes graduées de différentes tailles pour mélanger les produits chimiques, un thermomètre précis spécial chambre noire, un bon compte-pose

Charles Kogod, photographe de la NGS

Enrouler le film
sur une bobine
de développement en
acier inoxydable risque
de poser quelques
problèmes aux
débutants. Il est
conseillé de s'entraîner
avec un vieux rouleau,
tout d'abord à la
lumière, puis dans
le noir total. Répétez
cette opération
plusieurs fois avant
de faire un essai avec
vos meilleures photos.

Polycontrast ou Multigrade. Le papier à contraste variable permet de modifier le contraste en filtrant différents niveaux de lumière jaune ou magenta.

Les agrandisseurs équipés d'un module filtre intégré pour les tirages en noir et blanc vous laissent choisir le degré de filtrage, en fonction du contraste souhaité. Pour les autres modèles, achetez des filtres en acétate destinés au papier à contraste variable.

Le papier
Le papier RC est le plus répandu. Ces initiales, qui correspondent à l'anglais « resin coated », indiquent que le papier est enduit d'une couche de polyéthylène, c'est-à-dire plastifié. La cartoline est toujours en vente, mais le papier RC présente de nets avantages : la surface résiste mieux aux éraflures, le rinçage est moins long, le séchage plus rapide et enfin il s'enroule moins facilement. Nous traiterons uni-

quement du papier RC, celui-ci offrant une excellente qualité et plus de commodité.

On trouve plusieurs marques de papier RC, d'aspect brillant, semi-brillant, perlé ou semi-mat. Le choix étant vaste, vous trouverez sans peine la surface ou la texture qui vous conviennent.

Les autres accessoires de la chambre noire

Pour le tirage, sont indispensables :

■ Un éclairage inactinique avec une ampoule faible de 15 watts et un filtre ambre pour bloquer le spectre lumineux qui exposerait le papier noir et blanc.

■ Un margeur ou châssis-margeur qui maintient en place la feuille de papier sur le plateau de l'agrandisseur. Le réglage de cet accessoire détermine la taille de la marge. Un margeur de 30 x 45 cm sert à tous les formats de tirages jusqu'au 30 x 45.

■ Trois bacs de 30 x 45 cm pour les produits chimiques utilisés après l'exposition du papier. Un grand bac, plus pratique, assure une meilleure circulation des liquides autour du tirage.

■ Un bassin de lavage. Un bassin profond, de 40 x 50 cm, pourvu d'une bonde et d'un tuyau fixé au robinet, fera très bien l'affaire. Quelques modèles spéciaux assurent un lavage fiable, plus rapide, en consommant moins d'eau.

■ Trois pinces avec des embouts en caoutchouc pour suspendre les tirages.

■ Un compte-pose pour chronométrer avec précision les expositions. Les grands modèles à écran luminescent sont faciles à consulter en éclairage inactinique.

■ Un thermomètre précis pour laboratoire.

■ Une série d'éprouvettes petites, moyennes et grandes, pour mesurer et mélanger les produits chimiques.

Ouvrez le film dans le noir.

Coupez l'amorce.

Enroulez le film sur la bobine.

Arrachez la cassette du film.

Placez la bobine dans la cuve de développement, mettez le couvercle et allumez.

Raymond Gehman

Couleur ou noir et blanc ?

Le photographe Raymond Gehman a photographié ce jeune Amish et sa bicyclette en couleur et en noir et blanc. Grâce au contraste plus fort du noir et blanc, le garçon se détache sur le fond et le cliché en couleur s'est mué en une photo évocatrice.

■ Les accessoires pour faire sécher les négatifs développés ou les tirages.

Pour les films, une simple ficelle tendue au-dessus de la baignoire (par exemple) fera l'affaire. Accrochez l'extrémité du film avec une pince à linge (ou avec une pince spéciale pour films). Pour éviter les stries et l'enroulement, pincez l'autre extrémité avec plusieurs pinces ou avec un petit poids. Il existe des armoires-sécheuses électriques pour films et tirages, mais elles coûtent cher. Pour les tirages, vous pouvez fabriquer un séchoir avec des écrans non métalliques que vous trouverez dans les magasins de bricolage (écran contre les insectes volants vendu au mètre, qui peut être monté sur châssis).

■ Optionnel : les accessoires suivants, s'ils ne sont pas obligatoires, n'en présentent pas moins un grand intérêt.

Un cadre pour planche-contact. Accessoire utile pour faire un unique tirage de 20 x 25 cm de tous les négatifs figurant sur un rouleau de film développé.

Une loupe de mise au point micrométrique, pour déterminer la mise au point idéale.

De l'air comprimé. Il sert à éliminer la poussière sur les négatifs avant et après leur passage dans le porte-négatifs de l'agrandisseur.

Un posemètre pour agrandisseur. Accessoire peu coûteux, il vous aidera à estimer l'exposition nécessaire pour n'importe quelle photo.

Un kit pour masquer (éclaircir et obscurcir) les clichés. Il contient les outils servant à régler l'exposition dans certaines parties d'un tirage.

Une boîte étanche à la lumière pour stocker le papier.

Un rouleau de caoutchouc. Il sert à essorer les tirages après leur lavage.

Des feuilles de classeurs en polyéthylène pour conserver les bandes de négatifs. N'utilisez que celles

portant la mention « archive », les autres pouvant endommager les films.

Un cutter pour couper les tirages.

Les techniques de base du tirage

Une fois votre chambre noire installée et équipée, vous pouvez commencer à faire des tirages. Nous supposerons que vous débutez avec des négatifs de 135 mm et du papier RC à contraste variable – la combinaison la plus courante. Sans se prétendre exhaustif, cet aperçu du processus devrait vous fournir un bon point de départ pour réaliser des tirages de 20 x 25 cm dignes d'être encadrés.

Le premier tirage

Sélectionnez un négatif et placez-le dans le porte-négatifs de l'agrandisseur, le côté mat vers le bas. Éteignez la lumière (sauf l'éclairage inactinique) et allumez l'agrandisseur pour projeter l'image sur le margeur. Pour ce premier tirage, réglez le sélecteur de filtrage sur 2 ou utilisez un filtre en acétate n° 2.

Faites monter et descendre la tête de l'agrandisseur jusqu'à ce que les parties importantes de la photo remplissent une surface de 20 x 25 cm sur le margeur. Réglez l'objectif sur la plus grande ouverture (ou le plus petit diaphragme), afin de projeter une image aussi lumineuse que possible. Réglez le bouton de mise au point jusqu'à ce que l'image soit nette. Si vous avez une loupe de mise au point micrométrique, utilisez-la pour trouver la bonne mise au point. (Faites toujours la mise au point sur une feuille de papier de la même épaisseur que celui destiné au tirage.) Maintenant, choisissez une ouverture de f/8.

Si vous avez un posemètre pour agrandisseur, placez-le dans le rayon lumineux et suivez les instructions du fabricant. Essayez une exposition de 30 secondes (temps habituel pour un tirage de 20 x 25 cm à partir d'un négatif bien exposé), s'il s'agit d'une simple expérience. Éteignez la lampe de l'agrandisseur et placez une feuille de papier neuf sur le margeur, le côté brillant vers le haut. Réglez la minuterie, allumez de nouveau l'agrandisseur et exposez le tirage le temps voulu. Au début, il est difficile d'évaluer un tirage humide, puisqu'il va foncer de 10 à 20 % en séchant. Avec l'expérience, vous deviendrez capable d'estimer ce point même quand le papier est humide. Si vous n'êtes pas satisfait de l'exposition ou du contraste du premier tirage, choisissez une autre exposition et/ou filtrage et recommencez.

Le tirage

Préparez trois bacs : révélateur, bain d'arrêt et fixateur, ainsi qu'un bassin pour le rinçage.

Enlevez le papier du margeur en le tenant par les coins et placez-le dans le premier bac – celui rempli de révélateur dilué. Remuez doucement le bac pour bien répartir le révélateur.

Il suffit de deux ou trois minutes pour révéler la photo. Juste au moment où elle commence à foncer dans les zones de hautes lumières (n'oubliez pas que le tirage a l'air plus foncé en éclairage inactinique qu'à la lumière habituelle de la pièce), prenez-la par un coin avec les pinces, retirez-la du révélateur et placez-la dans le bain d'arrêt dilué. Secouez doucement le bac pendant trente secondes. Puis procédez de même dans le bac de fixation, pendant environ soixante secondes ou le temps conseillé par le fabricant.

Enfin, transférez le tirage dans le bac de lavage et laissez l'eau couler pendant deux minutes entières. Ensuite, avec un rouleau en caoutchouc, essorez le tirage et laissez-le sécher à l'air quelques heures. Vous pouvez pour cela le placer dans une armoire ou le suspendre à une corde à linge dans un endroit sans poussière. Plus tard, vous rectifierez les éventuelles taches de poussière avec des stylos à retouches, disponibles en plusieurs couleurs, ou des encres appliquées avec un pinceau fin.

Les trucages

Il vous faudra sans doute plusieurs tentatives avant de réussir l'exposition, le contraste et le recadrage,

Point pratique

Pour obtenir de très bons résultats, les solutions chimiques, tout comme l'eau que vous utilisez, devraient être à peu près à température ambiante (20 °C). Utilisez le thermomètre de laboratoire pour vous assurer que les températures ne s'écartent pas trop de cette norme. Si la température est plus élevée, diluez les produits chimiques avec de l'eau froide ; s'il fait froid, utilisez de l'eau chaude.

Plongez le papier exposé dans le révélateur.

L'image commence à apparaître au bout de 30 secondes.

Avec des pinces, faites passer le papier d'un bac à l'autre.

mais les étapes décrites ci-dessus devraient vous permettre de réaliser vite des tirages acceptables. Une fois que vous aurez atteint un certain niveau d'expertise, essayez quelques techniques plus ambitieuses.

Sur certaines photos, vous aurez sans doute envie d'éclaircir une partie sombre ou de foncer une zone trop lumineuse. Ces deux opérations se font tandis que l'agrandisseur projette le négatif sur le papier. Pour foncer par exemple un ciel d'une luminosité inhabituelle, exposez plus longtemps cette partie du papier à la lumière. Cette technique prolonge l'exposition pour la partie concernée de la photo.

Après avoir exposé normalement le papier, allumez de nouveau l'agrandisseur pour une exposition supplémentaire de 50 à 100 % plus longue que celle d'origine. Tenez un morceau de carton noir sur la majorité du papier pour que seul le ciel reçoive cette lumière supplémentaire. Pour obscurcir des zones plus petites, découpez un trou dans un autre morceau de carton, puis placez-le au-dessus de la zone à obscurcir, de telle façon que seule cette partie du papier soit illuminée plus longtemps. Dans les deux cas, il faut bouger le carton pendant l'exposition supplémentaire, afin qu'il n'y ait pas de limite trop prononcée entre parties claires et foncées.

Si vous voulez éclaircir un élément, comme un visage obscurci, ne laissez pas autant de lumière toucher cette partie du papier lors de l'exposition. Cette autre technique de masquage consiste à empêcher la lumière d'atteindre la zone voulue. On peut acheter des outils de formes et de tailles différentes ou les fabriquer soi-même en attachant un morceau de carton grossièrement coupé à un fil métallique mince. Sélectionnez l'outil convenant le mieux à la partie que vous souhaitez éclaircir. Puis, pendant environ un tiers de la durée de l'exposition, couvrez cette petite partie du papier en bougeant légèrement votre outil, pour éviter tout contour trop marqué.

Vous pouvez appliquer ces deux techniques à un même tirage. Vous éclaircirez par exemple un visage pendant l'exposition principale puis obscurcirez le ciel lors de la deuxième exposition.

Le développement des tirages est semblable à celui des négatifs, si ce n'est que l'on développe le papier dans des bacs et non dans une cuve de développement et que les produits chimiques sont légèrement différents. Pour le photographe, le moment où la photo apparaît dans le révélateur, sous la lumière chaude de l'éclairage inactinique, est vraiment magique.

Il vous faudra sans doute faire plusieurs tentatives avant de maîtriser ces deux techniques de masquage. Cependant, vous progresserez rapidement. Sans doute aussi souhaiterez-vous augmenter ou réduire le contraste de certaines parties du tirage en associant les techniques de masquage pour éclaircir et pour obscurcir à un filtre différent de celui utilisé pour l'exposition globale.

Il existe d'autres méthodes de trucage, comme la coloration, en sépia par exemple, les trames, les effets de flou – sur le sujet ou le fond – ou les sandwiches de négatifs. Mais ne vous laissez pas tenter avant de maîtriser parfaitement les techniques de base.

Songez à encadrer vos meilleures photos, c'est le meilleur moyen de les montrer. Le contrecollage et le verre réduisent par ailleurs les risques de décoloration dus à l'exposition au soleil ou aux polluants. Vous trouverez sans peine un encadreur en ville, mais ils sont chers. Vous pouvez acheter des cadres et des verres tout prêts et moins onéreux.

Égouttez le papier au-dessus du bac dont il sort avant de le placer dans le suivant.

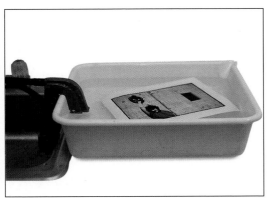

Lavez le papier pour éliminer tous les produits chimiques avant de le faire sécher dans un lieu sans poussière.

Charles Kogod, photographe de la NGS

DES SUJETS À L'INFINI

par Robert Caputo

« Tout est dans le *timing* : saisi sur le vif, cet instant où le bébé arrive à toute vitesse au bout du toboggan dans une explosion de joie traduit parfaitement l'excitante magie des aires de jeux. Une grande vitesse d'obturation a permis de capter le souffle du vent dans les cheveux de l'enfant et l'exubérance de son expression. »

Robert Caputo

QUE NOUS SOYONS EN REPORTAGE pour un magazine, en train de faire des photos pour compléter notre book ou tout simplement en vacances, il nous faut être prêts à saisir chaque occasion : depuis le match de football du club local jusqu'au portrait du grand-père le jour de son quatre-vingt dixième anniversaire, en passant par les pyramides de Gizeh ou enfin les premiers pas du petit dernier de la famille. Dans ce chapitre, nous allons donc voir comment appliquer de façon concrète les conseils techniques et esthétiques présentés dans celui sur la composition.

Si vous savez précisément à quelle situation vous allez être confronté, reportez-vous directement à la rubrique correspondante. Ainsi, dans la perspective d'une randonnée en montagne, lisez attentivement les conseils concernant les paysages ; étudiez aussi, à travers livres et magazines, la façon dont les photographes traitent ce genre de sujet et tous les effets qu'ils parviennent à en retirer. Comme les peintres qui scrutent les œuvres des grands maîtres, vous pourrez tirer profit de tout le travail de recherche et de toute l'expérience accumulés par les grands noms de la photo.

LES CONDITIONS MÉTÉOROLOGIQUES

La pluie n'a pas empêché cette femme d'essayer de vendre sa marchandise aux passagers d'un train arrêté dans une gare en Éthiopie. Une grande vitesse d'obturation aurait figé les gouttes de pluie les rendant quasiment invisibles. Une vitesse de 1/60e de seconde permet de voir les traits que forment la pluie contre les parois sombres du wagon; elle reste néanmoins suffisante pour la netteté des sujets qui animent cette scène.

Robert Caputo

Point pratique

Il pleut ou il vient de pleuvoir: si vous avez une ville à photographier, profitez de ce ruissellement d'eau et de lumière qui apportera une touche «magique» à vos photos.

LES PHOTOGRAPHES sont amateurs de pluie, de neige, de brouillard, de ciels d'orage et utilisent ces conditions extrêmes pour accentuer l'ambiance particulière d'une scène: une artère ruisselante de pluie sous les reflets des néons ne ressemblera en rien à la même rue écrasée de chaleur; imaginez une maison abandonnée… si elle est voilée de brume, elle sera beaucoup plus impressionnante qu'en pleine lumière. Faites l'essai en photographiant un sujet près de chez vous par des temps très différents et comparez ce que chacune de ces images évoque.

Sous la pluie

Lorsque vous prenez des photos sous la pluie, trouvez un endroit abrité, comme un porche, au pire un parapluie; vous pouvez aussi protéger votre appareil dans un sac en plastique en dégageant l'objectif; essuyez régulièrement ce dernier ou le filtre pour qu'il n'y ait pas la moindre goutte d'eau dessus.

Vitesse lente ou rapide?

Pour que les gouttes de pluie n'apparaissent pas sur le cliché, utilisez une vitesse d'obturation de 1/125 ou plus; à 1/60, la pluie forme de traits – qui seront plus longs au fur et à mesure que la vitesse d'obturation décroît. Les gouttes de pluie ressortent bien mieux sur un fond sombre, mais si ce n'est pas possible, essayez d'introduire un autre élément pour en accentuer le réalisme: des gens sous des parapluies ou des gouttes de pluie rebondissant sur une flaque d'eau, par exemple.

Les effets de la pluie

Regardez de quelle façon la pluie influence les photos. Les feuilles luisent tandis que certains arbres, battus par le vent et la pluie paraissent plus sombres,

1/60

1/15

Phil Schermeister

Même angle, même exposition mais le résultat est tout à fait différent: un temps de pose de 1/60e de seconde fige les flocons de neige sur la photo de gauche alors qu'un temps de pose de 1/15 permet un fondu à droite. Définissez quel effet vous recherchez avant de régler temps de pose et mise au point.

accentuant l'intensité dramatique des photos de forêt. Un paysan peut être photographié dans son champ souriant béatement à la pluie tant attendue, mais l'homme d'affaires pressé d'arriver à son rendez-vous fera probablement grise mine sous l'averse.

La neige

La neige et la glace, tout comme les grandes étendues de sable, faussent la mesure des posemètres: le blanc brillant génère une sous-exposition, car les posemètres sont réglés pour 18 % de gris. Pour éviter cela, prenez la mesure correcte avec une carte gris neutre ou un

George Mobley

La combinaison d'une vitesse d'obturation rapide et d'une ouverture de diaphragme appropriée ont permis de « figer » le mouvement de ces enfants et de rendre fidèlement le blanc brillant de la neige. Le posemètre intégré risquant de sous-exposer ce genre d'images très claires, il est conseillé d'effectuer la mesure par réflexion sur une carte gris neutre ou de corriger la mesure d'exposition donnée par le posemètre en fonction de la luminosité excessive de la neige.

objet dans le champ d'une couleur neutre, en vous assurant qu'il est sous la même exposition que votre sujet. S'il s'agit de prises de vue importantes, un bracketing vous permettra d'avoir au moins une des photos correctement exposée.

Si vous devez prendre plusieurs fois la même scène et que vous avez calculé le degré de sous-exposition du posemètre, enclenchez la mise au point automatique ; si votre appareil n'en est pas équipé, vous pouvez tricher en changeant l'indice des ISO. Ainsi, en admettant que votre posemètre indique f/16 à 1/250 pour un film de 200 ISO et qu'avec une carte gris neutre vous obteniez f/11 à 1/250, abaissez simplement sur votre appareil la sensibilité du film à 100 ISO, vous compenserez ainsi la perte d'un diaphragme. N'oubliez pas que si vous divisez en deux le nombre des ISO, il faut doubler la quantité de lumière. Rétablissez ensuite la sensibilité du film pour des clichés habituels.

Si le temps est ensoleillé, sortez tôt le matin et tard dans l'après-midi. Des rayons rasants donnent à des photos dans la neige une précision et une texture inégalables. Évitez d'avoir le soleil juste dans le dos, la réverbération de la lumière accentuée par la neige donnera une masse blanche aveuglante. Si vous photographiez des skieurs ou des enfants en luge, étudiez la façon dont vous allez rendre le mouvement en choisissant, soit de le fixer, soit de l'accompagner.

Si vous travaillez par temps très froid, essayez de maintenir votre appareil à une température raisonnable pour préserver les piles. J'ai l'habitude de

Point pratique

Attention lorsque vous photographiez de la neige qui tombe avec un flash ; la lumière peut ricocher sur les flocons les plus proches sans rien éclairer d'autre.

Robert Caputo

Le brouillard enveloppe cette rivière chinoise d'un voile de mystère suffisamment léger pour que transparaisse un certain nombre de détails sur les bateaux ; la même photo, prise par temps clair, n'aurait pas ce pouvoir d'évocation.

garder le mien sous mon blouson ; je défais la fermeture-Éclair le temps de la photo, mais pour me déplacer, je le remets à l'abri. N'oubliez pas non plus que par grand froid, la peau colle au métal, alors couvrez toute surface susceptible d'être touchée d'un ruban adhésif… même là où le bout de votre nez est en contact avec l'appareil. Méfiez-vous aussi de la condensation lorsque vous allez à l'intérieur. Mettez votre appareil dans un sac en plastique étanche pendant que vous êtes dehors et, quand vous rentrez, laissez la température ambiante le réchauffer avant d'ouvrir le sac.

Cherchez pour votre cadrage tous les détails exprimant le froid : oiseau recroquevillé en une petite boule de plumes, enfants emmitouflés dont on ne voit plus que les yeux, vapeur irisée de givre entre deux personnes, moustache toute piquetée de glace.

La brume et le brouillard

Tout nuage de vapeur peut faire naître des images très évocatrices : un bateau pris dans une nappe de brouillard, une brume flottant au-dessus d'un bassin, mais, comme pour la neige, ces phénomènes peuvent avoir des incidences sur le posemètre et sur le flash. On rencontre des brouillards d'un gris parfaitement neutre et d'autres presque blancs. Pour être certain de votre exposition, servez-vous d'un posemètre ou, si vous ne pouvez vous rapprocher, utilisez une carte gris neutre. Lorsque le brouillard est épais, la lumière du flash est absorbée par les particules d'eau en suspension et n'atteint pas forcément le sujet de la photo. Protégez votre matériel avec un sac en plastique transparent et vérifiez que la condensation ne couvre pas l'objectif de gouttes. Un temps, *a priori* sinistre, ne doit pas vous rebuter car une lumière diffuse peut se révéler idéale pour créer de belles ambiances.

Ciels d'orage

Quand je vois un ciel d'orage impressionnant, je me précipite dehors à la recherche d'un sujet intéressant. Ce genre de sujet s'est d'ailleurs toujours imposé aux photographes comme aux peintres à travers toute l'histoire de l'art. Si vous photographiez des rayons de soleil perçant une trouée dans les nuages, n'effectuez pas la mise au point sur les rayons eux-mêmes puisque vous les voulez lumineux. Ce conseil est aussi valable pour photographier l'écume contre des rochers. Souvenez-vous aussi que si le ciel est vraiment sombre, le posemètre aura tendance à le surexposer.

Les nuages qui s'amoncellent dans ce ciel orageux confèrent au paysage une force menaçante et une profondeur qu'il n'aurait jamais eues par beau temps. Dès que vous voyez un ciel de ce genre, profitez-en, mais protégez votre matériel en cas de pluie sous un auvent ou un parapluie.

O. Louis Mazzatenta

SAM ABELL
Art et journalisme

Bill Luster

SAM ABELL NE S'INTÉRESSE PAS aux sujets qui requièrent un matériel très sophistiqué et il se passe de flash. « Cela va à l'encontre de l'idée que je me fais de la photographie », explique-t-il. Abell ne se sert pas non plus de réflecteurs pour éclairer un sujet dans l'ombre. Il insiste donc sur le fait que ses photos doivent traduire l'exacte réalité « sans la moindre distorsion » et, tout en se défendant d'être un photographe de documentaires, il veut que son travail soit « parfaitement honnête ».

Sam Abell reconnaît que le métier de photographe s'appuie sur une technique et un matériel qui varient suivant les représentants de la profession ; il ne se permettrait donc pas de critiquer les photographes dotés d'un équipement dernier cri. Mais lui, par souci d'économie et d'efficacité, il n'emporte dans son sac que deux objectifs, de 28 et 90 mm, deux boîtiers et un seul type de films. « Je m'intéresse à un genre photographique bien spécifique et je n'ai pas besoin pour cela d'un matériel sophistiqué », affirme-t-il.

C'est un poète, un artiste, dont l'ambition est de faire des « images sereines » ; et pour cette raison, il a bien failli échouer en tant que photojournaliste. L'un de ses premiers reportages pour le magazine NATIONAL GEOGRAPHIC, à Terre-Neuve (janvier 1974), aurait bien pu être le dernier. La réaction des rédacteurs face à la plupart de ses photos fut très tiède, avoue-t-il, tout comme pour les reportages suivants. « Il ne se passe rien » était le commentaire habituel ; ce qui mettait en question sa capacité à faire du photo-

Cette image emblématique, d'un mode de vie presque révolu, date du début de la carrière de Sam Abell : elle illustre parfaitement son approche du journalisme photographique. « Ici, le dépouillement traduit

bien, à mon avis, l'ambiance du nord de l'Atlantique. Tout est atténué, les contours, les couleurs, et la scène. Il y a quelque chose d'immatériel dans cette photo et son principal intérêt est la force tranquille qui s'en dégage. »

journalisme et surtout son style. Abell décida pourtant de rester fidèle à sa nature et même d'accentuer la sérénité qui émanait de ses photos. Dès l'adolescence, il s'était passionné « pour la force d'expression de la photographie en tant qu'art » sous la houlette de son père, professeur de géographie, qui dirigeait un club de photo. Il acquit par la suite une certaine expérience en collaborant comme photographe et rédacteur au journal de son lycée. « C'est de cette époque que date ma passion pour le journalisme et le reportage photo, ainsi que la conscience du lien étroit entre

Abell a composé cette photo avec sa sensibilité d'artiste mais aussi avec une motivation journalistique : il s'agissait de recréer une ambiance russe et tsariste, pour illustrer un article. Ces poires, sur fond de voilages ajourés dans l'encadrement d'une fenêtre, confèrent au Kremlin une touche et une taille humaine qu'on ne lui connaît guère.

la photographie et l'édition. J'acquis la conviction que si mon nom figurait au bas d'une photo je devais tout faire pour m'en montrer digne. »

« J'avais foi en mon métier de journaliste mais, en même temps, j'aspirais à être un artiste à part entière et je pensais que cette double ambition pouvait se réaliser », se souvient Abell. Il décida alors de marier art et journalisme dans sa pratique de la photographie. Il en eut l'occasion lors de la publication de la revue annuelle de son université, consacrée à la « photographie progressiste ».

On lui demande souvent quels sont les critères requis pour être photographe au NATIONAL GEOGRAPHIC. « Tout entre en compte, répond-il, le plaisir de photographier, la sensibilité, la lumière... Il faut qu'il y ait un instant de magie. Mais ce ne sont pas les seules données de l'équation, nous exigeons surtout de nos photographes qu'ils introduisent de la complexité dans leurs images.» Cette exigence a conduit Abell à couvrir une très grande variété de sujets : il a exploré la *Pacific Crest Trail* (un chemin de grande randonnée), participé à la vie d'un ranch australien, photographié la réserve naturelle de Yellowstone (Wyoming, Montana, Idaho – États-Unis), marché sur les traces de l'expédition de Lewis et de Clark. Aussi peut-on se demander légitimement quelle est sa spécialité. Sa réponse est claire : «Tout sujet un peu fort ou évocateur, dès que la poésie et l'émotion entrent en jeu comme dans mes reportages sur les shakers, le bocage, ou le canoë kayak.»

Cela donne souvent à Sam Abell l'occasion de faire des clichés très percutants des personnes rencontrées ; à défaut de secrets ou de recettes miracles, il avoue ne pas pouvoir photographier les gens sans avoir passé un certain temps avec eux. Lors de son reportage dans le Queensland, au nord-est de l'Australie, il photographia des éleveurs de bétail mais aussi les pensionnaires d'un établissement voisin pour jeunes délinquants. Il consacra six jours, sur les cinq semaines du reportage, à ce petit groupe d'adolescents. Cinq de ces clichés parurent dans le magazine, y compris la couverture, une double page et une triple page avec volet (juin 1996). Ainsi était récompensé son choix de prendre le temps de faire ces clichés – et cela, seule une longue pratique peut le permettre.

«J'ai une chance folle de travailler pour NATIONAL GEOGRAPHIC, confie-t-il. Je ne vois pas comment je pourrais avoir une vie plus passionnante qu'en étant journaliste et photographe. Et si parfois ce métier est rude – mais quel chemin ne comporte pas d'embûches ? – je ne l'échangerais contre rien au monde.»

Outre le fait qu'il lui est difficile de garder des amis à cause de tous ses déplacements, il a été victime d'agressions, de vols, a contracté le paludisme, a été sérieusement blessé, a frôlé la mort dans un accident d'avion et… est tombé amoureux. «Si vous ne vivez pas toutes sortes d'expériences, vous ne ferez probablement pas de "la" photographie. Cette exigence d'expérience est épuisante, mais c'est dans ce dépassement de soi que naissent les véritables photos.»

Aujourd'hui, il considère le métier de photographe dans une perspective plus large : « Il ne s'agit pas seulement de mettre un film dans un appareil et de déclencher, il s'agit aussi d'un travail d'écriture, d'enseignement et de publication – ce qui à mon sens est un autre mode de formation. »

Cet extrait de son livre *Stay this moment* est d'ailleurs révélateur : « Prendre des photos n'est pas très difficile. Ce qui est éprouvant, c'est d'être comme entre deux photos et d'avoir l'angoisse permanente de ne pas savoir ni comment ni quand viendra la prochaine prise valable ; mais le plus dur, c'est encore de vivre avec la tête pleine d'images auxquelles je tiens, sans avoir jamais réussi à les photographier. C'est cette frustration quotidienne qui me rend absolument certain que les meilleures photos restent à prendre. »

Peter Burian

Le visage de cet éleveur de bétail australien reflète la dureté d'une vie solitaire tandis que sa petite-fille voit la vie avec beaucoup de fantaisie. « J'ai passé six jours dans le ranch à essayer de prendre cette photo, se souvient Abell. Je voulais à travers la complexité de cette image évoquer deux états de conscience, le réalisme et le rêve, la maturité et la jeunesse. »

Les conseils de Sam Abell

Dans les nombreux cours donnés par Sam Abell, il est rarement question de matériel photo ou de technique. *The Next Step,* « la prochaine étape », est le titre d'un de ses séminaires à Santa Fe ; il s'adresse à des photographes qui veulent donner un nouvel élan à leur créativité et passer à un stade d'expression supérieur.

■ Réalisez un projet d'envergure, leur conseille-t-il, et envisagez-le sur toute une vie.

■ Des photographes amateurs, qui travaillaient à plein temps ou assumaient de lourdes responsabilités familiales, ont suivi ses conseils. Une de ses élèves a pris systématiquement en photo les entreprises familiales centenaires du Maine (É.-U.). Un autre consacre ses loisirs aux portraits. Une photographe d'un journal du Kentucky cherche à faire un panorama de la société en photographiant depuis une vingtaine d'années, la même famille, sans ménager ni son temps ni son argent.

■ Qu'il s'agisse de paysages, de gens, d'endroits ou bien de sujets abstraits, Abell, sans le moindre *a priori*, prodigue ses conseils à tous ceux, professionnels ou amateurs, qui ont mis la photographie au centre de leur vie ; pour lui, l'essentiel c'est de mettre du cœur et de l'authenticité dans une photo et ça, personne ne peut le faire à votre place.

LES PAYSAGES

Premier plan et profondeur de champ : dans cette image (page de droite), le photographe a réussi à exprimer à la fois l'immensité de cette plaine et sa spécificité agricole. Ces épis de blé au premier plan, encadrant la grange, contribuent à donner une étonnante impression d'espace mais aussi une idée de l'échelle. Une faible ouverture du diaphragme a permis cette profondeur de champ.

QU'IL S'AGISSE DE L'IMPOSANTE SPLENDEUR des sommets enneigés des Alpes ou de l'infinité mouvante de l'océan, les paysages sont, après les êtres humains, nos sujets favoris de photos. Pourtant, ils sont aussi parmi les plus difficiles à appréhender. Face à la beauté d'un panorama, notre œil procède à la fois par un balayage global et par un repérage de tel ou tel détail et tous nos sens sont mis à contribution ; nous percevons le bruissement des feuilles ou le ruissellement du torrent, le parfum ambiant, le souffle du vent sur notre visage. C'est donc aussi notre présence, notre sensibilité à ce lieu qui en fait l'enchantement. Mais comment exprimer un telle expérience ? Comment en rendre la beauté sur un petit bout de film ? Il va falloir faire preuve de patience, d'astuce et souvent même d'endurance sur le plan physique.

Trop souvent, le résultat de nos prises de vue nous déçoit : nos paysages, dans leur platitude, traduisent mal la réalité du moment. Tout ce qui nous avait séduit est là, mais l'image ne restitue pas notre émotion. C'est habituellement parce qu'il manque à la photo un élément central. Quand nous regardons une image, notre œil cherche à se focaliser sur un point ; pour réussir une photo de paysage, l'astuce consiste donc à la composer de façon à faire de ce qui nous avait plu – montagne, lac, forêt automnale – l'élément central de la photo.

Que photographier ?

Une photo réussie est avant tout le fruit d'une réflexion : il faut d'abord se pénétrer de l'esprit du lieu. Qu'est-ce qui vous a séduit et persuadé que cette photo valait la peine d'être prise ? Pensez aussi aux adjectifs dont vous qualifieriez ce site s'il vous fallait le décrire : haute montagne, étendue bleue, forêt chatoyante…

James Blair

Étudiez ensuite le paysage pour y déceler les éléments qui le rendraient plus évocateur, puis pensez
aux moyens – choix de l'objectif, heure du jour, saison, composition. S'il s'agit d'un vaste lac, trouvez
un angle qui suggère un horizon plat à l'infini avec,
par exemple, un seul arbre au loin, sur une rive, pour
souligner la solitude et la vacuité du lieu. Peut-être il
faudra aussi que le ciel occupe les deux tiers du
cadrage. Pour une photo de désert, une prise de vue
au grand-angle incluant le soleil, intensifie l'idée de
chaleur écrasante ; on peut aussi faire la mise au point
sur une minuscule plante qui, survivant dans ce
milieu, en symboliserait l'aridité implacable.

Retour sur les lieux

Si vous le pouvez, essayez de revenir à plusieurs
moments de la journée (ou même à différentes
périodes de l'année) sur le lieu de vos prises de vue.

Point pratique

Si vous
photographiez
un haut lieu
touristique,
observez les cartes
postales et les livres
s'y rapportant pour
voir la façon dont
d'autres ont traité
le sujet ; il ne s'agit
pas de les copier
mais de vous
donner des idées.

Ces deux photos prises au Népal sont l'exemple de la patience récompensée:
le paysage du haut est correct mais plat. Pendant que je cherchais un autre angle
de prise de vue, un jeune berger est arrivé et s'est mis à lancer des pierres à
ses chèvres. L'inclure dans le paysage a ajouté de l'énergie et de la profondeur.

Robert Caputo

Vous verrez ainsi comment il change au gré de la lumière ; un soleil très matinal peut éclairer un sommet de façon idéale tandis que l'après-midi, il jette sur la montagne une ombre gênante. D'ailleurs, c'est généralement tôt le matin ou tard l'après-midi que la lumière est la meilleure pour ce type de photos : le soleil rasant confère au paysage des tonalités plus chaudes et produit des ombres longues qui mettent en valeur les détails et donnent de la profondeur à l'image. Souvenez-vous aussi que le soleil change suivant les saisons : ce qui peut être à l'ombre un après-midi d'hiver risque de se trouver en plein soleil l'été. Un temps couvert peut s'avérer propice pour des photos de paysages, où la couleur est intense, afin de corriger une dominante de couleur exagérée. Ne soyez pas non plus rebuté par un temps orageux qui donne souvent des effets spectaculaires ; avec un peu de patience, vous risquez de capter des rayons de soleil perçant, de façon extraordinaire, à travers les nuages.

Point pratique

Partez au point du jour, c'est à ce moment-là que la lumière est généralement la meilleure ; de plus, pour faire des photos de neige vierge ou de plages désertes, il faut arriver avant les touristes.

Le graphisme des éléments

Recherchez tous les éléments graphiques qui peuvent servir la composition de votre photo : méandres de rivière, lacets de route, ombres gigantesques, à-pics rocheux. Utilisez-les pour faire entrer le regard dans l'image. Ensuite, déplacez-vous ! Vous serez surpris de constater à quel point le simple fait de changer d'angle transforme un paysage. Ne vous contentez pas de faire quelques pas sur la route. Grimpez sur la hauteur qui vous surplombe, escaladez cette falaise, mettez-vous à plat ventre. Moi, je me salis énormément dans ce type de prise de vue ; curieusement, c'est toujours en plein milieu d'un torrent ou à flanc de rocher que l'on trouve l'angle idéal !

Le matériel

Les grands formats

Pour la photographie de paysage, les appareils grands formats sont les mieux adaptés car ils procurent un maximum de profondeur de champ, et la taille des

Isolez l'élément le plus caractéristique, comme ci-dessous. La photo d'ensemble (en bas) du cratère de Mogado (Kenya) est moins forte que celle-ci montrant l'eau et la boue qui le constituent. Les deux photos ont été prises au même endroit, la vue générale avec un objectif de 35 mm, l'autre avec un téléobjectif de 400 mm.

Robert Caputo

films permet de rendre les détails de façon extrêmement précise. Mais l'exemple du NATIONAL GEOGRAPHIC, entre autres, prouve que des photos de paysages faites avec des films de 35 mm seront excellentes. Il suffit de chercher et d'attendre la bonne lumière. Il est important aussi d'utiliser des films lents qui permettent les meilleurs rapports d'agrandissement en raison de leur faible granulation et de leur contraste encore élevé et respectueux des couleurs. Personnellement, je fais souvent des photos de paysages avec du Kodachrome 25 ou du Fujichrome 50.

Les grands-angles

Ce sont les optiques des vastes panoramas et de tous les paysages, en raison de leur très grande profondeur de champ même avec une ouverture moyenne. Pour éviter les distorsions, prenez certaines précautions lors du cadrage en vous aidant de repères – une rivière, une route ou quelque détail du paysage – pour la mise au point. Si vous avez à photographier quelqu'un au bord d'une falaise, essayez de le cadrer dans un angle, penché vers le vide ; ainsi il devient l'élément majeur du cadrage. Cet élément humain guide le regard dans l'image et donne aussi une idée de l'échelle, autre aspect important dans la photographie de paysage.

Avec ce type d'optiques, faites attention à la ligne d'horizon et souvenez-vous de la règle des tiers : le ciel devra occuper le tiers de la photo – à moins qu'il ne donne un sens particulier à l'image et, dans ce cas, les deux tiers conviennent bien. La symétrie d'un horizon coupant l'image en deux peut néanmoins se concevoir ; vous pouvez oser l'effet de miroir de montagnes dans un lac, par exemple, mais n'oubliez pas que la mise au point ne doit pas se faire sur le ciel, au risque de voir l'ensemble du paysage sous-exposé. Cherchez un ton neutre dans le cadrage ou utilisez une carte gris neutre pour y remédier. Attention, enfin, aux éléments perturbateurs comme des poteaux électriques ou des antennes.

Ne vous limitez cependant pas au grand-angle, les téléobjectifs peuvent aussi donner de bons clichés de paysages. Si vous photographiez une chaîne de montagnes, vous pouvez suggérer leur entassement avec un téléobjectif, qui « écrase » la profondeur de champ, ou plus original, la menace que leur masse fait peser sur un minuscule chalet.

À la recherche de détails

Un détail peut être plus évocateur que l'ensemble de l'image ; un seul rocher particulièrement érodé sera probablement plus éloquent qu'une photo de toute une faille rocheuse ; l'écorce d'un arbre noueux peut en dire beaucoup sur une forêt. De telles images sont aussi une interprétation plus personnelle qu'une photo classique d'un paysage pris au grand-angle.

Point pratique

Quand vous analysez un paysage que vous voulez photographier, testez différents objectifs pour voir lequel vous semble le plus approprié. Muni d'un téléobjectif, parcourez ce lieu pour y découvrir des détails ou des éléments graphiques. Telle portion du paysage, ainsi isolée de l'ensemble, peut prendre un caractère particulier. Étudiez aussi la lumière, une simple demi-heure peut, tôt le matin ou le soir, avoir une incidence radicale.

Robert Caputo

George Mobley

Un angle de vue décalé, pour prendre les chutes du Nil Bleu (Éthiopie) se révéla plus intéressant que de face. La silhouette au parapluie ajoute du caractère à cette scène de sous-bois. À cause des troncs sombres des arbres, votre posemètre proposera une mesure qui produira une image surexposée.

Les chutes d'eau

Si vous voulez photographier l'écume bouillonnante au pied d'une chute d'eau, utilisez une vitesse d'obturation rapide pour figer le mouvement de l'eau ; tandis que si vous voulez montrer la cascade elle-même choisissez une vitesse lente d'environ 1/8. Utilisez un pied ou tout autre support ; il est conseillé de vous servir d'un déclencheur souple qui évite toute secousse ou vibration. Et bien sûr, s'il y a des gens dans le cadrage de la photo, demandez-leur de ne pas bouger.

La forêt

En général, les forêts manquent de luminosité, vous aurez besoin de films très sensibles à moins que votre appareil soit sur un trépied et que le sujet soit statique. Cherchez les rayons de lumière ou du soleil à travers les frondaisons, mais servez-vous d'un posemètre car ces traits lumineux risquent de fausser la mesure. Identifiez un élément pour votre composition : une fougère éclairée de façon spectaculaire, des troncs d'arbres noueux, une sente tortueuse, un tapis de fleurs…

La plage

Vos photos de bord de mer peuvent exprimer une voluptueuse chaleur, une atmosphère de tempête, une méditation solitaire ou une déplaisante promiscuité. Chaque plage a son caractère, variable suivant la météo. Ce rivage que vous photographiez, comment allez-vous pouvoir en accentuer la particularité ? Est-ce une étendue de sable blanc bordée de palmiers ou bien une côte rocheuse et sauvage battue par les vagues ? Dans le premier cas, un grand-angle du haut d'une dune serait sans doute approprié ; en revanche, un téléobjectif permettant de prendre les vagues en contre-jour rendrait mieux le caractère et le fracas de la côte sauvage.

Robert Caputo

Le sable blanc, comme la neige, peut fausser les indications du posemètre et sous-exposer le cliché. Ajustez votre mesure sur un élément neutre du paysage. Ne soyez pas surpris de constater que votre posemètre propose pour le sable une mesure supérieure de 2 diaphragmes.

LES GENS

Soyez amical : les gens y sont sensibles et cela passe à travers l'image. J'avais fait le pitre quelques minutes avec cette petite fille dans une rue de La Havane et voyez de quel adorable sourire elle m'a remercié (page de droite). Ayez toujours votre appareil prêt à saisir ces moments de grâce.

PHOTOGRAPHIER NOS SEMBLABLES est en général ce que nous préférons ; que ce soit notre entourage, une équipe sportive ou des personnes rencontrées au cours de voyages. Comme pour les paysages, nous ne pouvons nous satisfaire d'une belle image, nous voulons qu'elle saisisse la personnalité de notre modèle, tout comme un portraitiste cherche à aller au-delà d'une simple apparence physique. Il y a deux types de portraits en photographie : ceux qui sont posés et ceux pris sur le vif. Les premiers demandent une certaine collaboration du sujet. Pour les autres, vous êtes à la chasse d'occasions fortuites. Mais, dans les deux cas, il est indispensable d'avoir une idée de l'image que vous voulez prendre et du sens que vous allez lui donner.

Les portraits

Si vous souhaitez faire le portrait de quelqu'un, demandez-vous qui il est, quels sont les divers aspects de sa personnalité que vous voudriez montrer. Est-ce un intellectuel, quelqu'un de sensuel, d'insouciant ou au contraire de sérieux ? Pensez alors aux moyens qui mettront en valeur ces traits – une attitude, un vêtement ou bien un fond particulier. C'est l'expression du visage qui exprime, en général, le plus évidemment la personnalité du sujet, mais tous les éléments du cadrage contribuent à rendre la photo évocatrice.

L'approche du sujet

Cherchez l'endroit où vous voulez placer le modèle et décidez de l'angle de vue. Installez ensuite votre matériel et testez les flashes ou les réflecteurs dont vous aurez besoin. N'oubliez pas que le plus important est de mettre votre sujet en confiance ; pour lui éviter l'attente, arrangez-vous pour qu'à son arrivée tout soit prêt et que vous n'ayez plus qu'à vous consacrez à lui.

Robert Caputo

Les objectifs

Des téléobjectifs de 85, 105 ou 135 mm sont recom-
mandés pour prendre des visages ou cadrer la tête et
les épaules du sujet avec juste le recul voulu et sans
distorsion. Ces longues focales nécessitent néanmoins
une mise au point précise, car la profondeur de champ
est faible. Effectuez la mise au point sur l'œil du sujet
le plus proche de l'objectif, et utilisez le poussoir du
test de profondeur de champ pour voir quel élément
du visage en bénéficie ; si elle est insuffisante, changez la vitesse d'obturation et surexposez d'un diaphragme ou bien optez pour un film très sensible.
Pour des portraits en pied ou pour photographier des
sujets sans que le fond soit flou, peut-être vous fau-
dra-t-il un grand-angle, mais attention alors aux
risques de distorsions propres à ces focales.

L'angle de vue

Tout en gardant l'œil dans le viseur, demandez à votre sujet de prendre des poses différentes – de profil, de trois quarts, de face, visage levé ou légèrement baissé – et cherchez le meilleur angle possible. Un nez proéminent risque d'être accentué dans un portrait de trois quarts, surtout si la focale est normale ou courte. Un visage rond l'est encore plus, photographié de face. Faites confiance à votre sujet, il se pliera à vos demandes car il a envie, autant que vous, que cette photo le montre sous l'angle le plus flatteur.

L'éclairage

L'éclairage est l'élément le plus important pour photographier des visages. Une lumière douce et diffuse est généralement la plus appropriée et la plus flatteuse ; mais parfois une lumière assez forte projetée latéralement peut donner une intensité remarquable à un visage. Testez différents éclairages afin de vous familiariser avec eux et de pouvoir passer de l'un à l'autre suivant vos portraits.

La lumière du jour

Une fenêtre donne en général un éclairage doux et naturel, aussi le plus simple est-il d'installer la personne à photographier près de cette source de lumière, debout ou assise, de façon à ce que les trois quarts de son visage soient éclairés ; si le soleil entre par la fenêtre, tamisez-le avec des voilages, un drap blanc ou du papier calque. N'oubliez pas qu'une partie du visage reste dans l'ombre ; cela peut convenir au type d'image que vous faites, sinon ajoutez de la lumière sur ce côté non éclairé pour adoucir l'ensemble. N'importe quelle surface blanche peut servir de réflecteur, du carton blanc fait très bien l'affaire. Déplacez-le d'avant en arrière pour trouver l'équilibre.

Les flashes et les lampes

L'éclairage classique pour le portrait consiste en une source de lumière principale (soit des flashes électroniques soit des lampes à incandescence) placée à 45°,

Un beau portrait pris sur le vif : le photographe ayant remarqué cette actrice italienne, en pleine concentration avant son entrée en scène, réussit à capter l'intériorité de cette femme que la lumière du soir rend plus mélancolique encore.

William Albert Allard, photographe de la NGS

légèrement en surplomb du sujet, avec un réflecteur en face pour l'appoint. Un parapluie procure un éclairage indirect diffus, mais du papier calque ou du tissu blanc feront « rebondir » la lumière de la même façon. Faites très attention à ne pas y mettre le feu avec les lampes. En déplaçant l'éclairage jusqu'à 90° du sujet, vous ferez varier l'intensité des ombres, dessinant ainsi avec plus ou moins de netteté les contours du visage.

Les sources de lumière multiples

Un deuxième éclairage peut servir pour des effets de lumière, à travers les cheveux par exemple, ou pour conférer une certaine luminosité au fond de

Point pratique

Faites attention à l'arrière-plan qui ne doit surtout pas polariser l'attention. Éliminez aussi tout élément perturbateur, comme une lampe qui semble sortir de la tête du sujet.

Point pratique

Si vous vous servez d'un flash indépendant, vous pouvez en tester l'éclairage en projetant sur le sujet une petite source lumineuse, comme une lampe de poche. Placez-vous bien sûr dans les mêmes conditions que le flash.

la photo. Dans le premier cas, installez derrière votre sujet un projecteur latéral en hauteur, en adaptant dessus un *snoot* – sorte de cône destiné à réduire le diamètre du faisceau ; vous pouvez aussi placer une source de lumière plus bas, juste derrière le sujet. En revanche, pour éclairer le fond d'un portrait, dirigez une lampe vers cette partie du cadrage en vérifiant que l'éclairage s'équilibre parfaitement avec la lumière sur le sujet.

L'éclairage mobile indirect ?

En dehors des flashes fixes en position statique et adoucis des réflecteurs, vous pouvez aussi dirigez le flash vers le plafond ou vers un mur pour une lumière encore plus douce et diffuse. N'hésitez pas à le faire surtout si vous êtes dans une pièce peinte en blanc ou en couleur pastel. Le flash illuminera toute la pièce de manière harmonieuse. Il suffit de diriger la tête du flash vers le plafond ou un point du mur ou d'adapter un réflecteur blanc sur la tête du flash.

La lumière extérieure

Tout comme pour les portraits en intérieur, la lumière est l'élément majeur pour réussir un portrait au grand air ; alors, repérez à l'avance le site des prises de vue, en tenant compte de l'arrière-plan dont vous disposerez et de la façon dont la lumière « joue » suivant les moments de la journée. Il ne vous reste plus qu'à prévoir la photo en fonction de l'heure la plus appropriée, en privilégiant les lumières matinales et vespérales. Les journées un peu couvertes avec une luminosité douce et diffuse sont idéales pour ce genre de photos. Si vous deviez « travailler » par une journée très ensoleillée, installez votre sujet à l'ombre en vous méfiant des arrière-plans trop lumineux.

Point pratique

Vous pouvez créer un fond de couleur en plaçant derrière le sujet une lampe recouverte d'une gélatine, bleue par exemple, pour colorer un mur blanc.

Utilisez un posemètre ou effectuez la mesure par réflexion sur une carte gris neutre en vérifiant qu'elle est exposée comme le sujet. Vous pouvez avoir besoin de réflecteurs d'extérieur pour donner un peu plus de luminosité au visage ou pour adoucir les ombres, certains jours de grand soleil, mais pensez à les installer avant d'effectuer la mesure de l'exposition.

George Mobley

Portraits en situation

Dans ce type de portraits, la personne est photographiée dans son contexte habituel. On peut ainsi mettre en évidence, en plus de sa personnalité, ses intérêts professionnels, ses goûts ou ses passions à travers la composition de l'image. Dans un portrait en situation, le photographe ne se borne pas à prendre le visage ou le buste du sujet : il le met en scène.

Un travail de préparation s'impose : faites connaissance avec la personne. Suivez-la sur son lieu de travail ou de loisir, et demandez-lui l'autorisation de venir l'y observer un moment. Essayez aussi de repérer s'il n'y a pas une chose dont votre sujet est particulièrement fier : pour un horticulteur ce sera peut-être une fleur fétiche, pour un musicien son instrument préféré, pour un autre sa voiture de collection...

Tenez également compte de ses tenues vestimentaires et suggérez-lui de porter la même, ou du moins le même genre, le jour des prises de vue. Les gens ont souvent la fâcheuse habitude d'arriver un peu endimanchés pour un portrait ; c'est parfait pour

Prenez le temps de bien connaître votre modèle. Pour ce portrait de Georgia O'Keefe, artiste peintre américaine, le photographe dut attendre deux jours avant de trouver le cadrage adéquat. Cela se fit tout naturellement quand, lui faisant visiter une galerie où était présenté son travail, elle éprouva le besoin d'une petite pause. Soyez toujours à l'affût et prêt à déclencher au bon moment.

Lorsque vous faites le portrait de quelqu'un en situation, attendez que votre sujet soit absorbé par son activité et cadrez la photo de façon à évoquer clairement en quoi consiste son travail, comme dans cet atelier de restauration d'objets d'art.

Robert Caputo

une photo officielle mais, dans votre cas, faites bien comprendre à votre modèle que vous le voulez naturel. Le mieux est de le lui dire de façon indirecte : « Au fait, la chemise que vous portez rendrait très bien, pour ce que je veux faire »…

Si vous prévoyez ce genre de portrait en plein air, allez sur place à des heures différentes pour déterminer quelle lumière convient le mieux. En intérieur, installez et testez lampes, flashes et réflecteurs à l'avance. N'oubliez pas que vous et votre sujet devrez évoluer dans cet espace, donc réglez un éclairage qui puisse être efficace sans devoir déplacer sans cesse le matériel.

Pour l'appoint de lumière, un flash peut jouer le même rôle qu'un réflecteur ; une petite touche supplémentaire peut mettre en évidence des détails qui sinon risqueraient de passer inaperçus. Mais ce fill-in flash ne doit pas donner un éclairage supérieur ni même égal à la source de lumière principale ; la façon la plus simple de l'adoucir est d'équiper le flash d'un réflecteur diffusant. Si le dispositif est orientable, basculez-le à 30° de la verticale. À défaut, braquez un flash verticalement et fixez-lui à l'arrière, avec du ruban adhésif, une feuille de papier fort blanc. Il ne vous restera plus qu'à plier le papier, formant une sorte de rabat devant le flash pour réfléchir la lumière vers le sujet ; déclenchez ensuite le flash en sous-exposant d'un diaphragme par rapport à la norme.

À tout instant il peut se passer quelque chose: la photo de cette vieille femme dans le nord du Soudan semblait satisfaisante, et j'étais sur le point de partir, quand une petite fille a pointé sa frimousse dans l'embrasure de la porte pour voir ce qui se passait dehors. Sa présence, tout en améliorant la composition de l'image, l'enrichissait d'un symbolisme sur les âges de la vie.

Robert Caputo

JODI COBB
Au-delà des barrières

Avec l'aimable autorisation de Jodi Cobb

LE DERNIER REPORTAGE de Jodi Cobb portait sur la notion de beauté dans les différentes cultures du monde. Il traitait aussi bien des recherches sur la nécessité de la symétrie dans la survie des espèces que de l'impact économique des produits de beauté à l'échelle mondiale. Jodi Cobb photographia donc des concours de reines de beauté mais aussi des rituels plus rares ; elle s'intéressa ainsi aux scarifications, bandages de pieds, insertions de plateaux dans les lèvres, *piercings* ou tatouages divers, destinés à embellir les corps ou à les immuniser contre les maladies et la stérilité. Son reportage la mena dans une dizaine de pays, y compris dans des régions difficilement accessibles d'Afrique et dans les montagnes de Papouasie-Nouvelle-Guinée.

Mais s'il est arrivé à Jodi Cobb de photographier les habitants de ces régions, elle a surtout l'habitude d'aller dans des pays plus familiers, depuis Hong Kong jusqu'au Venezuela. Quand elle n'est pas en train de travailler pour un reportage, elle prend des photos de gens dans la rue pour se documenter sur les us et coutumes du pays. Elle a ainsi pu remarquer que, d'un pays à l'autre, les autochtones avaient des réactions très différentes face à l'objectif. Quand il n'y a pas d'interdit culturel, Jodi Cobb prend sur le vif des photos au hasard de ses rencontres. « Cela m'est plus facile de me faire pardonner une photo que d'avoir à demander une autorisation. » Après, elle explique, si besoin est, ses intentions avec l'aide d'un interprète, ou sinon se contente d'un sourire ou d'un geste amical.

Comme tous les photographes sur le terrain, Jodi Cobb (à gauche) est parfois confrontée à des risques importants comme en 1982, à Jérusalem, où cette Palestinienne manifeste colère

et désespoir face à la police. Dans cette situation, elle a dû travailler très vite, et a fait, grâce à cette image poignante, preuve de sa grande expérience, à la fois de journaliste et de photographe.

Sa grande force, quand elle photographie des gens, est de réussir à les approcher de façon très personnelle, ce qui demande évidemment beaucoup plus de temps que de braquer sur eux un appareil sur une place de marché. « Une bonne photo n'est possible que si l'on part à la découverte l'un de l'autre », affirme-t-elle. Les effets spéciaux n'ont pas cours dans ce type de prises de vue, c'est d'ailleurs son credo : « Je veux que la personne qui regarde l'image ait avant tout une réaction émotionnelle ; la technique n'a pas à intervenir là-dedans. »

Ces geishas semblent avoir oublié la présence de la photographe et, tout à leur intimité, lisent leur horoscope entre deux prestations. «Entrer en contact est important, dit Jodi Cobb, mais ensuite c'est le temps passé avec les gens pour gagner leur confiance qui leur permet de s'abandonner devant votre appareil.»

Elle a la même ligne de conduite concernant son équipement photo et a opté pour la simplicité. Elle travaille souvent avec un reflex Nikon N90 équipé d'un zoom Nikkor 80-200 mm f/4,5, relativement ancien, et se sert d'un fill-in flash intégré quand elle a besoin d'éclaircir les ombres. «Je trouve le nouveau zoom autofocus à ouverture constante f/2,8 et les boîtiers professionnels trop lourds et encombrants. Quand je photographie les gens, je dois me faire toute petite ; si je suis dans la chambre d'une geisha ou dans les coulisses d'un défilé de mode, je ne tiens pas à faire surgir des éclairs dans tous les sens.»

Elle se sert pourtant souvent de son flash pour ajouter un trait de lumière avec parfois des filtres de couleur ou des flashes pendant de longs temps de pose. En mettant en lumière très brièvement et pleinement le modèle, ces flashes donnent mouvement, dynamisme et précision à l'image. Elle admet que cette technique n'a rien d'innovant, mais cela convient bien à son style. En fait, Jodi Cobb n'a guère d'intérêt pour la multiplication de flashes, pour les cadrages tronqués et les développements dans des bains inadéquats pour obtenir des effets de couleurs surréalistes ou flatteurs. «Je dis à mes élèves d'être en accord avec eux-mêmes ; si vous suivez toutes les tendances, c'est comme si vous boursicotiez, vous risquez de tout perdre. Trouvez votre style à vous, votre propre regard et ne le lâchez plus.»

Jodi Cobb fut l'une des premières à travailler en Arabie Saoudite et à photographier, souvent non voilées, des femmes dont la vie quotidienne était alors très peu connue (octobre 1987). «Les femmes sont tellement soumises dans cette société que, quand je voulais les photographier, elles devaient en demander la permission à leur mari ou à leurs "gardiens" sinon elles risquaient le divorce, la confiscation de leur passeport ou le bannissement.» Seulement 10 % d'entre elles acceptèrent de collaborer, mais Jodi Cobb persévéra dans son entreprise avec l'aide du journaliste qui rédigeait l'article et avait ses «petites entrées». Le succès du reportage fut tel que Jodi Cobb tenta une incursion, quelques années plus tard, dans une autre société très fermée.

C'est juste au moment où Jodi Cobb allait déclencher qu'elle sentit la femme se détendre, lui donnant ainsi son consentement. Un réel effort de compréhension et de respect face aux différences culturelles et à la vie privée des gens a permis à Jodi Cobb de pénétrer dans des univers habituellement fermés aux photographes de presse.

Celle des geishas. Après une série de photos à Kyoto, elle comprit que ce sujet pouvait faire l'objet d'un livre et, prenant temporairement congé du NATIONAL GEOGRAPHIC, elle se lança avec une bourse de Eastman Kodak. Elle n'avait au début qu'un seul contact pour s'introduire dans ce monde très fermé. « La profession de geisha repose sur un code du silence très strict, explique-t-elle, aussi aucune d'entre elles ne veut divulguer sa vie privée ni faire la moindre confidence au monde extérieur. » Jodi Cobb parvint néanmoins à ses fins en persuadant la seule et unique geisha qu'elle connaissait de poser pour une première photo, puis une deuxième et encore une autre…

Sa nouvelle amie finit par convaincre ses compagnes d'accepter d'être photographiées dans leur vie publique et privée, chez elles et avec leurs clients. Jodi Cobb recueillit aussi leurs confidences, leur offrant l'occasion d'être prises en compte en tant qu'individus et non comme des stéréotypes. Ce livre, publié en 1995 sous le titre, *Geisha : the life, the voices, the art* fut primé par l'*American Society of Media Photographers*. Des extraits de cette plongée dans la vie privée et les rituels de ces représentantes de la tradition nipponne parurent dans le NATIONAL GEOGRAPHIC (octobre 1995). Ce succès permit à Jodi Cobb de réaliser ce grand reportage sur la beauté dont elle avait eu l'idée.

« J'aimerais traiter plus de sujets permettant aux hommes et aux femmes de se rapprocher et de mieux se comprendre. Dans de nombreux pays, les femmes vivent coupées du monde extérieur ; je voudrais les faire connaître et mettre en lumière leurs difficultés mais aussi leurs victoires. Les hommes pensent que cela ne les concerne pas, mais, face aux images de ces Saoudiennes ou de ces geishas, ils admettent être fascinés. Je trouve que cette prise de conscience est un phénomène important. »

Peter Burian

Les conseils de Jodi Cobb

■ Ne photographiez que ce qui vous intéresse vraiment ; demandez-vous ce que vous éprouvez en prenant cette photo et pourquoi vous la faites. Si vous avez choisi cette fleur juste parce qu'elle est jolie ou bien cette montagne parce que c'est le point de mire local, vos images seront superficielles.

■ Si vous n'êtes pas sûr de vous, inscrivez-vous à des cours pour avoir de bonnes bases techniques et des conseils sur le matériel qu'il vous faut, suivant vos goûts et vos ambitions.

■ Même pour photographier des monuments connus, investissez-vous ; revenez pour avoir une meilleure lumière, variez les optiques et les angles de vue. Ils vous permettront peut-être de dépasser la photo banale ou le genre carte postale.

■ Au lever ou au coucher du soleil, vous pouvez faire de très belles photos mais aussi à midi, par exemple. Placez-vous en surplomb de votre sujet et, si la lumière est brutale, trouvez un coin ombragé. Quand les ombres sont trop contrastées sur le sujet, apportez un peu de lumière. Faites qu'il se passe quelque chose, profitez de tout éclairage fortuit.

■ Analysez vos photos à la loupe et tirez des leçons de vos erreurs. Expérimentez un style de photo différent et plus percutant.

■ Sélectionnez des photos de magazine qui vous interpellent et demandez-vous pourquoi ce type d'images vous a attiré. Est-ce la lumière, le contexte exotique ou les gens ? Qu'est-ce qui vous parle dans ces photographies ?

Point pratique

Après les photos en situation, faites poser votre sujet avec l'objet de sa fierté et poussez-le à vous en parler. Arrangez-vous pour que l'arrière-plan soit évocateur et soyez prêt en permanence car, comme vous le savez, les meilleures photos sont celles des moments les plus inattendus.

La prise de vue

Dites à votre modèle de continuer ses activités sans trop s'occuper de vous ; les meilleures photos sont celles de ces instants où, complètement absorbé par son travail, il vous aura oublié. Déplacez-vous pour chercher des angles intéressants ; prenez-le de près ou d'un peu plus loin, de face ou de profil ; interpellez-le de temps en temps pour lui faire lever la tête de son travail. Gardez toujours à l'esprit ce qui fait la spécificité de cette personne et privilégiez les moments les plus marquants : si le sujet est un pianiste, guettez l'instant où son visage exprime le ravissement ; si c'est un haltérophile, la contraction musculaire qui signifie l'effort. Soyez patient et attendez le temps qu'il faut pour que la personne vous oublie et se détende, pour que la sueur marque la chemise du travailleur ou que les fleurs finissent par déborder du panier de l'horticulteur.

Groupes et portraits

Un portrait de groupe peut concerner deux ou plusieurs dizaines de personnes : ce sera une petite famille à photographier en studio ou un pique-nique familial. Souvenez-vous que, en toutes circonstances, la première consigne étant de bien voir chaque visage, l'éclairage et l'angle de prise de vue sont essentiels.

Si vous photographiez un petit groupe à l'intérieur, faites les mêmes préparatifs que pour un portrait individuel mais, s'il s'agit d'un groupe plus important, placez les personnes sur les marches d'un escalier, des gradins ou tout simplement en faisant s'agenouiller les gens de devant. Veillez à ce que chacun soit éclairé de la même façon et que certains ne projettent pas d'ombre sur ceux placés derrière eux. À l'extérieur, utilisez le relief, des bancs pour placer vos sujets et veillez à la position du soleil. Vérifiez dans votre viseur comment tombent les ombres. La lumière douce des jours couverts est idéale pour ces photos.

Pour cadrer un groupe très nombreux, il peut vous être nécessaire de surélever l'appareil pour prendre la photo en surplombant un peu le rassemblement, du haut d'un escalier, d'un arbre ou, plus simplement,

Robert Caputo

mettez-vous debout sur une chaise si tout le monde est à table. Vous aurez probablement besoin d'un grand-angle, alors faites attention aux distorsions ; vérifiez, grâce au poussoir du test de la profondeur de champ, que la mise au point est bonne pour l'ensemble du groupe. Faites plusieurs prises pour être sûr que tout le monde regarde l'objectif ; il y a presque toujours des gens qui clignent des yeux juste au moment où vous déclenchez.

Une photo de groupe est plus réussie si l'on y identifie clairement un centre d'intérêt dans la photo ; cela peut être un trophée ou une « vedette » dans une équipe sportive, le patriarche ou la doyenne au milieu des siens, ou bien un président de société entouré de son équipe. Ils n'ont pas besoin d'être au centre du cadrage mais doivent être identifiables par l'attention que les autres personnes du groupe leur prêtent.

Plaisantez avec les uns et les autres pendant la prise de vue, faites-les rire ; incitez l'un d'entre eux à

N'attendez pas que tout le monde soit bien aligné pour photographier un groupe ; les moments qui précèdent la pose et ceux qui suivent peuvent donner lieu à des cadrages plus sympathiques, comme le prouve cette photo de mariage.

Jodi Cobb, photographe de la NGS

Des images peuvent surgir n'importe où, même dans un escalator de métro : cela aurait été dommage de laisser passer un tel trio !

raconter une histoire drôle et soyez prêt à déclencher juste au moment où fuse l'hilarité générale.

Faites preuve d'imagination : si vous avez à photographier une équipe de basketteurs, demandez à certains joueurs de surplomber les autres en s'agrippant au montant du panier ou grimpez-y vous-même pour les photographier à travers les mailles du panier.

Point pratique

Ayez votre appareil préréglé et, en cas d'automatisme de l'exposition, vérifiez que vous n'êtes pas dans une situation où la mesure peut être faussée, à la plage, dans la neige ou bien à cause d'un fond trop sombre.

Les portraits saisis sur le vif

Ces gens que vous photographiez au vol, certains vous sont connus, d'autres pas du tout. Que ce soit dans un contexte privé ou dans l'anonymat de rues grouillantes, votre sujet peut avoir conscience d'être photographié, sans pour autant se laisser distraire de son activité, ou ne pas du tout se rendre compte de votre présence. Vous avez deux options : soit vous déambulez, soit après avoir repéré un coin qui vous plaît, vous attendez patiemment qu'un événement se passe. L'essentiel est d'être prêt et de se mettre dans la peau d'un chasseur à l'affût de moments forts ou un peu magiques. Définissez le type de photos que vous voulez vraiment faire, avec des possibilités de variantes. Si vous avez un marché à photographier, il vous faut peut-être à la fois des vues panoramiques pour en montrer l'ampleur et des portraits de certains vendeurs. Cherchez tous les éléments typiques d'un marché : des poissons sur des blocs de glace, les cageots de légumes déchargés des camions, des gens en plein marchandage.

Si vous avez un grand-angle, vous utiliserez au mieux la très grande profondeur de champ en présélectionnant l'ouverture du diaphragme ; avec un téléobjectif, faites votre mise au point à l'avance en prenant pour repère un endroit où votre sujet passera sans aucun doute, et essayez de profiter le mieux possible de la profondeur de champ disponible ; rappelez-vous aussi qu'il vous faudra une vitesse d'obturation relativement élevée si vous choisissez un

Lorsque vous prenez des photos de rue, cherchez des cadrages qui mettent bien la scène en valeur. Le fait d'avoir été se placer derrière les musiciens de cet orchestre cubain a permis au photographe de montrer à quel point la foule appréciait le concert (en haut). Des grands cadrages et des plans serrés se complètent, ne l'oubliez pas. Entrez en contact avec les gens que vous voulez photographier : le sourire de cette marchande dans une rue du Caire est le fruit de quelques minutes de conversation après l'achat d'un beignet.

Robert Caputo

Robert Caputo

Ce bébé, dans sa tenue de baptême immaculée, se découpe avec une étonnante précision sur le fond tandis que la main de sa mère donne l'échelle de sa taille. Méfiez-vous, en mesurant la luminosité du sujet, de ce genre de situation où le blanc domine l'image.

téléobjectif de 135 mm, ou plus, et si le sujet bouge. Un avancement automatique du film peut se révéler utile pour des photos très rapides et discrètes. Évitez d'ailleurs le fill-in flash qui attire vraiment trop l'attention sur vous.

Si les gens vous ont remarqué, souriez-leur avec gentillesse et expliquez-leur ce que vous faites. Dans le cas où vous voulez photographier une personne ou un groupe en particulier, demandez-leur d'abord l'autorisation. Habituellement les réactions ne sont pas hostiles, si vous êtes discret et rapide. Mais quand on prend le temps de s'intéresser à leurs activités, les gens vous acceptent encore mieux et c'est pour vous une façon de repérer tel ou tel élément révélateur à introduire dans l'image. En France, il ne faut pas oublier que pour pouvoir exposer ou publier ce type de photos, il est indispensable d'obtenir une autorisation écrite des personnes photographiées.

Soyez curieux

Dans certaines circonstances, il faut savoir ruser. Il y a quelques années, en Somalie, je voulais photographier des jeunes qui vendaient des denrées volées à des associations humanitaires, mais je savais bien qu'ils m'en empêcheraient. J'ai donc opté pour une focale de 20 mm pour ne pas avoir de problème de mise au point et j'ai préréglé vitesse, diaphragme et distance. Pour ne pas me faire repérer, j'ai placé mon appareil à la taille pensant qu'ainsi ils ne le verraient peut-être pas pendant que je leur parlerais. Aidé d'un interprète, je m'approche d'eux et commence à discuter, une main posée sur l'appareil. Profitant du bruit du marché pour couvrir celui du déclencheur et de l'avancement du film, j'ai réussi à prendre quelques photos en appuyant avec mon pouce. Ce n'est pas facile de photographier dans ces conditions, j'ai cadré un peu au hasard mais, parfois, c'est la seule façon de rapporter une image.

Un bon instantané se fait néanmoins en toute franchise, l'important étant d'être parfaitement détendu et naturel pour que les gens s'habituent à votre appareil et retournent à ce qu'ils faisaient. Mais,

Robert Caputo

avant tout, respectez la sensibilité des gens. Si vous les sentez mal à l'aise ou hostiles, n'insistez pas et éloignez-vous ; bien d'autres photos vous attendent.

Les photos de famille

C'est souvent en famille que nous trouvons nos meilleurs sujets de photos. Nous suivons, appareil à la main, nos enfants depuis la naissance, jusqu'au jour où ils sont eux-mêmes parents, en passant par tous les moments forts de leur enfance et de leur jeunesse. Épouse, parents, grands-parents et autres membres de la famille vont être ainsi photographiés au fil des années pour des anniversaires, des dîners de fête, des randonnées en montagne ou des vacances au bord de la mer. Nous avons tous des quantités de clichés de ce genre, et ce sont nos préférés.

La photo de famille est le meilleur moyen d'acquérir les techniques du portrait et celles concernant les instantanés. Vous connaissez vraiment ces modèles de choix et, eux, ils vous font confiance : ils sont mieux disposés que quiconque à patienter

Ne ratez pas des instants pareils. Un diffuseur monté sur un flash (ou une matière diffusante comme du papier-calque) a permis d'adoucir la lumière et d'éviter les ombres sur le visage ainsi que les yeux rouges.

James Vanhoose

Qu'il s'agisse d'un souvenir mémorable comme ce concours canin, ou tout simplement de la vie quotidienne, soyez à l'affût du moment évocateur. Vous venez de photographier l'alignement des participants, maintenant laissez-vous guider par le hasard. Ici, le photographe a su capter l'instant précis où le chien, en léchant l'oreille de sa jeune maîtresse, a déclenché cet éclat de rire.

pendant que vous multipliez les essais de lumière et d'objectifs. Pourquoi d'ailleurs ne pas décider de faire des portraits de chaque membre de la famille ? Vous pouvez passer d'un style classique à une version plus décontractée en essayant des arrangements différents pour chacun. Lors de vos prochaines vacances familiales, multipliez les photos de votre entourage prises sur le vif, cela ne fera que confirmer votre expérience sur le terrain.

La photo d'enfant

Ayez toujours votre appareil chargé à portée de main car, à tout moment, avec un enfant, il peut y avoir une photo à prendre. Ce sont généralement des instants fugaces dont vous aimeriez vous souvenir. Mettez dans votre appareil un film rapide (400 ISO) pour photographier en lumière normale sans avoir besoin d'installer un flash ni d'attendre qu'il se charge. N'hésitez pas à faire plusieurs clichés de votre enfant, il ne reste que quelques mois un bébé.

William Albert Allard, photographe de la NGS

Robert Caputo

Pendant les matchs, ne vous focalisez pas entièrement sur le terrain ; observez la foule. Ce tout jeune fan était si absorbé par le jeu qu'il n'a même pas remarqué qu'il était photographié. Servez-vous aussi d'éléments graphiques, comme la lance et l'encadrement de la porte qui flanquent ce jeune Kenyan, pour donner de la vigueur à vos photos.

Un flash est très utile à l'intérieur, surtout si vous prenez des photos dans une pièce assez petite. Faites rebondir la lumière du flash au plafond pour un éclairage diffus ou utilisez un fill-in flash. Un seul flash vous laisse plus de mobilité et cette lumière indirecte, moins gênante, ne produit pas d'ombres trop dures. Mais si vous sentez que même ce type de lumière perturbe l'enfant, contentez-vous de la lumière naturelle.

En plein air, il faut prendre en compte l'angle du soleil, les jeux d'ombres et de lumière. Comme pour toute prise de vue extérieure, privilégiez le matin et la fin de l'après-midi, du moins les jours ensoleillés. Attention à ces surfaces réfléchissantes que sont bacs à sable, toboggans et jeux ; souvenez-vous aussi qu'il vous faudra une vitesse d'obturation assez rapide, de 1/250 ou plus, si les enfants sont en train de jouer et de courir. C'est en participant à leurs activités, en jouant au ballon avec eux, en leur racontant des histoires que les enfants s'habituent à vous et

Point pratique

Demandez à un enfant de vous montrer son jouet préféré ; vous le photographierez pendant qu'il fouille dans son coffre et quand il le brandira, fier, avec une expression très photogénique. Et voici qu'il ressurgit dans l'embrasure de la porte, prenez vite votre appareil.

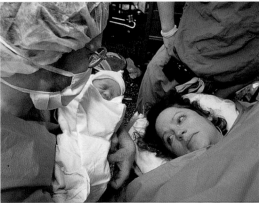

George Mobley   Annie Griffiths Belt

Naissances ou anniversaires sont des moments chargés d'une émotion qu'il faut essayer de traduire. Dans la salle d'accouchement (à droite), la photographe a utilisé un film très sensible et un fill-in flash pour bien éclairer cet instant magique où le couple fait connaissance avec son enfant. Pendant les goûters d'anniversaire, soyez prêt à prendre sur le vif des moments de tendresse comme celui-ci (à gauche).

Point pratique

Multipliez les prises. Pendant un goûter d'anniversaire, les enfants s'intéressent aux nouveaux jouets, mangent les gâteaux avec leurs doigts… Vous en ferez autant pour les fêtes du troisième âge où des parents, qui se sont perdus de vue, s'embrassent et se rassemblent volontiers pour une photo de groupe.

peuvent être complètement détendus en votre présence. Quand vous sortez votre appareil, laissez-les regarder dans le viseur en veillant à leurs petits doigts poisseux ! Ils se lasseront vite et retourneront à leurs jeux tandis que vous les photographierez avec un télé-objectif ou un zoom pour être un peu à l'écart tout obtenant un plan rapproché. Mettez-vous si possible à leur hauteur pour les prises de vue. Moi-même je passe beaucoup de temps à genoux, voire couché à plat ventre, quand je fais des photos d'enfants. C'est la seule façon de saisir leurs expressions et cela permet de voir un peu le monde comme eux.

Les anniversaires

Les images traditionnelles que nous cherchons tous à faire de la bougie soufflée, des cadeaux déballés et de la petite frimousse pleine de chocolat, demandent à être saisies au vol, alors ne ratez pas cet instant.

Pour capturer le moment précis où les bougies sont soufflées, choisissez un bon emplacement. Si

Jodi Cobb, photographe de la NGS

vous êtes à l'intérieur, utilisez la lumière ambiante, un fill-in flash ou un flash permettant l'éclairage indirect par réflexion de la lumière sur le plafond. Pour que les flammes des bougies apparaissent sur la photo, préférez une vitesse d'obturation lente (1/30 ou encore plus lente suivant la sensibilité du film). Vous aurez peut-être besoin d'un pied pour stabiliser votre appareil.

Prenez une photo juste à l'instant où les joues de l'enfant sont gonflées et les bougies encore allumées, une autre lors de l'extinction des flammes et une dernière, juste après, pour saisir l'expression ravie de l'enfant. Si c'est l'anniversaire d'une personne plus âgée, le nombre plus grand de bougies sur le gâteau vous permettra peut-être de faire la photo sans flash. Changez de cadrage pour avoir l'ensemble des enfants autour du gâteau, leurs yeux brillants d'excitation.

Maintenant c'est le moment tant attendu d'ouvrir les cadeaux. Soyez prêt à saisir la joie de l'enfant quand le nouveau jouet lui apparaît dans un grand froissement de papiers déchirés. Captez aussi les réactions, plus discrètes, du généreux donateur. Enfin, après le

Vous aurez une excellente photo-souvenir d'une remise de diplômes en vous plaçant face aux héros du jour.

Point pratique

Cette abondance de tenues noires va fausser la mesure. Pour corriger l'exposition, effectuez la mesure en vous aidant de l'un des visages ou d'une carte gris neutre.

George Mobley

Allez, si c'est possible, dans les coulisses pour assister aux préparatifs du mariage. Les meilleurs amis et les familles du couple seront là et vous aurez sûrement d'amusantes photos à prendre. À l'intérieur, chargez votre appareil d'un film très sensible et utilisez un fill-in flash si c'est nécessaire. À l'extérieur, servez-vous de films peu sensibles pour privilégier la qualité des couleurs et la finesse du grain.

goûter, faites d'autres clichés du héros de la fête au milieu de tous ses cadeaux.

Les remises de prix

Les autres sources de photos traditionnelles sont les remises de médailles, de coupes ou, plus rares en France, de diplômes. Ces photos sont sympathiques, car elles reflètent toujours un temps fort et une grande joie familiale ; c'est l'occasion de saisir la fugitive expression de fierté sur les visages des parents ou l'émouvante accolade de vieux copains. Pour prendre une bonne photo de votre enfant à l'honneur, il vous faudra probablement un téléobjectif ; vous guetterez alors le bon moment – quitte à avancer discrètement, pour ne pas gêner les autres personnes – puis, après avoir rapidement pris votre photo, regagnez votre place.

Les mariages

Le mariage est l'événement de la vie le plus photographié et celui qui s'y prête le mieux, alors n'hésitez pas à y consacrer des mètres de films. Comme le déroulement en est assez facilement prévisible, abordez cet événement comme un reportage et programmez tout ce que vous aurez à photographier en prévoyant les angles de prises de vue.

Vous allez avoir à faire des photos sur le vif et des portraits, pour la plupart à l'intérieur. Certaines photos seront même difficiles à prendre car, en général, l'intérieur des édifices religieux est assez sombre ; aussi les films rapides sont-ils les mieux adaptés, car ils tolèrent une plus grande diversité de temps de pose et peuvent s'utiliser dans des conditions de faible luminosité. Vous pouvez vous en servir la veille du jour J s'il y a un dîner, puis pendant la réception elle-même. Avec ce genre de films, si vous travaillez avec un flash électronique, vous avez besoin de moins de puissance et l'énergie inutilisée est récupérée.

Le reportage, qui peut déjà avoir commencé avec l'enterrement de la vie de célibataire, se poursuit avec

Point pratique

Il faut avoir décidé à l'avance de l'endroit où vous voulez faire les photographies officielles de la noce pour gagner du temps, car tout le monde sera pressé de se rendre à la réception.

George Mobley

Jeunes et vieux assistent à la cérémonie du drapeau pour le *Memorial Day,* si chère aux Américains. Pendant ce genre de commémoration, privilégiez les moments qui symbolisent le mieux l'esprit de la fête et mettez l'accent sur les liens qui unissent les participants.

Richard Nowitz

N'ayez pas peur du noir ! Cette photo d'enfants en train d'allumer un chandelier n'est éclairée que par les bougies. Le photographe a fixé sur un trépied un appareil doté d'un déclencheur souple et, la mesure de l'exposition se faisant automatiquement, il s'est contenté de demander aux enfants de ne pas bouger.

la mariée entourée de ses demoiselles d'honneur en train de se préparer. Alternez les photos prises sur le vif et celles où vous faites poser les héros du jour : le marié marchant de long en large, la mariée à la fenêtre. À l'intérieur, utilisez un film rapide et combinez suivant les besoins, lumière ambiante, fill-in flash et flash indirect. Méfiez-vous en photographiant la mariée : la blancheur de la robe risque de fausser la mesure tout comme peuvent le faire les tenues sombres des messieurs de la famille.

Demandez l'autorisation de photographier dans l'église et évitez d'utiliser des flashes. Prenez une photo de la mariée remontant la nef, puis installez-vous sur le côté pour photographier la cérémonie.

Le meilleur moment pour les photos de groupe est la sortie de l'église ou juste avant la réception. Il vous faut une photo des mariés, une autre où ils posent avec leurs parents, une autre encore avec tout le cortège des enfants d'honneur, puis une dernière en compagnie de leurs témoins. Dès que vous êtes dehors au soleil, le problème de la lumière se pose : si la journée est bien avancée, un soleil rasant peut se révéler idéal mais, plus tôt dans l'après-midi, installez tout le monde à l'ombre et, si l'arrière-plan est très lumineux, utilisez un réflecteur ou un fill-in flash.

Pendant la réception, faites des photos des mariés découpant la pièce montée, applaudissant les discours ou sablant le champagne et soyez à l'affût de tous les moments émouvants, poétiques ou amusants de cette journée : la mariée dansant au bras de son père, les larmes de la mère, le chahut des copains, les jeux des enfants…

Les vacances

Les vacances fournissent toutes sortes d'images : la vie de tous les jours prise au vol avec ses jeux de plage, ses compétitions sportives, ses fêtes, son intimité familiale et ses photos de groupe. Pour ne rien manquer de tout cela, gardez votre appareil à portée de main et soyez sans complexes ; tout le monde prend plaisir à être photographié entouré des siens. Essayez de dégager ce qui fait l'ambiance de vos vacances et mettez l'accent là-dessus pour en immortaliser le souvenir.

Noël

Le soir du réveillon ou au petit matin du jour de Noël, il faut que vous soyez prêt à prendre la photo de vos enfants débarquant dans le salon ou votre chambre pour voir ce que le père Noël leur a apporté. Vous aurez besoin à la fois d'un film rapide et d'un flash d'appoint ou indirect pour suivre les enfants et capter leurs réactions.

Avant l'ouverture des cadeaux, vous aurez pris une photo de famille devant le sapin illuminé après avoir éteint toutes les lumières de la pièce. Fixez votre appareil sur un trépied ou tout autre appui et faites une pose longue (f/2,8, à 1/8 environ) pour que les bougies sur l'arbre « brûlent » vraiment en ajoutant un éclairage indirect sur l'ensemble de la scène par réflexion d'un flash sur le plafond.

Point pratique

Avec un film très rapide vous avez besoin de beaucoup moins de puissance de flash et l'énergie inutilisée est recyclée plus rapidement pour les photos suivantes ; vous pouvez aussi utiliser une ouverture de diaphragme plus petite (f/11 ou f/8 par exemple) pour avoir une plus grande profondeur de champ, ce qui permet une bonne mise au point sur tous les invités à table.

Point pratique

Soyez prêt à saisir l'expression de joie prévisible d'un enfant qui ouvre son cadeau puis se jette au cou de sa maman.

ANNIE GRIFFITHS BELT
À la rencontre des autres

Yossi Aloni Maariv

EN TANT QUE PHOTOGRAPHE DE MAGAZINE, Annie Griffiths Belt s'intéresse à des sujets très divers, qui vont des sites archéologiques aux paysages, en passant par la géographie sociale. L'un de ses points forts est sa faculté de photographier les gens dans leurs activités quotidiennes. «Que ce soit pour le NATIONAL GEOGRAPHIC ou pour un livre, j'essaie toujours de rendre mes photos très humaines, dit-elle, c'est ce qui permet au lecteur de s'impliquer. Le côté "belles-photos-de-papier-glacé" ne me satisfait pas. J'essaie d'ajouter une autre dimension à mes clichés.» Annie Belt est toujours en quête d'une relation privilégiée avec ses sujets et s'en explique : «Dès qu'une scène devient intéressante, je m'approche discrètement le plus près possible et, si les gens réagissent, leur souris et leur fais comprendre, au besoin par gestes, mes intentions amicales. Il m'arrive aussi de m'arrêter et de leur parler, s'ils comprennent l'anglais ; je les félicite pour la qualité de leur travail, puis leur demande de reprendre ce qu'ils faisaient. Après un court instant où ils manquent de naturel, ils m'oublient.»

Annie Belt est consciente que beaucoup de gens sont mal à l'aise pour photographier des inconnus ; mais, selon elle, c'est leur propre peur des autres qui s'exprime quand ils disent : «Je ne veux pas déranger ou troubler ces gens.» Or, toujours d'après elle, les personnes photographiées ressentent rarement cela comme une agression de leur vie privée. «Les médias ne poursuivent que rarement les paysans, les coiffeurs ou les routiers de leurs flashes. En revanche, si vous

Annie Griffiths Belt (à gauche, avec son mari et leurs enfants) a préféré avancer dans les eaux du Jourdain pour photographier ce baptême avec un zoom de 20-35 mm plutôt que de faire les prises

de vue depuis la rive avec un téléobjectif. Parce que, selon elle, «c'est lorsque vous êtes suffisamment près des gens pour sentir leur chaleur que vos photos pourront vraiment la traduire.»

leur prêtez attention, ils se sentent valorisés et les photographier sera une belle façon de les "reconnaître"; c'est à vous de rendre cet échange enrichissant.»

Dans les ateliers de photographie qu'elle anime, Annie Belt ne veut pas que ses élèves travaillent systématiquement avec de longues focales: «J'insiste pour qu'ils s'approchent de leur sujet et j'essaie de leur inculquer qu'un contact humain est à ce prix; les photos prises au téléobjectif n'auront jamais le caractère d'humanité, encore moins d'intimité, que je recherche avant tout.»

Dans la presse, l'armée israélienne est habituellement montrée dans un contexte violent et tragique. Dans le reportage qu'elle a fait sur Jérusalem, Annie Belt voulait sortir de ces stéréotypes. Pour mettre l'accent sur l'aspect humain de ces soldats, souvent très jeunes, elle a réussi à ne pas se faire remarquer et à prendre cette image très éloquente.

À l'étranger, il est rare qu'elle se fasse accompagner d'un interprète, préférant un contact direct avec la population. Elle apprend donc les rudiments de la langue, parle avec les mains ou fait des croquis pour expliquer ses intentions au sujet des photos. Dans un village africain, il lui arrivera d'embrasser les enfants et de leur parler en anglais tout en sachant qu'ils ne la comprennent sans doute pas, mais « il n'y a pas de pays où l'on ne puisse dire à une mère, "quel beau bébé!" sans qu'elle comprenne. C'est ce genre de communication, cette forme de présence, qui leur parle, beaucoup mieux que les paroles d'un interprète. »

Souvent seule sur le terrain, Annie Belt sait bien que beaucoup de gens s'inquiètent pour elle, mais en réalité elle se sent plus en sécurité que ne pourrait l'être un confrère : « Étant femme, vous paraissez tout à fait inoffensive ; moi, j'essaie de rester discrète et je "file" dès que la situation devient critique », avoue-t-elle. Elle explique aussi à ses élèves que, dans certains pays, la femme occidentale est méprisée pour sa liberté de mœurs, il faut en être averti et s'informer le mieux possible à ce sujet. De fait, le plus gênant, dans les pays musulmans, est l'interdiction pour les femmes d'accéder aux mosquées. «J'ai pris le parti de tourner cela à mon avantage, ironise-t-elle. Dans ces huis clos féminins, j'arrive à prendre des photos que jamais aucun homme ne pourrait obtenir.»

Annie Belt fut l'une des premières femmes à travailler régulièrement sur le terrain pour le NATIONAL GEOGRAPHIC. Elle a commencé sa carrière il y a une vingtaine d'années à une époque où peu de journaux auraient confié à une femme un reportage sur un lieu sensible. Après cinq ans de collaboration pour divers articles, Annie Belt fut envoyée pour la première fois au loin et n'a cessé depuis de faire des photos pour des reportages aux quatre coins du globe. Lorsque le reportage est censé durer, elle emmène avec elle ses deux enfants, s'installant dans un logement à proximité de son lieu de travail. Une baby-sitter s'occupe des enfants et les aide dans leur programme scolaire. Son mari, Don Belt, collaborateur à la rédaction du NATIONAL GEOGRAPHIC, les rejoint pour les vacances, si bien que la famille est rarement séparée plus d'un mois.

Les reportages importants demandent souvent, en plus de longs mois de travail, des recherches approfondies. Annie Belt voit cela comme un investissement nécessaire pour obtenir de bonnes photos. «Je perds rarement mon temps à des images banales, parce que je sais que le NATIONAL GEOGRAPHIC ne les publierait pas. Pour accrocher le regard et provoquer une émotion, il faut avoir travaillé chaque photo en profondeur.»

Au cours des stages de photo qu'elle anime, elle a remarqué que la plupart de ses étudiants ne comprennent pas vraiment le sens du mot «travail». «Comme la photo est accessible à tous, c'est rare qu'ils réalisent la difficulté qu'il peut y avoir à réussir une excellente image. Ils sont attirés par les lieux exotiques, la "couleur locale"; mais l'important c'est d'aller au-delà du sujet pour créer des images fortes et techniquement réussies, qui sont en mesure d'évoquer véritablement un lieu, une population ou un individu.»

On lui demande souvent quelle impression cela lui fait d'être reconnue comme un des grands photographes du NATIONAL GEOGRAPHIC, ce à quoi elle répond : « Il faut bien sûr avoir du métier et suffisamment de créativité pour "jouer" avec la technique, mais aussi de l'humour, de la curiosité, du sang-froid avec, surtout, une capacité à dépasser ses propres limites. »

Elle admet qu'il n'est pas évident d'imposer son style dans ce métier et que son évolution est le fruit d'une longue pratique. « Je remarque maintenant des choses que je ne voyais absolument pas il y a une vingtaine d'années. On finit par être en phase avec tout un ensemble d'éléments qui, liés les uns aux autres, font que tout s'ordonne comme une sorte de chorégraphie. Vous percevez un frémissement, un petit miracle sur le point d'arriver, un changement de lumière ; on développe une sensibilité particulière à force d'avoir l'œil rivé sur le viseur depuis tant d'années. »

Peter Burian

Adepte des appareils manuels, Annie Belt fait des photos, comme celle-ci, qui ne doivent rien à l'automatique ; ici, elle a utilisé un posemètre pour obtenir ainsi une exposition correcte du film, puis elle a mis au point et réglé l'ouverture du diaphragme (f/8) pour avoir la profondeur de champ voulue avec une vitesse d'obturation de 1/60 qui suffit à donner une image nette.

Les conseils d'Annie Griffiths Belt

■ Certains aiment le côté ludique de la photo avec tout le matériel et les accessoires, d'autres préfèrent créer des images. Je crois qu'il faut combiner les deux, la technique et l'art. En ne pensant qu'au matériel, vous risquez d'en rester prisonnier.

■ Apprenez à être plus exigeant sur le plan de la composition, mais s'il se passe quelque chose, n'hésitez pas.

■ Apprenez à effectuer la mesure de la lumière au lieu de vous reposer sur un réglage automatique du diaphragme et de la vitesse. Créez des images en mêlant la lumière et les réglages selon ce que vous avez décidé d'exprimer.

■ La direction, la qualité, la couleur de la lumière et la façon dont celle-ci éclaire le sujet ont souvent beaucoup plus d'importance que la luminosité elle-même. Dans bon nombre de photos de paysages, il manque surtout un sens de la lumière. Comme vous pouvez acquérir une meilleure oreille à force de faire de la musique, vous maîtriserez mieux la lumière après de longues années de photographie.

■ N'oubliez pas que si vous avez choisi telle ou telle ouverture de diaphragme, c'est pour obtenir un effet précis.

■ Si le photojournalisme vous intéresse, apprenez à donner vie par vos images au texte d'un article. Parfois il suffit d'une seule photo, mais c'est plus gratifiant d'illustrer l'ensemble en faisant un reportage fouillé.

L'ARCHITECTURE

Cherchez des motifs géométriques à vos photos architecturales. Même s'il est habituellement préférable d'éviter de centrer le sujet principal, la photo s'en trouve parfois magnifiée comme, ci-contre, la mosquée d'Ibn Touloun du Caire; la symétrie créée par les arches, les allées en forme d'étoile et cette unique silhouette en premier plan donne une force particulière à cette image qui, par son graphisme, évoque une cible.

RIEN N'ÉVOQUE MIEUX UNE VILLE que ses monuments, les vieux quartiers de Paris, de Londres, de Rome, de Prague, les gratte-ciel de Manhattan… Que vous soyez en reportage ou en vacances dans une ville lointaine, l'important est de rendre à travers vos clichés l'esprit du lieu.

Dans ce type de photos – de votre maison comme d'un monument célèbre – ayez la même approche que pour des paysages : qu'est-ce qui vous intéresse ? Qu'est-ce qui vous pousse à prendre la photo ? Chaque bâtiment a son propre caractère : manoir confortable, maisons contemporaines, façades miroitantes… Une fois définie la spécificité à valoriser, cherchez l'angle et la lumière qui s'y prêtent le mieux.

Exploitez tous les apports possibles : des passants donnent une échelle de taille à un monument et lui insufflent de la vie, la beauté d'une allée harmonise une photo de château, une statue dans un écrin de fleurs s'enrichit de couleurs… et n'ayez pas peur des effets de perspective. Avec un téléobjectif, vous pouvez isoler tel bâtiment, tel élément architectural ou telle enfilade de devantures de magasins colorées. Partez à la recherche de détails frappants : un gros plan d'une ferronnerie ouvragée, des reflets sur une immense baie vitrée peuvent être très évocateurs sur le plan architectural. Au cœur des villes, pour prendre un bâtiment dans son ensemble, il vous faut généralement un grand-angle et un angle de vue dirigé vers le haut ; cela provoque des altérations de perspective qui, en faisant converger les verticales, confèrent au bâtiment une distorsion en clé de voûte. Vous pouvez utiliser cet effet optique pour accentuer, par exemple, la puissance d'une tour. Cependant, si cette distorsion est exagérée ou si vous voulez une idée exacte du bâtiment, servez-vous d'un appareil pour la photographie architecturale, un grand format ; plus

Robert Caputo

simplement, l'emploi d'un objectif à décentrement sur le boîtier reflex permet aussi de contrôler perspective et netteté de l'image sans incliner l'appareil. Le plan du film est ainsi maintenu parallèlement au plan du sujet et il n'y a pas de distorsion. L'autre solution pour ce type de prises de vue est de se positionner en face du bâtiment mais en hauteur ; il est souvent possible d'obtenir l'autorisation de photographier depuis un appartement ou un bureau, parfois il y a des accès par des escaliers extérieurs et, si vous n'avez pas le vertige, vous avez toujours la solution des toits !

Les longs téléobjectifs ne peuvent se passer d'un support stable, indispensable pour des temps de pose importants, à l'aube ou au crépuscule. Essayez de photographier une rue animée aux heures de pointe avec une vitesse lente, 1/15, par exemple : passants et voitures seront des ombres floues à travers une sorte de canyon de façades et, à une vitesse plus lente encore, les phares des voitures se transforment en traînées de lumières blanches et rouges.

Point pratique

Utilisez un filtre polarisant pour photographier une architecture moderne où le verre est prédominant pour éviter les reflets gênants et accentuer les contrastes entre les couleurs des bâtiments et le ciel.

Voici trois photos d'Asmara en Érythrée ; l'angle est le même, mais la lumière – en fin d'après-midi, au petit matin et à la tombée de la nuit – change radicalement l'ambiance. Il ne vous reste plus qu'à choisir la meilleure heure pour la prise de vue que vous souhaitez. Ici, c'est la dernière : la ville semble surgir de la lumière avec, à ses pieds, le flot des voitures comme un torrent de lumière.

Les paysages urbains

Photographier la découpe de l'horizon est l'un des meilleurs moyens de rendre l'esprit d'une ville. Partez en repérage pour découvrir les endroits d'où vous aurez une vue panoramique, souvent les cartes postales ou les brochures touristiques vous les suggèrent. Déterminez ensuite quelle heure de la journée offre la belle lumière. Peut-être y a-t-il des angles où le soleil, en se couchant ou se levant, perce au milieu des immeubles ? Puis, après avoir testé dans votre viseur, choisissez l'objectif qui conviendra le mieux à la vue d'ensemble que vous voulez faire.

Certaines des plus belles photos peuvent être prises à l'aube ou au coucher du soleil quand les monuments se découpent sur un ciel coloré. Il vous faudra, là aussi, un trépied pour un long temps de pose et un déclencheur souple ou télécommandé pour éviter toute vibration. Effectuer la mesure peut se révéler assez délicat, surtout si le ciel s'obscurcit. Il est peut-être d'ailleurs plus prudent de ne pas se fier au posemètre de l'appareil et de sous-exposer un

Robert Caputo

peu, en n'hésitant pas à recourir au bracketing, pour obtenir au moins une exposition idéale. Tous les films perdent de la sensibilité (ou vitesse) quand les temps de pose durent plusieurs secondes ou plus, aussi reportez-vous au tableau de l'effet de réciprocité (*voir* p. 261) fourni par le fabricant pour vous aider à déterminer la correction de la vitesse d'obturation en fonction de la sensibilité de votre film.

Monuments et hauts lieux touristiques

Quand vous êtes dans des sites aussi prestigieux que le Colisée ou le Parthénon, cela paraît évident de les photographier, même si c'est un peu intimidant au regard du nombre de vos prédécesseurs. Examinez néanmoins les cartes postales ou les photos des guides touristiques et vous verrez à quel point la plupart d'entre elles sont stéréotypées. Et pourquoi pas d'ailleurs ? Vous sacrifierez vous-même à ces poncifs, puis vous chercherez quelque chose d'un peu différent, un angle original, un arrière-plan surprenant. Guettez tout événement fortuit comme une équipe de balayeurs dans le Colisée ou un gamin agrippé à une statue et faites entrer dans le cadrage vos compagnons de voyage ; ils donneront à la fois l'échelle et la dimension humaine requise à ce genre de photos.

Quand vous photographiez un monument, réfléchissez à tout ce qu'il représente symboliquement,

Point pratique

Faites attention aux teintes des bâtiments que vous photographiez, s'ils sont anormalement clairs ou foncés, vous risquez des erreurs d'interprétation du posemètre.

Robert Caputo

Pensez toujours à l'effet que vous voulez suggérer grâce à l'image. L'imposant tombeau d'Hatshepsout à Deir el-Bahari, par exemple, a un aspect plus sépulcral dans le rougeoiement du coucher du soleil qu'en plein midi.

prenez conscience de sa richesse architecturale et essayez de suggérer tout cela à travers votre image. Si vous comparez, par exemple, le Panthéon, situé en plein paysage urbain, au Sacré-Cœur perché sur sa colline, le premier apparaît compact comme un cube tandis que le second, grâce à la rondeur de son dôme, semble plus humain. Il est donc plus judicieux de photographier le Panthéon de face, pour accentuer son côté imposant tandis que le Sacré-Cœur peut gagner à être pris latéralement avec au premier plan le parvis.

Une statue d'un soldat érigée sur le monument aux morts de la place d'un village sera plus impressionnante par temps de brouillard, tandis que la majesté de l'Arc de triomphe sera valorisée par un grand ciel bleu. Le Mont-Saint-Michel s'enveloppera de son mystère dans la brume et le brouillard mais resplendira dans les rayons de soleil couchant.

Essayez de visiter tous ces monuments à différentes heures de la journée pour voir comment le soleil les éclaire ; beaucoup d'entre eux ont d'ailleurs des illuminations nocturnes qui permettent des photos spectaculaires au crépuscule. Là aussi vous aurez besoin d'un pied pour le temps de pose et, comme la mesure de la lumière sera pratiquement impossible avec certitude, un bracketing vous garantira au moins une photo correctement exposée.

Imaginez des façons originales de photographier les sujets les plus exploités.
Ces deux images représentent des touristes «devant» les pyramides de Gizeh :
celle où ils défilent à dos de chameau est un vrai poncif, l'autre est plus étonnante
avec cette vision de la piscine en premier plan et de l'hôtel de luxe.

Robert Caputo

Nathan Benn

Jodi Cobb, photographe de la NGS

Cadrez votre image de façon à rendre votre sujet le plus évocateur possible. La solennité de cette demeure historique est accentuée par un cadrage de face et par un double éclairage venant de la fenêtre, du lustre et des lampes. À droite, en revanche, la composition, centrée sur les courbes, en valorise le volume et la modernité de l'architecture.

Les photos d'intérieur

Déterminez ce qui fait l'intérêt de cette pièce et les moyens à mettre en œuvre pour le traduire. Est-ce la manière dont la lumière entre à flots par la fenêtre, la disposition du mobilier, l'imposante cheminée ? Trouvez en tout cas un cadrage capable de valoriser ce qui vous a frappé à l'œil nu et incité à prendre cette photo.

La luminosité est le facteur principal pour ce genre de clichés, utilisez la lumière naturelle ou l'éclairage habituel, ou bien des lampes ou des flashes pour privilégier une partie de la pièce. Mettez-vous en harmonie avec le lieu : si c'est un bureau moderne avec de vastes baies vitrées, votre photo sera forcément très lumineuse ; en revanche, dans un salon surchargé de fauteuils capitonnés du XIXᵉ siècle, l'aspect compassé peut être accentué. À certaines heures de la journée, la lumière qui se déverse de la baie du bureau risque d'être trop violente et vous pouvez préférer qu'elle arrive de façon indirecte ; quant au salon, il peut avoir besoin d'être fortement éclairé.

Si vous souhaitez inclure dans la photo l'éclairage électrique habituel de la pièce, choisissez un film spécial, équilibré pour le tungstène, ou remplacez les ampoules par des modèles à usage photographique de la température de couleur voulue qui donnent une luminosité plus forte ; cela peut aussi être un choix de photographier ce salon avec la lumière habituelle et chaude de ses lampes en y ajoutant éventuellement une lumière indirecte ricochant du plafond ou un réflecteur pour accentuer certains détails. Faites néanmoins attention à ne pas exagérer l'apport de lumière et sous-exposez de la valeur d'un diaphragme ou plus, comme vous le feriez avec un fill-in flash.

Si vous prenez des photos pendant la visite guidée d'un monument historique, vous serez obligé de faire de votre mieux en respectant le rythme du groupe et sans pouvoir utiliser ni flash ni trépied, généralement prohibés. Il ne vous reste plus qu'à utiliser un film très rapide et à tenir votre appareil de la façon la plus stable possible.

Durant vos promenades, à l'affût de quelques bonnes photos à glaner, repérez les sujets qui frappent votre imagination. J'avais remarqué ce motif sculpté au-dessus d'un portail à La Havane (en dessous, à droite) mais, comme le manque de soleil ce jour-là ne le mettait pas en valeur, j'y suis retourné pour le photographier avec un meilleur éclairage.

Robert Caputo

JAMES STANFIELD
L'histoire au présent

Sisse Brimberg

James Stanfield, photographe du NATIONAL GEOGRAPHIC, admet qu'il exagère souvent : il n'hésite pas à faire des milliers de photos pour n'en retenir qu'une. Il peut donc rester très longtemps sur ses sujets, qu'il s'agisse d'une tribu ou bien d'un individu, pour saisir une attitude particulièrement authentique ou bien un moment de grâce. Faire systématiquement beaucoup de clichés fait partie de sa technique. « C'est ma façon d'aller à l'essentiel et de me débarrasser de toute idée préconçue pour traduire la personnalité du sujet. »

Quant aux photos de paysages et d'architecture, il les conçoit en termes vigoureux : « Ce qui compte ce n'est pas seulement l'expression d'un lieu, mais son interprétation ; c'est l'œil du photographe qui est important et son travail de création pour le valoriser. » Pour y parvenir, il teste différents objectifs et prend des photos à différents moments de la journée en tirant le maximum d'effets de l'ombre et de la lumière. Il considère d'ailleurs qu'il a réalisé ses photos les plus authentiques par mauvais temps. Selon lui, « la pluie et le brouillard ajoutent à l'image une aura mystique que l'artiste recherche toujours ».

Comme la mobilité est un facteur essentiel sur le terrain, il essaie de ne pas s'encombrer de plus de deux appareils, des boîtiers Nikon N90, d'un zoom 20-35 mm, un autre couvrant des focales de 80 à 200 mm

Pour des sujets difficiles et des conditions peu évidentes, comme cette guillotine dans un local exigu et éclairé par plusieurs fenêtres, il faut prévoir un matériel spécial. James Stanfield (à gauche), afin de parer à toute éventualité, se déplace donc avec un équipement photo important. Pour cette spectaculaire image illustrant la Révolution française, il a mis en œuvre dix petits spots qui créent des ombres et des lumières très contrastées. Par ailleurs, il a choisi d'utiliser un film spécial, équilibré pour le tungstène, dont la teinte bleutée produit cette atmosphère glaçante…

Quand James Stanfield prend des gens en photo, il passe souvent des heures à les suivre et à traquer «la» bonne photo sans jamais se laisser distraire. Ici, sa concentration lui valut de capter la spontanéité de ces quelques instants de grâce: il est très rare que des signes d'affection s'expriment entre Bédouins.

et un dernier de 28-70 mm. Sa veste de reporter déborde de films Kodachrome 200 et Fujichrome 100 et 50, et il transporte aussi un objectif supplémentaire, un super grand-angle de 18 mm pour photographier des ensembles architecturaux imposants. Il fait généralement tous les réglages de mise au point et de flash manuellement, ne se servant de l'automatisme que dans des cas extrêmes: l'autofocus pour la rapidité d'exécution de certains clichés et un posemètre automatique incorporé pour capter les alternances de lumière dans un marché. La carrière de photographe de Stanfield a fait l'objet d'un livre en 1999 par NATIONAL GEOGRAPHIC intitulé *Un regard sur le monde* qu'il résume ainsi: «J'y raconte mon expérience professionnelle au NATIONAL GEOGRAPHIC et les mondes que j'ai eu la chance de découvrir grâce à la photo.»

Une des grandes forces de Stanfield est sa capacité à évoquer le passé. Il se sert de ses contemporains pour faire revivre les civilisations anciennes. «Si l'article parle d'un empire ou d'un monde dont il ne nous reste que des ruines, je tente de leur rendre vie en introduisant des éléments humains », explique-t-il. La clé du succès réside donc dans la découverte de l'endroit idéal où les autochtones, peu touchés par la modernité, ont gardé, outre leurs costumes traditionnels, des méthodes agraires et des moyens de transport antiques.

Parti sur les pas d'Alexandre le Grand, par exemple, il décrit son périple jusqu'à Gwadar, au Pakistan. « Cette région est, encore maintenant, sillonnée par des caravanes de chameaux ; je me suis donc mêlé à elles et j'ai pu observer de près les visages immuables de ces chameliers, burinés par le soleil et l'âpreté de leur vie. Leurs ancêtres, il y a des milliers d'années, devaient présenter les mêmes traits. »

Si James Stanfield fait des photos de rue, il multiplie aussi les prises malgré la difficulté qu'il rencontre souvent au milieu de la foule. « Je ne passe pas inaperçu ; c'est incroyable tout ce que les gens lisent dans votre regard, vos expressions ou vos attitudes », note-t-il. Quelquefois, il photographie des gens à leur insu, puis s'en approche pour leur expliquer le sens de son travail. Mais, quand il fait un reportage, Stanfield dépasse ce stade de l'instantané et se plonge alors dans l'intimité de la vie quotidienne de ses sujets. Cela peut le mener à partager l'existence d'une communauté de Bédouins pendant des semaines.

Il avoue ne pas être polyglotte pour autant. « Tout dépend du caractère de chacun, dit-il. Les gens vous testent à votre façon de vous comporter avec les enfants, à votre aisance pendant leurs repas et à votre capacité à dormir comme eux, enroulés dans une couverture sous la tente. » Il prend quelques photos pour briser la glace, avec beaucoup de discrétion quand il s'agit des femmes et leur montre des exemplaires du magazine NATIONAL GEOGRAPHIC. Dans les communautés où les croyances et les interdictions religieuses sont fortes, il fait preuve de toute la réserve nécessaire et se conforme aux usages. « Ils finissent par se rendre compte que vous ne leur voulez pas de mal, que vous ne constituez pas une menace et que vous n'êtes que de passage, alors ils s'apaisent, reprennent leurs occupations, et les photos prises dans ces conditions sont très gratifiantes. »

James Stanfield pense avoir donné le meilleur de lui-même en 1990 pour l'article (paru en décembre 1991) sur Ibn Battuta, le grand voyageur de l'Islam qui parcourut l'Asie et l'Afrique au XIVᵉ siècle. « C'est la meilleure séquence de photos que j'ai jamais remise à un rédacteur et, en plus, ce travail m'a laissé un souvenir extraordinaire, commente-t-il. Je me suis même dit à l'époque : "Voilà ma raison d'être photographe pour le NATIONAL GEOGRAPHIC." » Après cette série de photos qui établit sa réputation de spécialiste de l'histoire, de nombreux reportages de ce type lui furent confiés dont, tout récemment, un article dans trois numéros successifs sur la Grèce antique, publié fin 1999 et début 2000.

Peter Burian

Stanfield assista à plusieurs longues journées de répétitions à Tel Aviv avant de réussir à capter cette attitude, toute d'abandon et de sensualité, du couple de danseurs. Il voulait faire une image à la fois esthétique et évocatrice, il a donc préféré se passer de flash et a choisi un film rapide (800 ISO).

Les conseils de James Stanfield

■ En arrivant sur un site, sélectionnez les meilleures cartes postales et les guides les mieux pourvus en photos. Si la lumière est mauvaise, revenez à l'aube ou au crépuscule. Cherchez des angles de vue inhabituels. Mais, surtout, soyez patient.
■ La lumière est le principal outil du photographe. Profitez pleinement d'un lever ou d'un coucher de soleil et même des intempéries. Si vous êtes en voyage avec un groupe, retournez seul aux endroits les plus beaux. C'est tôt le matin que la nature est la plus belle et vous pouvez avoir de bonnes surprises : pluie, neige, givre ou brouillard et, parfois, une belle luminosité.
■ Si vous êtes en quête de couleur locale, partez à la découverte d'un marché. C'est là, à l'aube, que vous trouverez des gens en costume traditionnel.
■ Si vous vous servez d'un flash à l'intérieur, utilisez cette source de lumière de façon indirecte – en la faisant rebondir sur un matériau réfléchissant. Le flash doit améliorer la lumière principale sans la concurrencer, vous pouvez donc mettre une gélatine ambre sur la lampe du flash pour équilibrer la température de la couleur avec celle des lampes. Et si la lumière vient de la fenêtre, un fill-in flash peut être une source lumineuse supplémentaire pour un temps de pose important ou pour éclaircir les ombres.
■ Allez au bout de votre passion. Faites des recherches, posez des questions, levez-vous tôt, veillez tard et surtout restez à l'affût de tout événement fortuit.

FESTIVALS, DÉFILÉS ET MANIFESTATIONS SPORTIVES

Utilisez à la fois des grands-angles et des téléobjectifs. Les premiers donneront une idée d'ensemble de l'événement et de son contexte, tandis que les téléobjectifs cadreront tel char fleuri, tel joueur de tambour ou tel personnage costumé pour donner la touche de fantaisie voulue.

FESTIVALS, DÉFILÉS et manifestations sportives en tous genres sont des occasions rêvées de photos hautes en couleur. Que vous soyez au carnaval de Venise ou de Rio, à un corso fleuri ou à un match du club de foot local, votre emplacement sera déterminant. Il faut évidemment bien voir pour bien photographier.

Faites un repérage la veille et suivez, à pied ou en voiture, le parcours du cortège pour sélectionner les endroits-clés. Soyez sur place suffisamment tôt, le jour J, pour être bien situé. Les coins de rue sont souvent intéressants, car chaque groupe en tournant laisse le champ libre au suivant et permet une photo. Si vous avez le temps, prévoyez deux emplacements pour vos prises de vue : dans la rue mais aussi du haut d'un balcon, d'une fenêtre ou de gradins. Dans le premier cas, n'hésitez pas à vous agenouiller ou même à vous allonger pour prendre, par exemple, un défilé de majorettes, tandis que, de votre « perchoir », vous aurez une vue d'ensemble. Quand c'est possible de l'obtenir, un programme de la manifestation vous aidera à choisir l'objectif adéquat en fonction du groupe qui passe.

Des dizaines de mains se tendent vers un char de Mardi Gras à la Nouvelle-Orléans. Cherchez, comme ici, à traduire l'enthousiasme du public quand vous photographiez ce type de manifestations.

Priit Vesilind

James Blair

Vous êtes, dans ce genre de situation, très dépendant de la lumière : elle est correcte, tant mieux, sinon, contentez-vous-en. S'il y a du soleil, essayez de prévoir d'après vos repérages de la veille où il sera pendant les prises de vue ; mais sachez que de grands immeubles peuvent jeter des ombres importantes dans les rues dès le matin et sélectionnez un film suffisamment rapide pour bien saisir toute l'agitation et l'exubérance de ces manifestations.

Si vous photographiez un festival ou un défilé militaire, arrangez-vous pour que vos clichés donnent une idée précise de l'événement ; peut-être aurez-vous besoin de vous percher assez haut pour voir toute la fête et montrer l'importance de l'assistance. Ensuite un bain de foule vous permettra de prendre quelques clichés sur le vif. Photographiez dans une fête foraine, les stands de tir et leur bimbeloterie, dans une foire, les bestiaux de concours, à un marathon, les participants avec leurs dossards.

Pour saisir à la fois l'ambiance et le contexte d'une manifestation, n'hésitez pas à vous extraire de la foule et à vous avancer pour une prise au grand-angle. Cette photo, au-delà des visages souriants et des drapeaux dressés, montre la fanfare, la foule, la rue… une évocation parfaite d'une ville américaine.

George Mobley

Pour prendre ce type de photos, il faut se placer près d'un point de regroupement, se munir d'un téléobjectif de 300 mm et choisir une vitesse d'obturation élevée pour figer le mouvement.

Point pratique

Lorsque vous faites des clichés d'un événement sportif ou d'un défilé, regardez de temps en temps dans la foule aussi, il peut y avoir de belles photos à prendre.

Cherchez toujours des petits détails qui racontent la particularité de la manifestation : la somptueuse broderie sur une pièce d'un costume local, les cuivres étincelants des instruments d'une fanfare, le visage grimé d'un enfant lors du carnaval…

Le reportage sportif

L'endroit d'où vous allez prendre vos photos pendant un match est très important, car vous aurez besoin d'une bonne vue d'ensemble. S'il s'agit d'équipes relativement modestes, vous pourrez sans doute vous déplacer assez facilement autour du terrain ou du stade, mais lors des rencontres plus prestigieuses, à moins d'avoir une carte de presse, vous devrez rester à votre place avec peut-être une petite incursion ou deux du côté des premiers rangs.

Les téléobjectifs sont donc indispensables pour ce genre de photos – un 300 mm est probablement le plus pratique – mais de plus longues focales sont parfois recommandées, nécessitant alors un pied ou un monopode. Que ce soit pour le football, le rugby

Jodi Cobb, photographe de la NGS

ou le basket-ball, cadrez le joueur le mieux placé et adoptez une vitesse rapide pour figer le mouvement, tout en vérifiant que vous avez la profondeur de champ voulue pour un cadrage sur le joueur et le ballon, ou la mêlée au rugby.

Descendez au plus près du terrain pour certaines photos et montez tout en haut des gradins pour prendre l'ensemble du stade. Là aussi soyez toujours à l'affût du petit détail qui fait la différence.

Dans le cas d'un match de hockey sur glace, par exemple, installez-vous le long des couloirs latéraux, le plus près possible de la position de votre joueur préféré. Une fois que vous aurez assuré et vérifié la stabilité de votre pied, réglez le pivot axial de sa tête à une hauteur suffisante pour suivre l'action dans votre viseur et opérer la mise au point dans la position la plus confortable possible pour vous. Les téléobjectifs n'offrant qu'une faible profondeur de champ pour fixer le mouvement, il vous faut une vitesse d'obturation élevée, 1/500e de seconde avec une ouverture de diaphragme maximale. De plus, un film très rapide s'impose.

Pour saisir ces joueurs de base-ball en plein action, il faut un téléobjectif. Préparez la photo, cadrez l'image puis attendez un beau coup de batte.

Point pratique

Beaucoup de grands matches ont lieu la nuit et sont éclairés pour les reportages télévisés, si bien que vous ne manquerez pas de lumière avec un film assez sensible.

MICHAEL YAMASHITA
En quête de la quintessence

Susan Welchman, photographe de la NGS

MICHAEL YAMASHITA fait tout un travail préparatoire avant ses prises de vue. «Je suis payé en fonction de la chance que j'ai de prendre une très bonne photo, alors il faut que je la provoque en étant au bon endroit au bon moment et avec une bonne lumière», explique-t-il. «Il faut surtout être là à l'instant où il se passe quelque chose. Le tout est d'anticiper le plus possible et d'être sur place en temps voulu; ça marche ou ça ne marche pas, c'est là où la chance intervient. Mais quand les conditions sont bonnes, il ne vous reste plus qu'à travailler le sujet le temps voulu pour qu'une excellente photo s'impose d'elle-même, ne demandant qu'à être publiée.»

Dans son enseignement de la photo, il trouve ses élèves un peu trop pressés de passer d'un sujet à un autre et, tout en admettant que «quelques fois, on a la meilleure photo de la séquence dans les premières minutes», il dit «vouloir inculquer à ses élèves une méthode de pensée visuelle». Yamashita illustre d'ailleurs ce concept en prenant 36 clichés à la suite, par exemple un fermier dans ses tâches matinales. Son groupe de stagiaires observe alors la façon dont il bouge et change d'angle de prise de vue en fonction de la situation puis, le lendemain, Yamashita analyse devant eux les diapos.

«Dans les premières photos, je cherche comment me positionner suivant la lumière, l'arrière-plan et le sujet en mouvement. Pendant cette approche, la pensée visuelle s'affine et l'idée de ce que vous voulez faire à partir des éléments dont vous disposez

Un fish-eye plein format produit des courbures de lignes mais Michael Yamashita (à gauche) a néanmoins choisi cet objectif pour accentuer la forme ronde de

ce stade japonais. Il avait multiplié les photos de ce supporter mais seule celle-ci exprimait le moment crucial dont il était question dans l'article.

s'impose peu à peu pour que tout se mette en place au bon endroit et au bon moment. »

Quand il observe les photos de ses élèves après leur premier jour de stage, Yamashita, tout en encourageant des débuts prometteurs, les incite donc à approfondir énormément leur travail.

Lui-même photographe amateur à ses débuts, il est complètement autodidacte. « J'ai acheté un jour un appareil photo pour avoir des souvenirs de mes lieux de vacances sans la moindre intention de faire carrière dans ce métier ; l'intérêt n'est venu que petit à petit »,

Des incendies à Sumatra ont provoqué un nuage toxique qui cachait complètement le soleil. Un tel phénomène obligea le photographe à faire quelques «tâtonnements». «Un grand-angle ne rendait pas la sensation d'asphyxie générale tandis qu'un très long téléobjectif a réussi à faire de cette fumée un rideau impénétrable.» Cette image fut donc réalisée au zoom avec une focale entre 135 et 180 mm.

se souvient-t-il. Après deux ans de pratique, un magazine de Tokyo, le *Far East Traveler*, commença à l'envoyer régulièrement en reportage, aux Philippines, à Singapour et en Thaïlande. Le continent asiatique offrait, dit-il, énormément de possibilités vers le milieu des années 1970 et il eut la chance de pouvoir en profiter. Un reportage, paru en novembre 1989, sur les jardins traditionnels japonais fut l'un des fleurons de ceux que le NATIONAL GEOGRAPHIC lui avait commandés. La National Gallery of Art de Washington exposa ensuite ses photos qui, un peu étoffées, furent publiées sous forme d'un livre intitulé *In the Japenese gardens* Sa notoriété lui valut alors d'avoir de nombreux élèves pour des stages de photographie de paysage.

«Après cet article et ce livre, je fus catalogué comme étant un photographe de paysages *zen*, bien que les gens fussent souvent le sujet de mes photos.» Yamashita, tout en étant satisfait d'une telle réussite, ne voulait pas non plus se laisser coller une étiquette. «Heureusement le reportage suivant était sur le Mékong (février 1993). C'était une sorte de journal de voyage, se souvient-il. Je devais suivre le cours du fleuve depuis sa source, au Tibet, jusqu'à son delta, au Cambodge. Et rien ne manque : les mines anti-personnel comme les fumeries d'opium avec, en contrepoint, des photos de paysages inouïs. » Déterminé à traiter des thèmes variés, il passe aisément d'un reportage d'actualité d'un ton très journalistique sur les incendies en Indonésie (août 1998) à des articles d'une portée économique comme la flambée du capitalisme chinois (mars 1997). « C'est le changement qui m'intéresse, parce que chaque nouveau reportage m'incite à une remise en question », confie-t-il avec un sourire.

Son reportage sur les saisons dans le Vermont (septembre 1998) est, quant à lui, d'une nature presque impressionniste : distorsion d'une feuille sur un étang, effets de lumière sur cristaux de glace, reflets d'arbres dans un ruisseau, explosion vert tendre de pousses printanières, grappes rouges de l'amarante sous la brise… Ce reportage est l'un de ses préférés, car il put laisser libre cours à sa créativité. « Mon travail avait pour objet l'âme de chaque saison ; il s'agissait donc d'exprimer des émotions et cela se prêtait à des compositions presque abstraites puisqu'il n'y avait ni lieu, ni sujet précis à photographier. »

Yamashita, tout en essayant de profiter au maximum des levers et des couchers de soleil, n'est pas un inconditionnel du beau temps : « Je ne suis pas un photographe de ciel bleu, précise-t-il, j'aime travailler par temps de pluie ; la lumière y est douce, l'eau fait briller et rehausse les couleurs pour donner une ambiance très particulière à l'ensemble. En plus, dans ce genre d'éclairage un peu tamisé, vous n'avez pas tous les problèmes d'ombres et de lumière à gérer. »

Quand il travaille pour des magazines, Yamashita a pour ambition de faire des images qui accrochent le regard, le genre de photos qui oblige le lecteur à se plonger dans l'article au lieu de se contenter de feuilleter quelques pages. « Tout est dans l'impact visuel. » Les images ne sont là que pour illustrer le texte mais, comme les rédacteurs ne peuvent publier que quelques photos par article, il cherche à rendre chacune d'entre elles éloquente.

Si l'on demande à Yamashita, qui use généralement une centaine de films par semaine, comment il peut être sûr d'avoir pris « la » bonne photo, il répond : « Quand j'ai mes cent films et que je sais que j'ai vu et photographié de bons sujets, je pars du principe que ça doit aller. » Alors que souvent au cours de ses reportages, il n'a même pas le temps de voir les diapos, au retour, il est satisfait d'un très grand nombre de clichés, mais comme il dit : « La photo qu'on va publier n'est pas forcément la meilleure du lot, ce sera celle qui colle le mieux au texte. »

Peter Burian

Cette photo sur l'île d'Hokkaido a été prise au téléobjectif. Plusieurs niveaux de lecture s'en dégagent : le visage exprime la vieillesse et l'optimisme, l'arrière-plan montre l'architecture traditionnelle de l'île et, enfin, la tenue de la vieille femme, la rigueur des hivers japonais.

Les conseils de Michael Yamashita

■ Il est souvent plus facile de photographier des gens à leur insu. Je flâne aux alentours, en me préparant à profiter de la meilleure lumière possible et, à ce moment-là, je réagis à tout ce qui se présente en me déplaçant pour avoir des angles de vue très différents.

■ Les meilleures photos de paysages sont riches en couleurs, ont un graphisme intéressant, une composition harmonieuse, une ligne, une texture et peut-être même du mouvement. Posez-vous toujours la question suivante : « Qu'y a-t-il dans cette scène qui attire l'œil ? »

et débrouillez-vous pour que tout cela s'imprime sur le film.

■ Quand vous découvrez un endroit superbe et que la lumière vous convient, attendez que des gens arrivent pour ajouter à la beauté du paysage un élément humain. Et si vous avez prévu des clichés au lever ou au coucher du soleil, préparez la photo pour capter tout événement fortuit.

■ Si vous êtes face au soleil, essayez d'inclure en premier plan un élément visuel très fort – aisément repérable – qui se profilera bien contre la lumière.

■ N'emportez avec vous que les objectifs

qui vous sont les plus utiles. Je me sers de deux zooms pour 90 % de mon travail, un 17- 35 mm et un 70-200 mm. J'ai d'autres objectifs (du 14 mm au 800 mm) mais je les laisse à l'hôtel juste en cas de besoin.

■ Faites de la photo un art de vivre. Ne lâchez pas votre appareil et prenez vos proches le plus possible. Développez aussi votre acuité visuelle dans un univers qui vous est familier. Chez moi, je passe mon temps à prendre des photos et à tester des éclairages différents ou des nouveautés techniques.

LA MACROPHOTOGRAPHIE

La macrophotographie demande du talent, de la patience et le matériel adéquat. Cette mante religieuse a été photographiée avec un objectif « macro », un trépied, un déclencheur souple pour éviter toute vibration et un réflecteur afin d'éclaircir les ombres.

Peter Burian

TOUT UN UNIVERS S'OUVRE AU PHOTOGRAPHE qui veut bien s'intéresser aux merveilles de la nature, qu'il s'agisse de fleurs, de nervures de feuilles ou d'insectes multicolores. Ces images nous révèlent une partie de notre environnement dont la découverte est enthousiasmante. La macrophotographie exige du temps et de la minutie. Comme la plupart des sujets sont statiques, vous avez tout le loisir d'installer votre matériel et de faire votre cadrage en attendant la bonne lumière ; c'est seulement avec les insectes et autres petites bêtes qu'il faut faire vite.

Pour faire ce type de photos, vous avez le choix entre trois options d'équipement : des zooms et des téléobjectifs « macro », des bagues-allonges ou des soufflets et enfin des bonnettes de rapprochement, à visser au bout de l'objectif.

Les zooms et les téléobjectifs « macro »

Ces objectifs sont les plus faciles à utiliser pour la photographie de près, c'est donc l'option la meilleure mais aussi la plus onéreuse. Ce sont essentiellement des focales normales, conçues pour travailler en faible lumière sans flash et spécialement corrigées pour travailler de près. Cette option a aussi pour avantage d'atteindre le meilleur niveau qualitatif. Les longueurs de focales les plus courantes sont les 55 mm et 105 mm ; il existe aussi des zooms spécialement adaptés à la macrophotographie.

Quant à moi, je n'ai pas d'objectif « normal » de 50 mm, mais j'emporte sur le terrain un objectif de 55 mm qui me sert aussi bien pour la photo classique que pour la macrophoto. J'ai moins de matériel à transporter et la qualité est excellente. Si vous avez en tête de faire souvent des photos en plan rapproché, votre investissement sera rentable.

Robert Caputo

En macrophotographie, la profondeur de champ est très faible. Ces deux clichés ont été pris avec un objectif de 55 mm ; celui de gauche avec une ouverture de diaphragme de f/5,6, celui de droite à f/22 pour donner une plus grande profondeur de champ. Une petite ouverture signifie une vitesse d'obturation lente, il est donc préférable d'utiliser un trépied et un déclencheur souple. Et n'oubliez pas que la moindre brise peut agiter votre sujet.

Point pratique

La taille de l'image change lors de la mise au point, vérifiez que la composition n'est pas affectée. Mettez au point en faisant un pas en avant ou en arrière, plutôt qu'en modifiant le réglage sur l'objectif.

Les bagues-allonges et les soufflets

Ces deux types d'accessoires s'intercalent entre l'objectif et le boîtier pour augmenter la capacité de grossissement de l'objectif. Cette option, un peu plus compliquée à l'emploi, est peu onéreuse et donne de bons résultats, mais la distance rajoutée entre l'objectif et le film diminue la lumière et en rend la mesure parfois un peu délicate. Après la mise au point, si le posemètre ne peut donner d'indice de luminosité par manque de lumière, enlevez l'extension et prenez la mesure comme vous le faites d'habitude, puis remettez-la et réglez l'ouverture du diaphragme en fonction de l'allongement de l'objectif, comme indiqué sur le mode d'emploi.

Les bonnettes d'approche

Cette option est la moins chère de toutes et peut se montrer satisfaisante. Il s'agit de lentilles convergentes que l'on visse au bout de l'objectif comme un filtre. Leur pouvoir de grossissement est variable et cumulable, mais plus le verre est épais, moins la lumière passe au travers, aux dépens de la précision de l'image. Essayez dans ces cas-là de photographier avec une ouverture de diaphragme de f/8. Un filtre bifocal, demi-bonnette d'approche associée à un filtre transparent, vous sera très utile si vous souhaitez faire une mise au point rapprochée en premier plan, avec un arrière-plan normal.

Mais quelle que soit la solution choisie pour photographier de près, plus l'appareil se rapproche du sujet, moins vous avez de profondeur de champ; il faut donc que l'ouverture du diaphragme soit la plus petite possible pour privilégier la profondeur de champ. Si c'est possible, installez le sujet, du moins en grande partie, parallèlement au plan du film pour une mise au point correcte; dans le cas d'un papillon, il vous faudra sans doute adopter une certaine inclinaison pour avoir les ailes dans le bon axe.

Le moindre mouvement de l'appareil ou du sujet est ici amplifié et peut réduire à néant votre mise au point. Servez-vous d'un pied, d'un déclencheur souple ou du déclenchement automatique de votre appareil si la vitesse d'obturation est très lente. Méfiez-vous du vent; il vous faudra protéger votre sujet et même votre matériel de la moindre brise. Sur le terrain, une bâche ou, au besoin, votre veste peuvent souvent être utiles. Le soleil, au petit matin, donne une excellente lumière pour éclairer de ses rayons rasants fleurs, plantes ou autres merveilles de la nature et c'est en général un moment, sauf au bord de la mer, où ne souffle aucune brise.

Cherchez, pour les photographier de près, des motifs intéressants par leur graphisme; mousses, écorces ou gouttes de rosée sur une feuille peuvent se transformer par la magie de la macrophotographie en magnifiques œuvres abstraites.

Robert Caputo

Une lumière douce et diffuse est la meilleure pour photographier de près, surtout les teintes pastel. Levez-vous très tôt pour profiter du givre ou de la rosée sur les plantes.

Point pratique

S'il vous est impossible de faire les prises de vue dans une lumière matinale ou en fin d'après-midi, mettez-vous à l'ombre ou installez un drap blanc au-dessus du sujet, vous aurez ainsi une lumière diffuse bien répartie. Testez aussi un flash en mode fill-in et des réflecteurs pour éclaircir les ombres.

LE MOUVEMENT : « GELÉ » OU FLOU

Une vitesse d'obturation lente, créant un effet de flou, a permis au photographe d'ajouter du mouvement à ces pétales de rose tombant dans un sac. Les mains de l'homme étaient immobiles, elles sont donc restées nettes. Une vitesse d'obturation plus lente (ou temps de pose plus long) doit être compensée par une ouverture de diaphragme moins importante. Testez différentes combinaisons de vitesse d'obturation et d'ouverture de diaphragme pour donner cette impression de mouvement, soit par le flou de la photo, soit en « gelant » le sujet.

Robb Kendrick

LE PLONGEON D'UN JOUEUR DE RUGBY SUR LE BALLON, une Formule-1 dépassant à toute vitesse son stand… Les images de ce genre, qui demandent autant de talent que de sang-froid, sont pour les photographes des défis très stimulants. Il faut en premier lieu décider de la manière dont vous voulez représenter l'action. Dans certains cas, vous préférerez la « geler » pour que chaque détail soit précis ; et le mouvement sera rendu par le contexte de la photo : un saut ou le plongeon d'un joueur vers le ballon se suffisent à eux-mêmes. En revanche, pour d'autres images de sujets en mouvement, un arrière-plan flou pourra accentuer l'impression de vitesse. Si vous figez la voiture de course en la photographiant avec une vitesse d'obturation rapide, en quoi est-elle différente d'un véhicule à l'arrêt ? Réfléchissez à l'effet que vous voulez obtenir, puis sélectionnez une des méthodes suivantes.

Le mouvement « gelé »

Pour saisir l'instantané d'un mouvement, il faut fondamentalement adopter une vitesse d'obturation rapide, quoique cela dépende de la vitesse du sujet et de l'angle sous lequel vous le prenez. Une personne en train de courir ne nécessite pas la même vitesse d'obturation qu'une voiture de course lancée ; et vous ne prendrez pas cette voiture à la même vitesse selon qu'elle se rapproche ou s'éloigne, ou bien qu'elle passe devant vous. Le choix de l'objectif est également important : le mouvement du sujet sera moins bien rendu au grand-angle qu'au téléobjectif, vous pouvez donc utiliser une vitesse plus lente dans le premier cas.

Souvent vous serez tenté par la plus grande vitesse d'obturation possible, mais vous devez aussi tenir compte de la profondeur de champ. La mise au point d'un sujet à grande vitesse peut être très difficile, vous allez donc chercher un compromis entre la

Robert Caputo

La lumière était en train de baisser quand ces moines entamèrent leur danse rituelle au cours d'une fête près du Mustang au Népal. La photo ci-dessous est correctement exposée mais sans relief. En utilisant une vitesse d'obturation lente et un fill-in flash, j'ai pu provoquer un léger flou pour traduire le mouvement et accentuer les couleurs vives de la tenue du moine.

Robert Caputo

vitesse d'obturation et une ouverture du diaphragme pour figer le mouvement tout en gardant une certaine latitude de mise au point. Si vous manquez de lumière, optez pour un film plus rapide. Ou bien déplacez-vous pour voir arriver le sujet de biais, ce qui permet peut-être de « geler » le mouvement avec une vitesse légèrement plus lente.

Vous pouvez aussi préférer moins de profondeur de champ pour faire ressortir le sujet sur un fond très flou. En ce cas, choisissez une très grande ouverture de diaphragme. Et, pour être assuré d'avoir une mise au point correcte, trouvez pour la prise de vue un endroit où le sujet passera forcément et préréglez-la ; il ne vous reste alors plus qu'à attendre que le sujet entre dans le champ et à déclencher au bon moment.

Certains appareils automatiques ne réagissent pas rapidement sur des sujets en pleine vitesse ; éteignez, dans ce cas, le mode autofocus. En revanche, d'autres boîtiers, disposant d'une fonction de «mise au point prédictive», se déclenchent automatiquement à l'arrivée d'un objet dans le champ, ce qui est très pratique pour des photos de sujets à pleine vitesse. Là aussi, il faut prérégler l'exposition pour ne pas avoir à attendre que le posemètre prenne la mesure quand le sujet entre dans le champ. Vous pouvez le faire manuellement, ou en mode automatique avec une très légère pression sur le déclencheur pour activer la cellule jusqu'à l'instant de la prise de vue. Figer un mouvement est possible également avec un flash quand il y a peu ou pas de lumière, mais rappelez-vous que la vitesse maximale d'obturation synchronisée de votre appareil est généralement comprise entre 1/60 et 1/250.

Point pratique

Quand un sujet se déplace vraiment vite, je trouve plus commode de regarder d'un œil le viseur tout en suivant de l'autre l'approche du sujet, car si on attend qu'il apparaisse dans le champ, on risque de n'en prendre qu'un petit bout, voire rien du tout.

Le mouvement apprivoisé

Vous pouvez utiliser le mouvement pour faire des photos dynamiques, soit en faisant une prise de vue panoramique du sujet, soit en le rendant flou. Dans le premier cas, vous essayez de garder le sujet, ou du moins une bonne partie, net sur un fond flou ; dans le second vous laissez le mouvement du sujet provoquer un flou sur un fond net.

La prise de vue en filé

Le but du plan filé est de déplacer l'appareil à la même vitesse relative que le sujet, pour qu'il se détache nettement sur un fond flou. C'est plus facile à faire dans des conditions de lumière assez faible. La vitesse d'obturation et celle du mouvement panoramique dépendent de la vitesse du sujet et de sa distance ; mais, en général, une vitesse d'obturation comprise entre 1/4 et 1/30 est bien adaptée à ce type de prises.

Tout d'abord, choisissez un endroit où vous savez que le sujet passera et dont l'arrière-plan vous convient. Réglez la vitesse et l'ouverture pour une bonne exposition, puis cadrez la photo que vous voulez prendre. Effectuez la mise au point sur un détail

Point pratique

Si vous figez le mouvement d'une voiture, qu'elle soit à 2 km/h ou à 100 km/h, le rendu sera le même ; alors essayez de trouver des éléments qui suggèrent la notion de vitesse, comme une énorme gerbe d'eau quand la voiture fonce dans une flaque. Quelque chose sur la photo doit crier « viiiite ».

proche du passage prévu, puis pivotez sur vous-même, à droite ou à gauche, sans bouger les pieds, pour accompagner la trajectoire attendue du sujet. Lorsque le sujet apparaît dans le viseur, suivez-le jusqu'au point choisi et appuyez sur le déclencheur. Vous devriez sentir « physiquement » le moment de déclencher en retrouvant votre position initiale. Continuez à suivre le sujet, même une fois que la photo est déclenchée.

La prise de vue en filé exige une certaine pratique. Avec un appareil reflex, l'image disparaît brièvement au déclenchement ; c'est particulièrement visible à des vitesses d'obturation lentes, et très déconcertant. Pour vous entraîner, pourquoi ne pas vous essayer sur les voitures qui passent dans la rue avec différentes vitesses d'obturation et comparer les résultats ?

Le flou

Le mouvement lui-même peut devenir l'objet principal de la photo. Le sujet prend alors un style « impressionniste » et peut parfois être à peine reconnaissable tellement il est flou… Ce flou de mouvement est obtenu avec des vitesses d'obturation lentes ; le réglage dépend de la vitesse du sujet mais en général 1/8 ou moins convient. Comme pour la prise de vue en filé, vous utiliserez un film lent ou un filtre gris de densité neutre pour avoir la vitesse d'obturation requise, si vous prenez la photo en pleine lumière.

Le mouvement arrêté

NB : Le tableau ci-dessous donne quelques exemples de vitesses d'obturation pour « geler » un mouvement selon les sujets et l'angle de prise de vue. Ces indications sont données pour un objectif de 50 mm et une prise de vue à 8 m environ du sujet. Si la distance est réduite de moitié, doublez la vitesse ; si vous doublez la distance, divisez par deux la vitesse. Si vous doublez la longueur de la focale, doublez la vitesse. Si vous divisez la focale par deux, faites-en autant pour la vitesse.

Km/h	Exemple	Direction du mouvement par rapport à l'appareil		
		↔	✕	↕
5	marche	1/250	1/125	1/60
10	jogging, enfants jouant, voiture lente	1/500	1/250	1/125
20-30	danse, sport, trafic urbain, cheval au trot	1/1 000	1/500	1/250
40-60	trafic routier, course de chevaux, bateau de course	1/2 000	1/1 000	1/500

Phil Schermeister

Le flou avec un flash

Vous pouvez aussi obtenir des photos très dynamiques en combinant filé ou flou avec un flash. Que vous suiviez le sujet avec votre appareil ou pas, vous utiliserez une vitesse d'obturation lente pour donner l'impression de mouvement en « gelant » le sujet avec le flash. En général, ce procédé est plus performant dans une faible luminosité avec une vitesse d'obturation d'1/15 ou moins, selon le flou souhaité.

Prenez la mesure au posemètre comme d'habitude. Réglez la vitesse d'obturation à 1/15, ou moins si vous désirez plus de flou, et choisissez l'ouverture du diaphragme appropriée. Vous pouvez d'ailleurs sous-exposer un peu pour faire ressortir encore plus le sujet. Si vous utilisez un appareil automatique, éteignez le mode d'exposition programmé, car la synchronisation avec le flash ne s'effectue pas en-dessous de 1/60. Optez alors pour le mode manuel ou la « priorité vitesse ».

Vous pouvez vous exercer sur votre environnement immédiat, des enfants qui jouent au ballon, un homme en train de faire son jardin feront d'excellents sujets. Entraînez-vous avec des vitesses d'obturation d'une seconde et même plus.

Cette photo « impressionniste » traduit bien, grâce à une subtile combinaison de flou et de prise de vue en filé, toute la dynamique d'une course de ski de fond.

DAVID ALAN HARVEY
À la recherche d'une symbolique

Kenneth Garrett

DAVID ALAN HARVEY, photographe du NATIONAL GEOGRAPHIC, est passé maître dans l'expression de l'âme d'un pays. Il sait marier les exigences du journalisme avec un style très personnel ; il ne se contente pas de dépeindre les lieux les plus typiques, mais leur ajoute ces valeurs intemporelles et ce souffle des passions qui font vivre les peuples. C'est souvent une gageure, car le temps et l'espace dont il dispose dans les pages du magazine lui sont comptés.

Ces étalons en train de se battre étaient là pour une fête équestre que David Alan Harvey (à gauche) aurait été bien en peine de prévoir pendant qu'il préparait son reportage sur l'Espagne. Tout en prônant une documentation préliminaire approfondie, Harvey croit surtout qu'il faut savoir se placer au cœur des situations, anticiper tout ce qui peut survenir et donner un sens symbolique à l'image, comme ici le sentiment de passion et de liberté.

Dans son reportage sur Barcelone, réalisé au cours du mois de décembre 1998, Harvey a réussi en treize clichés à exprimer l'âme du peuple catalan, montrant tour à tour sa nature sérieuse et industrieuse, fantasque et épicurienne. Selon lui, « l'astuce consiste à distiller l'information jusqu'à en tirer des symboles qui illustrent le texte. Comme vous ne pouvez pas tout montrer, il faut choisir quelques images fortes en signes visuels représentatifs. » Dans son reportage sur l'Espagne (mars 1978), il avait déjà appliqué cette méthode. Durant sa préparation, il dressa une liste de mots-clés qu'il voulait illustrer : passion, Méditerranée, catholicisme, individualisme, traditions, isolationnisme. Sur place, il lut une annonce dans un journal sur un rassemblement de chevaux. Intéressé, il fit les treize heures de route pour rejoindre la Galicie.

« Les gardians étaient en train de faire tomber les chevaux à terre pour couper leur crinière. Cette image emblématique du machisme espagnol me parut plus forte, et surtout plus originale, que la sempiternelle

D'une simplicité très étudiée, cette photo prise à La Havane montre à la fois le sujet et l'esprit du lieu. «Vous pouvez être tellement obnubilé par votre style que vous en oubliez le sujet, dit-il, c'est pourquoi je préfère la réalité journalistique où la forme n'empiète pas sur le fond.»

tauromachie.» Sur une autre photo, pour symboliser la tradition militaire espagnole sans montrer de troupes en armes, il avait simplement cadré la main d'un ancien combattant pointant du doigt les médailles qui lui barraient la poitrine.

Aucune de ces photos n'avait été spécialement recherchée, car, selon Harvey, «le tout est de préparer son travail, puis d'essayer de faire preuve d'intuition pour être là où tout se passe; c'est une question de chance, bien sûr, mais être disponible y contribue beaucoup. Si vous savez vous adapter à toutes les situations et participer immédiatement au quotidien des gens, votre aisance fait tomber les barrières et vous réaliserez de bonnes photos.»

Comme Harvey prend souvent ses photos, soit dans l'intimité des gens, soit au contraire dans des endroits grouillant de monde, il lui faut un équipement peu encombrant. Il emporte en général deux Leica M6; cet appareil à visée télémétrique est mécaniquement complexe sans bénéficier pour autant d'automatisme. « Je n'ai rien contre les progrès de la technologie, à condition qu'ils me soient utiles. » Il trouve en effet qu'il est bien plus rapidement opérationnel avec son Leica qu'avec un reflex mono-objectif bénéficiant des dernières innovations optiques et électroniques. « Le cerveau est un bon ordinateur, ajoute-t-il en souriant, et je n'ai pas à me tracasser pour savoir dans quel mode je dois travailler, ni sur quel bouton appuyer ; quant à mon flash, un Vivitar 2 800 basique, j'en connais par cœur tous les ressorts. »

Harvey voit rarement l'utilité de partir en reportage avec plus de trois objectifs : un 28 mm f/2,8, un 50 mm f/1,4 et, son outil de base, un 35 mm f/1,4. « J'ai volontairement choisi un style qui implique la simplicité, le contact direct avec les gens et la prise en compte de l'esprit du lieu ; une longue focale ne me semble pas spécialement indiquée. » Même son reportage sur la course automobile (juin 1998) fut réalisé avec ses trois objectifs habituels. « Tous les autres photographes étaient équipés de téléobjectifs impressionnants, et moi, je semblais ridicule, mais m'imposer des limites et voir quel résultat je peux en tirer avec un équipement minimal me stimulent. »

Pour le commun des mortels, son Leica M6 ressemble à un banal appareil, ce qu'il considère comme un avantage : « Ainsi je passe plus inaperçu, pourtant je suis très grand, et cela me laisse plus de latitude de travail. À une terrasse de café, je peux boire d'une main et photographier de l'autre… Et quand je déambule dans les rues en quête de photos à prendre, être aussi discret avec mon Leica fait partie du jeu. »

Très tôt Harvey fut attiré par le photojournalisme : la possibilité de voyager, de découvrir le monde à sa façon, de nouer des contacts avec des gens très différents et surtout d'exprimer sa créativité artistique en étaient les principales raisons. À 12 ans, il acheta son premier appareil, un vieux Leica IIIF d'occasion, avec de l'argent gagné en distribuant des journaux. Dans les années qui suivirent, il commença à se forger un style, tout en acquérant une grande expérience technique avec un équipement très varié. Il revint néanmoins à ses premières amours : des images à la Cartier-Bresson. Ce dernier se contentait d'un minimum de matériel et pensait que l'œil du photographe devait s'aiguiser pour réussir à capter l'instant décisif.

« Je ne photographie jamais tout de suite mon sujet ; j'ai les neurones en ébullition et, tout en surveillant le fond, le sujet, la lumière, j'attends de voir comment la situation va évoluer. » Il est conscient que sa confiance dans la providence et son manque d'enthousiasme pour la technologie le différencient de la plupart de ses confrères : « Toutes sortes de photographes travaillent pour le National Geographic ; c'est comme avoir différents types de joueurs dans une équipe de football, chacun contribue au succès général. »

Peter Burian

En exploitant la couleur, la lumière, la composition et l'unité du sujet, Harvey a réussi à rassembler sur cette image plusieurs des symboles les plus représentatifs de l'Espagne : tradition, famille et catholicisme. Il est persuadé que faire des études d'art contribue à développer une vision propre à la photographie.

Les conseils de David Alan Harvey

■ Avant de partir à l'étranger, renseignez-vous sur les règles de savoir-vivre de ce pays et documentez-vous sur l'histoire et la culture locales.

■ Incluez toujours des gens dans vos photos de monuments ou de paysages. Une cathédrale peut être admirable, mais un élément humain donnera une idée de l'échelle, et lui conférera une profondeur et une dimension plus pertinentes.

■ Il faut découvrir ce qui caractérise la situation et se sentir en phase avec elle pour photographier. C'est assez facile lors d'un festival ou d'autres situations un peu exotiques. C'est plus délicat dans les moments forts de la vie et dans les relations des gens ; identifiez une tranche de vie, un microcosme. Essayez de vous lier avec une famille d'autochtones : les images s'imposeront d'elles-mêmes.

■ Allez sur un marché pour identifier tout ce qui peut symboliser la culture d'un pays : nourriture, vêtements, tissus, poteries…

■ Étudiez les œuvres des peintres pour développer votre sens de la composition, de la matière, de la lumière, de la couleur, de l'harmonie et du dessin.

■ Lorsque l'image symbolisant parfaitement la situation apparaît, même si l'exposition ne vous semble pas parfaite, tant pis, déclenchez. Soyez audacieux, surtout dans des endroits mal éclairés et sans flash ni trépied ! Il vous suffit de trouver un appui pour vous ou votre appareil.

LE CRÉPUSCULE ET LA NUIT

Les silhouettes sont difficiles à réussir. Ci-contre, l'interaction de zones brillantes, comme le ciel et l'eau, avec des ombres prononcées sur les bords, peut fausser la mesure du posemètre. Il est donc plus prudent de faire la photo avec plusieurs expositions. Il faut aussi que le fond soit suffisamment lumineux pour que la silhouette se découpe de façon spectaculaire, comme c'est ici le cas pour ce pêcheur naviguant sur l'Orénoque, au Venezuela.

LE MOT « PHOTOGRAPHIE » signifie littéralement « le dessin de la lumière ». De fait, le crépuscule et la nuit offrent les plus belles lumières qui soient pour un œil d'artiste : la variété sublime des nuages juste après le coucher du soleil, la lueur pâle d'une soirée d'hiver, les fêtes foraines, les néons sur le pavé mouillé… Sur le plan photographique, le meilleur moment de la journée se situe entre la dernière heure du soleil et la première heure du crépuscule. Alors, ne remballez pas votre matériel quand le jour tombe. La plupart des prises que vous effectuerez à ces heures-là exigeront un temps de pose important, vous aurez donc besoin d'un trépied et d'un déclencheur souple pour éviter de bouger l'appareil, tant que l'obturateur reste ouvert sur la pose B. En revanche, l'automatisme fonctionnera dès que celle-ci sera dépassée. Faites une mise au point précise, car souvent des sources de lumière parasites peuvent fausser la mesure du posemètre. Il est d'ailleurs plus prudent de faire un bracketing des expositions différentes.

Les couchers de soleil et les silhouettes

Les longues focales sont mieux adaptées pour les couchers de soleil, car le disque solaire paraît ainsi très grand. Essayez de choisir un endroit à l'avance et de repérer les éléments qui pourront se découper en ombres chinoises sur l'arrière-plan. La brume et les nuages magnifient les couchers de soleil en leur conférant une lumière diffuse. Le soleil, s'il est voilé, peut être photographié et donner à l'ensemble de spectaculaires couleurs. Par temps clair, les meilleures prises de vue seront celles du ciel juste après le coucher du soleil, mais faites attention, recherchez des demi-teintes dans le paysage pour prendre la mesure de l'exposition : le plus souvent dans le ciel à approxi-

Robert Caputo

mativement à 45° du soleil; tout cela n'est pas forcément facile à obtenir alors, par sécurité, prenez plusieurs photos avec des réglages différents.

Après le coucher du soleil, vous pouvez mettre au point sur le ciel lui-même pour prendre des détails de formes et de couleurs dans les nuages. Et sachez que tout sujet au premier plan se découpera contre le fond en silhouette, à moins d'avoir une grande ouverture pour saisir les détails ou un flash pour ajouter un peu de lumière. Dans ce cas, vous pouvez choisir de sous-exposer votre film afin d'atténuer un peu les contrastes. Le bleu profond d'un ciel sans nuages après le coucher du soleil ou des nuages rose et orangé constituent un arrière-plan splendide pour toutes sortes d'ombres chinoises.

Les lumières de la ville

Si vous désirez prendre des photos dans une ville au coucher du soleil, quand la lumière est encore suffisante pour que les détails apparaissent bien avec une vitesse d'obturation lente, choisissez votre emplace-

Point pratique

Sortez dans la rue, le soir, après la pluie. Les lampadaires, les néons, les vitrines et les feux des voitures se reflètent sur la chaussée humide et donnent de merveilleuses photos. Essayez des temps d'exposition assez longs avec un trépied si des voitures passent dans le champ.

ment dans l'après-midi et attendez le bon éclairage. Photographiez de façon systématique et continue ; il arrivera un moment où la luminosité du ciel et celle des éclairages de la ville s'équilibreront pour donner une image nette de chacun des deux plans. Essayez des temps de pose assez longs pour que les feux des voitures qui traversent le champ deviennent sillages.

Veillez néanmoins à l'exposition car, s'il y a une source de lumière supplémentaire, vous risquez de sous-exposer ; photographiez plusieurs fois avec des ouvertures de diaphragme légèrement différentes.

Les statues et les monuments

Beaucoup de monuments et de statues sont illuminés la nuit, permettant des prises de vue spectaculaires malgré la température de couleur des éclairages plus élevée que la lumière du jour. Si vous voulez respecter les teintes, utilisez un film spécial au tungstène ou un film lumière du jour avec un filtre bleu 80 A. Cependant, quand l'éclairage provient de lampes à vapeur de mercure ou au sodium, il donnera au film (lumière du jour) une nuance verte ou jaune que vous

Point pratique

En mesurant l'exposition d'une façade de bâtiment ou d'un monument, faites attention à leur couleur. Si elle est très claire, cela peut fausser la mesure du posemètre et vous risquez de sous-exposer. Si, votre cadrage inclue des voitures en circulation, prévoyez un temps de pose long avec un trépied.

Essayez de photographier des couchers de soleil, avec ou sans le disque solaire. À gauche, j'ai attendu qu'il se couche derrière l'horizon : j'ai alors vu ces enfants kenyans se découper sur ce ciel flamboyant. À droite, un ciel brumeux adoucissait suffisamment le soleil couchant pour qu'il serve d'arrière-plan à ces autruches de Namibie. Pour ces deux images, j'ai utilisé un objectif de 600 mm.

Robert Caputo

Essayez de photographier des monuments à la tombée du jour, quand ils sont illuminés mais qu'il y a toujours de la lumière dans le ciel. Servez-vous d'un trépied et d'un déclencheur souple. Ces deux images ont été prises depuis le même endroit avec un zoom 80-200 mm. En bas, un film lumière du jour enveloppe d'un rouge orangé spectaculaire la statue de Lincoln.

n'arriverez pas à corriger ; le mieux est donc d'inté-
grer ces couleurs à la photo. Un filtre magenta pour
un film lumière du jour ou un filtre orange pour un
film spécial au tungstène permettent de corriger les
couleurs que donnent les éclairages fluorescents.
Choisissez, comme précédemment pour les photos de
Robert Caputo
ville, le moment où la lumière du ciel s'équilibre avec
l'éclairage du monument pour le photographier.

Les fêtes foraines et les feux d'artifice

Les fêtes foraines sont souvent très éclairées, vous pouvez donc y faire des prises de vue sans pied avec un
film rapide. Utilisez le fill-in flash pour des images saisies sur le vif ; ainsi, quand votre enfant est sur un
manège, déclenchez juste au moment où il attrape le
pompon en figeant le mouvement au flash. Mais prenez aussi un trépied pour faire de longues poses : les

Robb Kendrick

Randy Olson

Utilisez un trépied et un déclencheur souple pour prendre des photos de lumières en mouvement comme des feux d'artifice ou des manèges illuminés dans les fêtes foraines. Une vitesse d'obturation lente avec un appareil bien stable vous permettra d'obtenir simultanément un flou dans les lumières et des détails précis, comme ici la statue de la Liberté ou la structure du manège.

chevaux de manège formeront, en tournoyant avec leurs lumières, des arabesques très étonnantes au tirage. Les feux d'artifice nécessitent aussi l'utilisation d'un pied, car le temps d'exposition est souvent long. Choisissez un endroit où vous avez une bonne vue d'ensemble et faites la mise au point. Si le feu d'artifice a lieu dans un jardin public, c'est une bonne idée d'inclure dans votre champ la statue ou le monument illuminé, qui l'orne, pour bien caractériser l'endroit.

Profitez des premiers tirs du feu d'artifice pour choisir l'angle et le cadrage, puis bloquez la tête du trépied. Un tir isolé peut être pris à 1/30 avec un film rapide. Mais si vous souhaitez inclure plusieurs tirs sur une même photo, laissez l'obturateur ouvert : le temps de pose devra durer dix à trente secondes, pas plus. Déterminez l'exposition comme suit : f/8 pour un film lent, f/11 pour du 125-200 ISO et f/16 pour du 400 ISO. Masquez l'objectif avec votre main ou un chapeau entre les explosions de lumière, sans toucher l'appareil. Si le feu d'artifice couvre une grande partie du ciel, essayez d'avoir un angle de vue plus grand.

Dean Conger

Avec un film rapide, les flammes bondissent dans la nuit et les personnages à proximité sont parfaitement nets. Utilisez un film lumière du jour pour obtenir cette belle couleur rouge orangé et faites un bracketing pour avoir au moins une photo réussie.

Les feux de camp

Les feux de camp ont une température de couleur encore plus élevée que les lampes au tungstène. Nous sommes habitués à les voir orange ou jaunes, vous pouvez donc utiliser les films lumière du jour pour les photographier. Le problème majeur est l'absence de lumière. Si vous prenez en photo un groupe de campeurs autour d'un feu, essayez de le faire au crépuscule ou le plus près possible des sujets. Prenez la mesure sur leurs visages et non sur le feu : le posemètre donnerait alors une mesure largement sous-exposée. Si les flammes sont surexposées, cela n'est guère gênant.

Réglages recommandés pour les luminosités faibles

Sujet	Sensibilité du film					
	50-100 ISO		ISO 125-200		ISO 250-400	
	temps	focale	temps	focale	temps	focale
Rues	1/30e s	f/2	1/30e s	f/2,8	1/30e s	f/4
Sujet éclairé par un feu	1/8e s	f/2	1/15e s	f/2	1/15e s	f/2,8
Monuments et statues éclairés par projecteurs	1/2 s	f/2,8	1/2 s	f/4	1/2 s	f/5,6
Foires, parcs d'attractions	1/8e s	f/2,8	1/15e s	f/2,8	1/30e s	f/2,8
Ville au crépuscule	1/60e s	f/2,8	1/60e s	f/4	1/60e s	f/5,6
Ville la nuit	2 s	f/2	2 s	f/2,8	1 s	f/2,8
Paysage sous pleine lune	4 min.	f/4	2 min.	f/4	30 s	f/2,8
(pour une scène de plage ou de neige, divisez le temps d'exposition par deux)						

La lumière des éclairs impressionne la pellicule pendant tout le temps que l'obturateur reste ouvert (pose B). Utilisez un trépied et un déclencheur souple en essayant avec différentes valeurs de diaphragme.

Bruce Dale

Les éclairs

Pour photographier des éclairs la nuit, mettez votre appareil sur un trépied. Réglez sur l'infini et sur la pose B avec une ouverture de f/5,6 pour film lent et f/8 ou f/11 pour du 100 ou 200 ISO. Laissez ouvert l'obturateur le temps de plusieurs éclairs, puis fermez-le. Si le jour n'est pas tout à fait tombé ou que les lumières d'une ville parasitent l'exposition, vous devrez limiter le temps de pose entre cinq et vingt secondes, selon la luminosité ambiante. Faites des essais.

La trajectoire des étoiles

Impressionner sur le film la trajectoire des étoiles nécessite des temps de pose très longs, de quinze minutes à plusieurs heures, suivant l'importance de la courbe que vous voulez reproduire. Ces photos sont meilleures lors de nuit sans lune, loin des lumières de la ville ou de toute autre source lumineuse. Il vous faut un film rapide et une ouverture maximale. Pour photographier des trajectoires stellaires, pointez sur l'étoile polaire et, à chaque fois que vous le pouvez, essayez de cadrer une maison faiblement éclairée pour relier à un contexte terrestre et humain cette immense voûte céleste.

Point pratique

Si vous photographiez un paysage sous la pleine lune, vous devez prévoir des temps d'exposition de plusieurs minutes ; mais évitez d'avoir la lune dans le champ. Dans sa trajectoire, elle ne laisserait sur la photo qu'une traînée blanche dans le ciel.

La lune

Les deux premières nuits de pleine lune sont les plus propices à des prises de vue du disque lunaire, quand l'astre est grand mais pas trop brillant. Il vous faut utiliser un téléobjectif et, si vous voulez prendre en photo la surface lunaire, vous aurez besoin d'un téléobjectif très long ; vous pouvez essayer aussi avec un télescope, la plupart ont des adaptateurs pour les boîtiers. Si vous photographiez la lune directement, ou si vous voulez prendre une silhouette en contrejour, n'oubliez pas d'ouvrir le diaphragme d'une ou deux valeurs de plus pour éviter de sous-exposer et pour être sûr que la lune sera blanche.

La tranquillité de cette ville au milieu des collines est mise en valeur par la lumière pure et diffuse du soir et les reflets des murs blancs des bâtiments. Un temps d'exposition assez long est nécessaire pour prendre des photos de ce genre, mais pas trop long tout de même : la lune, qui se déplace plus rapidement qu'il n'y paraît, serait complètement floue si le temps de pose dépassait 1/4 de seconde.

James Stanfield

WILLIAM ALBERT ALLARD
Une approche culturelle

Ani Allard

TRAVAILLANT SOUVENT SEPT JOURS SUR SEPT et quelque seize heures par jour, William Albert Allard emploie près de mille films pour un reportage de trois mois. La principale raison en est le manque de fiabilité des clichés dès qu'il s'agit de personnes prises sur le vif : « On est toujours à la merci de la tenue vestimentaire du modèle et de la lumière qui tombe sur lui à l'instant précis de la photo. » Souvent confronté au problème d'une faible lumière, il doit photographier des gens en action avec des vitesses d'obturation très lentes, et la difficulté est d'autant plus grande qu'il n'utilise pas de trépied. Dans ces conditions, seuls quelques clichés sont excellents. Mais, même dans des conditions plus normales, il ne lésine pas sur le film, se servant de son appareil comme d'un bloc-notes pour « croquer » une situation. Et il se fie davantage au hasard qu'à une préparation méthodique.

« Je ne m'attends pas à ce que chaque photo soit remarquable et ne me sens pas coupable d'avoir pris des mètres de film si les photos ratées sont prometteuses ou intéressantes, avoue-t-il, bref si elles ont failli être excellentes. » Certains disent parfois : « Avec 900 rouleaux, moi aussi, je ferais de bonnes photos. » Et Allard admet que, avec de la compétence, on obtient en effet dans ces conditions des clichés tout à fait corrects, mais son but est de faire des « images vraiment exceptionnelles ». « Ce sont des photos, reprend-il, qui posent des questions – parfois sans réponse d'ailleurs – ou sur lesquelles vous pouvez revenir et découvrir des éléments que vous n'aviez pas vus auparavant. »

Cette photo, prise au grand-angle, fait partie des reportages socioculturels qu'Allard fit sur le Far West américain. Sur cette image très épurée ne figure que le sujet, entouré de quelques éléments permettant de l'identifier. Même si

Allard (à gauche) n'a pas toujours le temps sur le terrain d'élaborer de savantes compositions, la beauté plastique de ses photos et leur esthétique graphique semblent le fruit d'une intuition que l'expérience a fait mûrir.

Il fut un temps où Allard était «le» spécialiste du Far West, alors qu'il est natif du Minnesota et installé en Virginie. Toujours est-il que ses premiers reportages pour le NATIONAL GEOGRAPHIC portant sur les cow-boys et les Indiens, il était considéré comme un homme de l'Ouest. Le succès d'un livre sur ce sujet, intitulé *Vanishing Breed*, publié en 1982, renforça cette réputation et la pérennisa. Allard admet bien volontiers qu'il a une passion pour le Grand Ouest américain depuis 1966, à la fois pour ses paysages et son mode de vie. Il en apprécie particulièrement

La lumière du flash d'Allard est si discrète que l'ambiance, créée par ces cierges, lors d'une veillée pascale au Pérou, garde tout son mystère. Il est parvenu à ce résultat en ajoutant à la lueur des flammes un soupçon d'éclairage indirect, fourni par un flash muni d'un réflecteur.

l'indépendance, l'ouverture d'esprit, les valeurs, le goût du travail bien fait. Cet attrait pour l'Ouest et ses habitants l'a d'ailleurs incité à faire de très fréquents séjours pour des chevauchées avec les cowboys. « J'aurais sans doute fait de meilleures photos en tant qu'observateur, mais ce n'est pas ma façon de travailler ; j'ai besoin de m'impliquer », dit-il. Au fil des années, il a pu nourrir sa passion en réalisant de nombreux reportages. Mais, en 1979, il sentit un besoin de changement. « J'en avais assez d'être le photographe des cow-boys », se souvient-il.

Allard est maintenant passé maître dans l'art du reportage socioculturel à travers le monde. C'est une sensibilité qu'il avait déjà exploitée pour le journal de son lycée, et qui devait lui servir lors de son premier travail pour le NATIONAL GEOGRAPHIC. Étudiant en journalisme à l'université du Minnesota en 1964, il fut envoyé en Pennsylvanie pour photographier un festival réunissant des Américains d'origine néerlandaise et, par la même occasion s'il y arrivait, la communauté amish qui vivait à proximité. Ce sont en effet « des gens qui vivent en vase clos, ne veulent pas être photographiés et n'ont aucune curiosité pour le monde extérieur », explique-t-il. Pour approcher cette communauté, Allard prit des chemins détournés. Il fureta en ville et finit par faire la connaissance d'un jeune homme dont le père, propriétaire d'une carrière, était fréquemment en contact avec des Amish. Allard put, par ce biais, rencontrer un homme de cette communauté et le persuader de se laisser photographier, entraînant ainsi l'adhésion de plusieurs autres familles. Il leur expliqua qu'il ne faisait pas cela dans un but commercial mais qu'il avait pour projet de mieux faire connaître leur façon de vivre. « C'était une approche très simple et directe que je conclus en promettant de faire le travail le plus honnêtement possible. »

Allard reconnaît cependant qu'il est parfois difficile de photographier les gens. « Beaucoup refusent d'être pris en photo, surtout dans la rue, autant le savoir à l'avance. Essayez de sentir l'état d'esprit du sujet ; vous n'avez pas besoin d'être docteur en philosophie pour percevoir l'hostilité que fait naître votre objectif. Si c'est le cas, passez votre chemin. »

Les plus belles images d'Allard sont étonnantes par la force de leur graphisme et leur composition. Les contrastes des couleurs, l'impact visuel des effets de lumière, la densité des ombres renforcent le symbolisme tandis que, sur le plan humain, une étonnante subtilité traduit une attitude à peine esquissée, une éloquente émotion, un élan. Néanmoins, il dit vouloir « progresser sur le plan de la créativité et travailler en permanence pour passer d'une étape à l'autre, même si cela peut prendre des mois à chaque fois. »

« J'adore ce métier de découvreur d'images, ajoute-t-il, probablement plus maintenant qu'à mes débuts, et j'essaie d'obtenir des reportages qui me tiennent réellement à cœur, sinon ce ne serait qu'un travail alimentaire. » Allard admet avoir eu une vie assez « spéciale », du fait des gens étonnants qu'il a côtoyés sur le terrain et, quand on lui demande quel effet cela fait de se séparer d'eux au bout de trois ou quatre mois, il répond : « Certaines amitiés durent depuis une trentaine d'années, mais évidemment la plupart du temps vous prenez l'avion en sachant pertinemment que

vous ne reverrez plus jamais ces gens-là. C'est triste et beau à la fois ; je me réjouis toujours de la chance que j'ai eue de les connaître, d'avoir partagé un moment de ma vie, même court, avec eux. »

Allard possède pour faire ses photos sur le terrain seulement un grand-angle de 28 et 35 mm et des objectifs de 50 et 90 mm, et plusieurs boîtiers Leica M6. « Absolument toutes les photos d'un de mes derniers reportages sur les chanteurs de blues étaient prises avec un appareil à visée télémétrique en mode manuel », dit-il. En revanche, il utilise souvent le fill-in flash pour ajouter un peu de lumière sans changer

Cette photo, illustrant un article sur William Faulkner et le Mississippi, a nécessité un cadrage d'une extrême précision ; pour mettre à profit la maigre lumière d'une ampoule au plafond, Allard a tâtonné centimètre par

l'atmosphère de la scène. Alors qu'avec ses Leica il fait tous les réglages à la main, maintenant, grâce à un Canon EOS, il bénéficie d'une technologie électronique de pointe ; il apprécie, entre autres, que l'éclair du flash, dont la durée est calculée par la cellule du boîtier, soit parfois si bref qu'il passe quasiment inaperçu.

Peter Burian

Les conseils de William Albert Allard

■ Il n'y pas de truc particulier pour photographier les gens si ce n'est un «bon contact» avec eux. Robert Capa considérait le contact physique comme seul garant d'une photo-choc, c'est valable aussi sur le plan psychologique. Il faut mettre votre sujet en totale confiance ; tout compte, les mots mais aussi l'intonation de la voix et la moindre expression du visage.

■ La composition d'une image est soumise à des lois, mais une fois bien assimilées, elles doivent être transgressées. Vous pouvez ainsi couper une image en deux, si cela fonctionne. Il faut en arriver à ce que la composition soit intuitive ; je suis maintenant surtout attentif aux couleurs, aux formes et aux ombres.

■ Faire de la photo, c'est comme être devant des pièces de puzzle à assembler. Les clichés, pris au grand-angle, sont moins évidents parce qu'il y a plus de pièces. Vous devez vous demander : est-ce que tout s'emboîte bien ? Est-ce que le sujet s'intègre avec toutes les «pièces» du puzzle ? Et le résultat est-il harmonieux, émouvant, poétique ?

■ Une photo vraiment exceptionnelle se joue souvent au centimètre près. Testez tous les angles possibles. Un léger mouvement peut être décisif.

centimètre jusqu'à trouver l'angle idéal de prise de vue. Il avait dans la tête, bien avant d'appuyer sur le déclencheur, cette image emblématique de chasse et de violence, thèmes majeurs de l'œuvre de Faulkner.

LA PHOTOGRAPHIE

par Robert Caputo

La photographie extrême doit rendre à la fois l'émotion de celui qui prend le cliché et la réalité de son environnement. Sur cette photo, l'étroitesse des appuis sur cette paroi rocheuse souligne la difficulté de son ascension, et le bas de l'image permet d'évaluer la hauteur à laquelle se tiennent le grimpeur et le photographe.

Gordon Wiltsie

LA PHOTOGRAPHIE est indissociable de l'exploration de la nature, qu'il s'agisse des airs, des hauts sommets, des lointains déserts ou des hauts-fonds marins. Chacun de ces univers a ses exigences, ses richesses ; certains d'entre eux présentent de tels risques qu'ils nécessitent une intense planification et de longs préparatifs, d'autres font appel à l'endurance ou tout simplement à la patience. Si vous partez pour ce type d'aventures, il faut avant tout vous assurer d'une bonne logistique et du matériel de survie. Votre premier objectif étant d'abord la photo, faites le nécessaire pour que vos conditions de vie ne soient pas trop hasardeuses.

Quel que soit l'environnement que vous ayez décidé de photographier, les impératifs techniques et esthétiques sont les mêmes que si vous étiez tout près de chez vous. Vous aurez là aussi à vous préoccuper de la lumière, de la composition et du sens que vous souhaitez donner à votre image. Il ne s'agit pas simplement de photographier un sujet mais de communiquer votre interprétation personnelle et votre sensibilité.

LA PHOTOGRAPHIE SOUS-MARINE

Entre deux éléments : quand l'eau est peu profonde, comme ici dans le lagon au large de l'île polynésienne de Tubuaï, le soleil éclaire suffisamment la mer pour permettre une bonne exposition à la surface et en dessous. Si le sujet se trouve plus en profondeur, utilisez un filtre demi-circulaire de densité neutre afin d'équilibrer les deux expositions.

Point pratique

L'eau et les appareils photo ne sont guère compatibles ; quant au sel, il est très corrosif. Après chaque plongée, rincez très abondamment votre matériel étanche à l'eau douce et laissez-le sécher à l'air.

PHOTOGRAPHIER SOUS L'EAU constitue un véritable défi. Les exigences de composition et de lumière sont les mêmes qu'à l'air libre, mais la logistique est tout autre : il faut s'équiper d'un matériel de prise de vue spécial et se plier à des temps de travail limités. C'est néanmoins très gratifiant de faire découvrir au public un monde auquel il ne pourra que très rarement accéder. Si vous avez envie de vous lancer dans cette aventure, voici quelques conseils pour vous guider.

Il existe dans le commerce des appareils étanches et bon marché, utilisables à moins de 5 m de profondeur, ainsi que ces appareils jetables, que l'on emmène en vacances au bord de la mer. Néanmoins, c'est le système Nikonos, étanche jusqu'à environ 50 m de profondeur – son boîtier, ses objectifs interchangeables et son flash fixé à côté de l'appareil – qui s'impose pour un plongeur confirmé. Sea & Sea fabrique également un appareil avec des accessoires optiques (du grand-angle à l'objectif macro). Il permet de photographier jusqu'à 25 m de profondeur. La plupart des professionnels se servent de reflex mono-objectifs en enceinte étanche. Quand vous plongez pour vos photos, essayez de le faire quand le soleil est au zénith. Vous perdrez environ tous les 5 m la valeur d'un diaphragme, il est donc conseillé d'utiliser un film rapide (200 ISO ou plus). Et, pour compenser cette perte de lumière, ne prenez pas de photo à plus de 3 m du sujet.

Non seulement la luminosité baisse au fur et à mesure que vous descendez, mais les couleurs changent aussi. L'eau joue le rôle d'un filtre et c'est le rouge du spectre chromatique qui disparaît en premier : concrètement, l'environnement est de plus en plus bleu. Dans une eau d'un bleu profond, il est nécessaire d'apporter une source artificielle de lumière pour rendre les brillantes couleurs de la vie sous-marine.

Robert Caputo

Sous l'eau, comme partout, les flashes intégrés donnent des images assez plates et brutales. Il est préférable d'avoir une source de lumière latérale sur des supports flexibles. Pour apprendre à maîtriser ces techniques, rien ne vaut une piscine où vous pouvez tester ces éclairages dans des conditions de sécurité plus satisfaisantes. Sous l'eau, la réfraction de la lumière modifie la perception des distances : tout est plus proche ; si vous faites la mise au point dans le viseur d'un reflex, cela ne pose aucun problème, mais si ce n'est pas le cas, faites la mise au point selon ce que vous voyez, sachant que la distance réelle est de 25 % supérieure. Ceci vaut aussi pour l'installation des flashes. Enfin, l'angle embrassé par l'objectif est également réduit, donnant à une focale de 35 mm les caractéristiques d'une 50 mm à l'air libre.

La plupart des photographes ont tendance à photographier juste sous la surface de l'eau, et leurs photos « sous-marines » font souvent penser à des vues aériennes. Il est en fait bien plus intéressant de se rapprocher de la flore et de la faune multicolores pour jouir du privilège de ce spectacle.

Point pratique

L'eau absorbe beaucoup de lumière et une grande partie de la faune est de petite taille. C'est pourquoi les photographes spécialisés dans les fonds sous-marins utilisent souvent des objectifs « macro » ou des téléobjectifs. Mais comme le dit David Doubilet : « Approchez-vous le plus possible, et là approchez encore. »

DAVID DOUBILET
L'impact visuel de la photo sous-marine

«Voici que le grand requin blanc approche et, comme s'il était conscient de ma nervosité, il me poursuit. Je le repousse avec mon appareil mais, très agressif, il revient sans cesse à la charge. Je me rends compte alors que, sans palmes, je ne vais pas arriver à rejoindre ma cage anti-requins et je recule avec une lenteur cauchemardesque.» David Doubilet en réchappa de justesse.

Ce fut une mauvaise rencontre parmi tant d'autres. Pourtant, là n'est pas la principale difficulté. «L'eau et le poids de l'équipement de plongée demandent plus de temps et d'efforts pour ce type de photos, explique-t-il. On doit transporter chaque jour quantité de matériel de l'hôtel au bateau et inversement, le soir au retour, sauf quand on travaille sur un bateau. Même là, ce n'est pas fini, il faut au moins deux heures de remise en état et d'essais pour tout vérifier. Il y a toujours de l'eau qui s'infiltre, de l'air qui s'échappe, des joints qui lâchent ou les flashes qui disjonctent.» Pour certains reportages, il emporte jusqu'à une dizaine d'appareils, avec des objectifs allant du grand-angle au téléobjectif «macro», dans des caissons Aquatica ou Nexus. «Vous ne pouvez changer ni les objectifs ni les films sous l'eau, et il y a de la lumière partout. C'est pourquoi j'ai besoin d'au moins six appareils et d'un assistant.»

En bon petit New-Yorkais, Doubilet était un habitué des plages de la côte atlantique du New Jersey, et plonger avec un tuba était devenu son échappatoire:

Il faut que la situation soit vraiment critique pour que David Doubilet (à gauche et ci-dessous) se réfugie dans sa cage anti-requins. Il estime que les prises de vue sous-marines nécessitent des

objectifs « macro », mais la pression favorise fuites et pannes de toutes sortes si bien que son principal souci est d'avoir toujours à sa disposition une énorme quantité de matériel.

« Dès que je mettais la tête sous l'eau, toute agitation cessait : plus de foules, de bruit, de parents, de problèmes scolaires ; et j'oubliais même cet asthme qui a empoisonné mon enfance, » se souvient-il. À l'âge de 11 ans, fasciné par *Le Monde du silence*, David Doubilet rencontra Jacques-Yves Cousteau et parvint à bafouiller : « Je veux faire de la photographie sous-marine. » Le commandant Cousteau pencha sa longue silhouette vers lui et, avec un haussement d'épaules, lui lança : « Pourquoi pas ? »

Aujourd'hui, Doubilet a une cinquantaine de reportages à son actif pour le NATIONAL GEOGRAPHIC auxquels s'ajoutent d'autres commandes. Ses images

C'est lors de prises de vue dans le Pacifique Sud que Doubilet a réalisé cette photo de barracudas encerclant un plongeur. Il s'était placé sous la scène avec son appareil et un fish-eye plein cadre de 16 mm dirigé vers le soleil puis avait déclenché deux flashes à distance de l'objectif. Ce spectacle reste pour David «un des plus merveilleux souvenirs de plongée» et cette image est là pour en témoigner.

ont un impact esthétique extraordinaire : une composition très étudiée, d'impressionnants jeux d'ombre et de lumière, des couleurs vibrantes et un sujet bien choisi. Faire des images marquantes est loin d'être facile à terre, mais à quelque 60 m de profondeur, la difficulté est démultipliée. David Doubilet a pourtant décidé une fois pour toutes qu'un photographe de plongée sous-marine devait avoir exactement le même statut que n'importe lequel de ses confrères. «Le concept est identique, il faut faire preuve d'autant d'imagination et de talent sous la mer qu'à terre.»

Le monde sous-marin est un milieu sombre, froid et dangereux, dans lequel le photographe nage ou dérive sans pouvoir poser ni les appareils ni les flashes sur des pieds. Et surtout, les poissons ne se prêtent guère à la photographie ! Comme dit Doubilet, «il faut être chasseur dans l'âme : d'abord vous dénichez l'animal puis vous le traquez et enfin vous devez vous mettre nez à nez avec lui pour une photo.» Tous ces obstacles ne l'empêchent pas de réaliser des images inoubliables.

Quels sont les critères d'un travail parfait, selon lui ?

« Une photo sous-marine réussie s'impose d'elle-même par la qualité de la lumière, la particularité de son atmosphère, la vibration chromatique ou, pour la photo noir et blanc, par l'expressivité des jeux d'ombre et de lumière. » L'obstacle majeur, dans ce type de photographies, est néanmoins le temps. « Un photographe sur la terre ferme dispose d'un potentiel de 24 heures par jour pour travailler, tandis que moi, dans une journée, si j'ai une plage de deux heures, je peux m'estimer heureux. À 18 m de profondeur, on ne peut faire des photos que vingt minutes par jour et encore ce n'est pas idéal. » Cela ne l'empêche pas de travailler chaque sujet inlassablement. « J'ai une chance, en prenant une cinquantaine de rouleaux, d'obtenir une seule photo vraiment extraordinaire. »

Il insiste aussi sur la nécessité de bien maîtriser les flashes électroniques, mais n'utilise pour sa part que des flashes sans automatisation. Selon lui, le mode manuel n'est pas compliqué : « Si vous photographiez un plongeur à 1,20 m avec du 100 ISO, sachez que votre ouverture de diaphragme est de f/11 avec un flash. Pour un poisson à 90 cm, elle sera de f/16 avec une vitesse d'obturation calculée en fonction de la lumière à l'arrière-plan. De toute façon, vous avez 36 poses et vous pouvez toujours avoir recours au bracketing par sécurité. Dernier conseil, testez vos réglages de mise au point dans une piscine. »

La carrière de Doubilet au NATIONAL GEOGRAPHIC fut lancée par deux reportages dans les années 1970. « Le magazine a augmenté le nombre de ses articles sur les océans au fur et à mesure que la technique de photographie sous-marine se développait. » C'est à cette époque que les rédacteurs ont commencé à apprécier les images de fonds marins. Dès le début de sa collaboration, il a trouvé que la politique éditoriale au sein du magazine était très évoluée parce que « les photographes peuvent proposer des articles et ont presque carte blanche pour en faire l'illustration photographique ; ensuite, ils participent au choix des photos et à la conception de l'ensemble, ce qui n'est pas le cas partout. » Il croit en l'éloquence de la photographie : « Les images restent gravées en nous, malgré le nombre de documentaires regardés à la télévision. Ce n'est pas le propre de notre génération, c'est aussi vieux que l'homme: le cerveau humain fonctionne ainsi.»

Malgré les aléas du métier, David Doubilet ne se lasse pas de repartir au fond des océans. «Même après des dizaines d'années d'exploration, c'est pour moi un monde vierge qui abrite des créatures qui dépassent notre imagination. Au fur et à mesure que nous allons faire pénétrer la lumière dans ce "monde sans soleil" comme l'appelle Cousteau, de magnifiques images vont voir le jour; ce qui me motive pour les années à venir, c'est d'observer cet univers et de le faire connaître autant que je le pourrai.»

Peter Burian

Doubilet travaille à rendre ses photos spectaculaires grâce à des couleurs vibrantes et à des éclairages en général réalisés avec des flashes. Pour ce poisson-scie de Tasmanie, il s'est servi d'un flash en mode manuel (non TTL), réglant l'ouverture du diaphragme en fonction de la distance du sujet.

Les conseils de David Doubilet

■ Tout d'abord, devenez un excellent plongeur, pour vous consacrer à la photo; entraînez-vous ensuite avec la photo noir et blanc pour intégrer les bases de la composition et de la lumière. Pour cela, analysez les chefs-d'œuvre des grands noms de la photo.

■ Étudiez la vie animale des fonds marins pour identifier ce que vous voyez, savoir ce que vous voulez prendre en photo et avoir quelques techniques pour «chasser» les poissons.

■ Développez votre sens de la lumière; vous devez être capable de la voir, de la faire naître et, surtout, de savoir en «jouer». Quand vous faites des clichés de près, utilisez des éclairages d'intensités différentes et modulez les formes pour «peindre» avec la lumière. Servez-vous d'un bras articulé pour positionner les flashes.

■ Travaillez avec un ami qui vous aidera à trouver «le» beau sujet. Faites quelques photos puis laissez la situation évoluer pour recommencer.

■ Soyez très attentif au film que vous utilisez. Un Kodachrome 200 est idéal pour de l'eau vert bleu et trouble; si vous avez besoin d'un film moins rapide, le Fujichrome Provia 100 sera bien. Pour les espèces très colorées des récifs, elles seront bien rendues par du Fujichrome Velvia.

■ Les films utilisés pour la photo en noir et blanc étant panchromatiques, ils nécessitent un filtre jaune clair devant l'objectif; pour photographier face à la lumière il faut un filtre rouge; or, comme il réduit la transmission de la lumière, vous aurez peut-être besoin d'un film plus rapide, un Kodak T-Max 400 ou un T400CN.

LA PHOTOGRAPHIE ANIMALIÈRE

Privilégiez les photos d'animaux dans leur environnement, comme ce lionceau au milieu des hautes herbes de la savane. Dans les réserves d'Afrique de l'Ouest, où les animaux sont habitués aux véhicules, un téléobjectif de 300 mm suffit d'une façon générale.

Un flash aurait détruit la chaude ambiance créée par les bougies de Noël : le photographe a donc choisi un film rapide pour le portrait de son chat.

Stephen St. John,
photographe de la NGS

Photographier des animaux, votre chien tout comme un lion dans la savane, demande du temps, de la patience et de la sensibilité. Ce type de photos ne se différencie pas vraiment des portraits humains. Qu'il s'agisse d'un animal ou d'une personne, il faut traduire son caractère pour que l'image soit expressive. Bien sûr, vous ne pourrez exiger de ces créatures de s'immobiliser, de s'avancer dans la lumière et encore moins de sourire ; vous devrez attendre leur bon vouloir et apprendre à anticiper leur comportement. Il vous faut tout d'abord déterminer la vision que vous voulez donner de cet animal. Est-ce l'hyperactivité d'un chiot joueur, la noblesse d'un lion, la tendresse d'un singe femelle pour son petit ? Quelle que soit la caractéristique retenue, cherchez une composition, un éclairage et des angles qui l'accentuent, et soyez prêt à attendre le temps qu'il faudra pour que tous ces éléments se mettent en place.

Les animaux domestiques

Les photos les plus réussies de ces derniers sont en général celles prises à leur hauteur, ce qui implique une position au ras du sol. C'est le seul moyen de capter leurs expressions et de partager leur vision du monde. Rapprochez-vous le plus possible : un chiot, occupé à vider son écuelle, ne se laissera pas distraire par votre présence juste à côté de lui avec un grand-angle.

Si c'est votre propre animal, vous le connaissez sûrement assez bien pour prévoir ses réactions dans différentes situations. Tel chat se pelotonne dans un recoin bien précis, tel chien part chercher sa laisse à l'heure de la promenade ou s'endort au pied du lit de sa maîtresse… Lorsque vous avez décidé du lieu et du moment propices de la photo, tenez compte de l'éclairage pour vous placer au bon endroit et

Robert Caputo

guettez le comportement attendu. Si le chat en question s'endort sur un coussin au coin du feu, vous photographierez le félin sur fond de flammes avec un film rapide, une vitesse d'obturation assez lente et un fill-in flash. Le chien au pied du lit sera, lui, pris sous un éclairage indirect venant du plafond.

Notez aussi les moments où l'animal vous semble particulièrement expressif : votre chien grattant à la porte ou votre chat « méditant » devant la fenêtre. C'est ce souvenir d'eux que vous voulez pouvoir garder grâce à vos photos.

Dehors, votre animal adopte d'autres comportements qui se prêtent bien à la photo : le chat à l'affût d'un oiseau ou d'un écureuil, le bond du chien pour attraper la petite branche ou le frisbee que vous lui avez lancés. Reportez-vous aux conseils donnés dans le chapitre sur la photographie en mouvement si vous voulez figer le chat bondissant ou le chien en plein élan. Faites des portraits, des clichés sur le vif ainsi que des photos qui témoignent de leur relation avec chacun des membres de la famille et feront partie des albums de souvenirs.

Point pratique

Si vous faites une photo d'un chien ou d'un chat noir occupant une part importante du cadrage, le posemètre aura tendance à surexposer et, à l'inverse, si l'animal est blanc, à sous-exposer. La solution consiste à prendre la mesure à partir d'un objet dans la photo équivalant au gris neutre.

Joseph Bailey

Les chiots sont des petites boules de poils très expressives alors, quand vous les photographiez, cherchez à traduire leur grâce pataude. La couverture bleue donne la touche de couleur indispensable pour faire ressortir toutes les nuances fauves des chiens et du mur.

Dans les jardins

Vous n'avez pas besoin de partir bien loin pour photographier la vie dans la nature ; tout un monde vous attend dans le moindre bout de jardin.

Les fleurs et les insectes font d'excellents sujets pour la macrophotographie, tout comme les fougères, les arbustes regorgeant de baies rouges, et autres merveilles botaniques. Pour prendre des photos d'insectes, vous aurez besoin d'une vitesse d'obturation rapide, aussi est-il nécessaire de profiter d'une bonne lumière, tôt le matin ou en fin d'après-midi quand le soleil est bas et au plus chaud. Beaucoup de ces créatures, et en particulier la mante religieuse, se laissent assez facilement approcher avec un objectif « macro ».

La faune sauvage – les écureuils, les lapins ou les oiseaux – a encore sa place dans beaucoup de jardins, et l'on peut y faire quantité d'observations sur le comportement animal : les insectes choisissent certaines fleurs, les écureuils ont des cachettes pour leurs réserves hivernales, quant aux lapins, ils se régalent de vos salades. Alors, postez-vous avec un téléobjectif dans un de ces endroits stratégiques et attendez. S'il s'agit d'un animal farouche, installez une sorte de paravent, fait par exemple à l'aide d'une pièce de tissu tendue entre deux piquets. Il ne vous reste plus qu'à vous placer derrière pour photographier, si possible au niveau des yeux du sujet.

Comme les animaux sont souvent très agiles et vifs dans leurs déplacements, choisissez une vitesse d'obturation rapide et éventuellement un film très sensible si vous manquez de lumière. Si vous avez un appareil à entraînement automatique du film, il vous permettra de prendre, en pleine action, une série de vues et vous augmenterez vos chances d'obtenir une photo réussie. Le jeu qui consiste à approcher au plus près les animaux sans les effrayer est l'un des aspects les plus excitants de ces reportages de nature. Et pourquoi ne pas ménager pour les oiseaux un nid dans un endroit que vous pourrez observer et photographier de votre fenêtre ? Au printemps, si l'emplacement est bien choisi, vous aurez de bonnes photos à prendre de la couvée.

Soyez très patient, les photos d'animaux non apprivoisés prennent du temps. Vous pouvez être prêt pour

Point pratique

Pour photographier des oiseaux, installez une mangeoire et un abreuvoir près d'une fenêtre, de préférence à proximité d'un arbre ; ils viendront y nicher. Ouvrez la fenêtre juste pour laisser passer l'objectif et tirez les rideaux pour que les oiseaux ne soient pas effarouchés par vos allées et venues dans la maison.

Ces deux photos ont été prises à partir d'un affût en toile construit par le photographe qui le laissa inoccupé deux semaines. Les animaux ayant eu tout le temps de s'habituer à ce nouvel élément, le photographe s'y installa subrepticement au petit matin et put saisir de près leurs attitudes.

Chris Johns, photographe de la NGS

la photo sans qu'aucun animal n'apparaisse et, si enfin il arrive, c'est la lumière qui peut avoir disparu ; quand ce n'est pas votre chien qui a fait fuir l'animal… Restez calme, vous avez passé un agréable moment en plein air et le jour où vous aurez réussi l'image attendue, vous en serez amplement récompensé.

Dans les zoos

Il y a deux façons de faire de la photo dans un zoo : les plans serrés sur l'animal ou bien les plus larges comprenant son environnement. Dans le premier cas, essayez de cadrer au plus près en occultant l'arrière-plan, peu conforme à l'identité de l'animal. Si, au contraire, vous mettez l'accent sur le zoo, trouvez dans la composition des éléments qui en montrent les caractéristiques et les réactions de l'animal dans ce milieu. Les zoos étant bien sûr très différents, suivant que l'animal est parqué à l'étroit, derrière des barreaux, ou dans un enclos censé reproduire son véritable habitat, laissez libre cours à vos impressions.

Faites le repérage des lieux une première fois pour identifier les espèces que vous voulez photographier et vous familiariser avec leurs habitudes et leurs rythmes, puis retournez-y avec votre appareil.

Si vous prenez des plans serrés de l'animal, servez-vous d'un téléobjectif de 300 mm ou d'une focale moins longue avec un multiplicateur de focale. La plupart des zoos autorisent la photographie et vous devriez pouvoir installer un pied pour votre appareil ; souvenez-vous que vous perdez un peu de lumière si vous utilisez un multiplicateur de focale et que vous devrez peut-être charger votre appareil avec un film plus rapide.

La mesure de l'exposition risque, dans un sens comme dans l'autre, de poser des problèmes lorsque vous voulez photographier des animaux au pelage blanc ou très foncé. Essayez d'évaluer la qualité tonale de votre modèle, et pour ne pas commettre d'erreurs, effectuez la mesure à partir d'un objet neutre de la scène ou d'une carte gris neutre.

Point pratique

Pour toute chasse photographique d'animaux sauvages, il faut s'armer de patience, surtout dans les zoos où les animaux dorment beaucoup pour tromper leur ennui. Il faut donc être prêt à saisir leurs rares moments d'activité et, à défaut de comportement intéressant, tenter de prendre des instantanés des petits jouant entre eux ou avec leur mère.

Nathan Benn

Dans les parcs nationaux

Les randonnées dans les parcs nationaux, réserves et autres espaces protégés sont de belles occasions de prendre des photos de nature. Si vous êtes disposé à prendre le temps de connaître et d'approcher les animaux, vous serez gratifié par de magnifiques images. Les photographes animaliers les plus compétents ont une formation de naturaliste pour connaître leurs

Emportez un téléobjectif au zoo, choisissez votre sujet, préparez la photo, puis attendez qu'un événement survienne. Peut-être serez-vous récompensé par des images comme celle-ci prise juste au moment où le perroquet s'ébrouait après une petite douche revigorante !
Le zoo est également synonyme de promenades dominicales en famille, ne négligez pas cet aspect-là.

Robert Caputo

George Mobley

Une voiture est un poste formidable pour l'affût ; à la campagne à proximité des maisons, les animaux sont habitués aux véhicules et, si vous êtes discret, vous pouvez vous avancer assez près sans les déranger. La sérénité de cette scène est mise en valeur par les courbes de la route et de la clôture qui s'effacent dans la brume ainsi que par le feuillage en haut et à droite qui ramène le regard dans l'image.

sujets dans leur environnement et sont prêts à passer d'innombrables heures de travail dans des conditions difficiles pour rapporter une image intéressante.

Les parcs nationaux mettent souvent à la disposition des visiteurs des brochures très instructives ; quant aux cartes postales et aux livres, ils vous indiqueront les sujets à photographier. Vous trouverez peut-être aussi des gardes forestiers prêts à vous renseigner. Demandez-leur où vous pouvez avoir des chances d'observer des animaux et lesquels se laissent approcher ; dans les secteurs les plus reculés, ils sont en général très difficiles à repérer. Sachez que c'est au lever ou au coucher du soleil que vous ferez les meilleures photos, car ce sont les moments où les bêtes cherchent à se nourrir et à s'abreuver.

Pour la chasse photographique, deux méthodes sont possibles, l'affût ou l'approche. Pour l'un comme pour l'autre, il faut être le plus discret possible ; les animaux ne doivent pas être conscients de votre présence ou, du moins, ne pas en être dérangés dans leur comportement si vous voulez rapporter des documents intéressants.

La moindre intrusion sur leur territoire, la moindre perception d'un danger va les faire fuir, alors, pour mettre toutes les chances de votre côté, optez pour des tenues camouflées, style treillis militaire, (interdit aux civils dans certains pays d'Afrique), ou plus simplement des vêtements imitant les couleurs de la nature ; si vous avez la peau claire, ayez les jambes et les bras couverts. Vous pouvez même vous couvrir le visage et les mains de boue. Masquez les parties métalliques et brillantes de votre appareil avec du ruban adhésif noir. Vérifiez aussi que vous n'avez rien dans vos poches (clés, pièces de monnaie…) qui puisse faire du bruit. Dernier conseil de discrétion concernant l'odorat très fin des animaux : tout déodorant parfumé, eau de Cologne et après-rasage sont à proscrire.

L'affût

Si vous photographiez depuis un affût, assurez-vous qu'il soit à distance raisonnable du point d'eau, de la tanière ou des autres lieux propices pour une photo ; vous devez être le plus près possible des animaux sans pour autant les déranger. Pour ne pas leur signaler votre présence, profitez d'un moment où ils ne sont pas aux alentours pour vous faufiler à l'intérieur. Si vous êtes posté près d'une tanière, installez-vous à l'affût quand les adultes sont partis ou quand la meute est endormie ; ils fréquentent les points d'eau et les clairières à heures relativement fixes. Prenez de la lecture pour passer le temps ; si vous êtes discret et

Point pratique

Ayez toujours votre appareil prêt car la plupart des scènes de la vie sauvage sont à saisir au vol. À l'affût dans une voiture, roulez lentement et approchez-vous le plus près possible de l'animal, votre téléobjectif appuyé sur la vitre et calé par un vêtement ou un coussin. Soyez patient et vous verrez les animaux se déplacer autour de vous. Vous ne devriez pas avoir de mal à prendre des scènes intéressantes.

William Albert Allard, photographe de la NGS

Toute la rigueur d'un hiver dans le Wyoming s'exprime dans cette photo d'un troupeau de bisons progressant avec difficulté dans la neige profonde. Le photographe a voulu traduire, par tout ce blanc qui les entoure, l'étendue de leur territoire.

Ces deux photos ont été prises avec un objectif de 600 mm. Je voulais que cette image de flamants roses, prise au Kenya, traduise ce nombre impressionnant d'oiseaux sur le lac ; j'ai donc escaladé un promontoire rocheux qui me donnait un bel angle de vue. Pour ces ibis, pris au Venezuela (en bas), je me suis approché tout doucement et j'ai attendu qu'ils prennent leur envol.

Robert Caputo

patient, les animaux, même conscients de votre présence, se calmeront et reprendront le cours de leur vie habituelle. Pour des plans serrés, servez-vous d'un pied et d'un long téléobjectif (400 ou 600 mm), à moins que vous ne préfériez un objectif plus court avec un multiplicateur de focale.

L'approche

N'emportez qu'un minimum d'équipement pour être le plus rapide et le plus silencieux possible dans vos déplacements. Un gilet de reporter avec des poches partout est idéal pour transporter films, objectifs et boîtier supplémentaire au besoin. Un sac à dos peut aussi convenir.

Si vous avez la chance de rencontrer un animal sur votre chemin, arrêtez-vous ; peut-être pouvez-vous, s'il ne vous a pas repéré, trouver une meilleure position. En revanche s'il vous a vu, restez parfaitement immobile jusqu'à ce qu'il se calme ; s'il n'a pas détalé à votre vue, c'est plausible qu'il reste sur place sauf si vous l'effrayez. Ne le fixez pas, car dans le règne animal regarder dans les yeux équivaut à une menace. Le plus prudent est donc d'attendre qu'il détourne la tête, puis de lever très doucement votre appareil pour prendre la photo. S'il est toujours là, accroupissez-vous avec lenteur pour continuer à le photographier ; dans cette position, il admettra mieux votre présence et vous aurez ainsi une chance de prendre une belle série de clichés.

À l'approche d'un endroit fréquenté par les animaux, arrêtez-vous souvent pour scruter les alentours et tendre l'oreille pour capter le moindre froissement de feuilles, de branches ou autres bruits signalant une présence. Marchez lentement et surtout à pas feutrés ; il y a probablement à proximité quelque animal aux aguets. Vous êtes un chasseur, ne l'oubliez pas ; vous devez tout faire pour approcher votre « gibier » et le prendre à son insu. Étudiez bien l'environnement immédiat : y a-t-il suffisamment d'arbres pour vous mettre à couvert, de buissons ou de rochers derrière lesquels vous abriter ? Allez-vous vous fondre dans l'arrière-plan ou, au contraire, si vous êtes sur une crête rocheuse, vous découper contre le ciel ? Est-ce que d'autres animaux vont donner l'alerte ? Et le vent, le soleil, la lumière jouent-ils en votre faveur ? C'est en tenant compte de tous ces facteurs que vous choisirez le parcours qui favorisera votre approche du sujet, même si cela implique des détours.

À chaque fois que l'animal lève la tête, immobilisez-vous jusqu'à ce qu'il recommence à brouter ou à boire, puis remettez-vous très lentement à avancer et, comme chaque nouveau pas peut anéantir tous vos efforts, « mitraillez » dès que vous êtes arrivé à distance raisonnable. Essayez de faire des images qui traduiront bien ce que vous avez sous les yeux : l'animal dans son environnement. L'idéal étant de faire une photographie qui représente à la fois la beauté du paysage et la vie sauvage.

Point pratique

Certains photographes installent un affût mobile assez loin de l'endroit qu'ils veulent prendre et ne le rapprochent que peu à peu pour laisser aux animaux le temps d'accepter dans leur environnement ce nouvel élément. Même si vous installez un affût directement à l'endroit de vos prises de vue, il est judicieux de le laisser inoccupé pendant au moins une journée.

Photographier la vie sauvage est avant tout une question de patience. J'ai suivi cette femelle et son petit pendant plus d'une semaine, ce qui impliquait des heures d'attente dans ma voiture pendant leurs interminables siestes. C'est seulement le troisième jour que j'ai réussi à prendre la photo que je voulais : le bébé guépard sur une souche et sa mère en arrière-plan. Je n'arrivais pas à les quitter et cela me valut cette ultime photo qui se passe de commentaire (page de droite).

Robert Caputo

Les safaris

Un safari dans un pays de l'Afrique de l'Ouest est un magnifique programme de vacances et, pour des photographes spécialisés dans l'observation de la nature, c'est un vrai paradis. La variété et la multitude des bêtes sauvages ainsi que l'immensité des paysages sont grisantes. C'est d'ailleurs notre émerveillement face à une telle nature que l'on voudrait pouvoir traduire en prenant aussi bien des plans serrés que des panoramas. Mais, avant de partir pour ce safari, lisez des livres sur les animaux d'Afrique ; cela vous aidera à localiser les différentes espèces et à repérer les comportements les plus intéressants à photographier.

Le choix des photos

Si vous voyagez en Afrique ou dans tout autre endroit du globe réputé pour sa nature sauvage, emportez beaucoup de films. Vous prendrez sûrement plus de photos que prévu et surtout c'est très frustrant d'être à court de films au moment où un événement est sur le point de se produire. De plus, les films nécessaires risquent d'être introuvables ou seront hors de prix. Emportez-en d'ailleurs toute une gamme : les films de moyenne sensibilité couvrent la plupart des besoins courants mais, à très haute sensibilité, ils permettent de réaliser de bonnes images au crépuscule, dans la pénombre des forêts, ou si vous prenez des

Point pratique

Emportez un coussin rempli de billes de polystyrène ; il vous sera très utile en voiture pour caler votre téléobjectif sur la vitre. Si vous n'en avez pas, empruntez un oreiller du *lodge* où vous êtes hébergé. Il m'est arrivé aussi d'utiliser mon sac fourre-tout ou une veste. Vous aurez aussi besoin d'un pied pour photographier les oiseaux ou les singes qui viendront sans doute vous rendre visite à votre campement.

oiseaux en vol. Un boîtier supplémentaire peut aussi être utile en cas de défaillance. Mettez aussi dans vos bagages la gamme des objectifs indispensables.

Dans les réserves, les animaux ont l'habitude des voitures et vous serez surpris de voir combien ils sont peu farouches. Dans la plupart des cas, vous pouvez faire des plans très serrés avec un téléobjectif de 300 mm, mais si vous avez à photographier des animaux qui s'effrayent vite, ou des oiseaux, il vous faut un 600 mm, idéal pour ce genre de prises de vue mais lourd et encombrant. Une autre solution consiste à adapter sur l'objectif un doubleur de focale. Pour compléter la gamme, emportez aussi un grand-angle pour des photos-souvenirs de vos compagnons de voyage, des paysages et du *lodge* où vous êtes hébergé.

Sur le terrain

Levez-vous avant le soleil puisque c'est tôt le matin et tard l'après-midi que vous bénéficierez de la meilleure lumière ; ce sont aussi les moments où les animaux se déplacent. Au lever du jour, ils sont d'ailleurs plus toniques et vous verrez peut-être les fauves ou autres prédateurs nocturnes en train de se repaître de leurs proies. Mais lorsque le soleil est à son zénith, les herbivores broutent et les grands fauves dorment de nouveau. L'activité reprend en fin de journée et vous profiterez du spectacle jusqu'à la nuit tombée.

Si vous avez décidé de faire ce safari-photo à pied, reportez-vous aux conseils concernant l'approche des animaux. N'oubliez pas cependant que les animaux des réserves africaines sont bien plus dangereux que ceux qui peuplent nos parcs et réserves.

N'approchez jamais votre sujet de front, ce serait le meilleur moyen de le faire fuir. Avancez en zigzag, puis en biais par rapport à lui pour qu'il se sente moins menacé. Les animaux parcourent des distances très variables suivant les espèces, ou selon l'âge et le tempérament de chacun ; cela fait partie des informations que vous pourrez obtenir de votre guide si vous en avez un, sinon vous apprendrez à mesure. Mais surtout restez vigilant : les grands fauves d'Afrique sont amateurs de chair humaine.

Robert Caputo

Préparez-vous à attendre, car l'expérience prouve qu'il vaut mieux se concentrer sur un sujet en guettant le moment propice plutôt que d'errer indéfiniment à la recherche d'un peu d'action. Si, après des heures d'affût, vous avez au bout de votre objectif un lionceau au réveil de sa sieste en train de jouer avec la queue de sa mère ou le départ des fauves pour la chasse, vous éprouverez une grande satisfaction.

Saisir ces instants demande non seulement de la patience mais aussi une certaine expérience de la vie sauvage et, bien sûr, de la chance. Il faut anticiper le trajet des animaux et se positionner en conséquence sans se faire remarquer. Mais surtout respecter les animaux et leur environnement. Les guépards du parc national d'Amboseli au Kenya ont beaucoup souffert des groupes de touristes en voiture qui les suivaient en train de chasser. Gardez à l'esprit qu'un animal est plus important que son cliché ; tout l'intérêt de la chasse photographique est de surprendre l'animal le plus discrètement possible. Prenez énormément de photos ; vous n'aurez peut-être pas d'autres occasions d'approcher de si près la vie sauvage.

Soyez à la recherche de motifs. Ce plan serré sur des zèbres en train de s'abreuver et leur reflet dans l'eau était plus original qu'une vue d'ensemble du point d'eau. D'une façon générale, les animaux sont très méfiants quand ils ont la tête baissée alors, dans ce cas, faites plus que jamais attention à rester immobile et silencieux.

CHRIS JOHNS
La photo « sauvage »

Kent Kobersteen, photographe de la NGS

« POUR FAIRE DES PHOTOS PER-CUTANTES, il faut coller au terrain au sens propre du terme et être à proximité immédiate du sujet », dit Chris Johns qui, lui aussi, fait partie de l'équipe du NATIONAL GEOGRAPHIC. « On finit par s'imaginer que notre appareil photo est une sorte de bouclier ; moi, j'en viens en tout cas à prendre des risques que je ne conseillerais à aucun photo-graphe amateur. ». Après des semaines passées à suivre un troupeau d'éléphants, il sait à quelle distance il est rai-sonnable de se maintenir. Mais, même fort de cette expérience, il lui est arrivé d'avoir des surprises désa-gréables. « Celui qui fait peur, c'est celui que vous n'avez pas vu arriver », explique-t-il. Maintenant avec des télé-objectifs, des guides professionnels et des véhicules très sûrs, les risques sont beaucoup moins grands.

Même si les reportages sportifs de ses débuts l'ont entraîné à travailler en mode manuel, Johns est un adepte des dernières innovations autofocus. « Il m'est arrivé d'avoir des guépards qui me fonçaient dessus à plus de 80 km/h et, avec l'anticipation de mise au point automatique du Nikon F5 et un objectif de 600 mm f/4 autofocus motorisé, chaque cliché était parfait et j'ai pu photographier à une cadence de huit images par seconde. Dans la poussière, le brouillard et la pluie, j'arrive maintenant à faire des photos que je ne pour-rais pas faire sans autofocus. Mais il est important d'en connaître les limites et de savoir s'en servir quelles que soient les conditions. »

Il s'en remet rarement au posemètre « intelligent », préférant avoir la double option, soit de la mesure

C'est en Floride que Chris Johns (à gauche) photographia ce serpent à sonnette. Il était dans la pénombre tandis qu'autour, le paysage bénéficiait encore de la lumière du coucher de soleil. Comme les films

inversibles ne
permettent pas
de rendre de tels
contrastes, il s'est servi
d'un flash électronique
(TTL) de faible
puissance en appoint
pour éclaircir les
ombres du tout
premier plan.

intégrale pondérée, soit d'une mesure spot. Il apprécie aussi beaucoup le flash TTL qui peut fournir une
source lumineuse d'appoint. « Le premier pas est difficile, puis son utilisation devient évidente quand
vous devez travailler dans l'urgence. Vous n'avez pas
à vous soucier de la distance flash-sujet et l'éclair est
imperceptible. » Pour donner un effet très naturel, il
se sert d'un flash indépendant du boîtier et, pour
que le flash n'écrase pas l'éclairage ambiant, en réduit
la puissance tout en allongeant sa durée. Bon nombre
de ses photos de vie sauvage sont faites avec une faible

Ces jeunes garçons
ont été photographiés
en Zambie au lever
du jour alors qu'ils
participaient à un rituel
devant un grand feu.
Pour amplifier
l'éclairage tout en
préservant la qualité
de la lumière
disponible, Johns
s'est servi d'un flash
avec un filtre ambre
muni d'un diffuseur.
«Je ne veux pas
donner l'impression
qu'il y a un flash,
mais juste que l'on
remarque un effet
de lumière.»

lumière. «C'est ce que je préfère; la lumière incertaine d'un lever ou d'un coucher de soleil peut être sublime; elle est difficile à capter surtout avec de grands optiques.» Comme il travaille en général avec des films inversibles de 100 ou 200 ISO qui ont la préférence des magazines, ses photos d'animaux ont souvent un effet de «bougé».

C'est maintenant moins la perfection que la spontanéité qui l'intéresse. Il cherche avant tout à faire des images qui traduisent le dynamisme, l'énergie, et même la violence des animaux sauvages, parfois dans une demi-pénombre. «Je cherche à saisir la quintessence du moment, confie-t-il, c'est pourquoi au développement il ne ressort qu'une ou deux images correspondant exactement à ce que je voulais faire.»

Quand il repense à des articles du début de sa carrière comme celui sur les *Okies,* ces ouvriers agricoles saisonniers de l'Oklahoma (septembre 1984), il aimerait pouvoir revenir en arrière: «Mon approche fut trop superficielle. Maintenant, j'y mettrais plus de lyrisme et un peu plus d'intensité dramatique ou de réflexion personnelle.» Il admet que des photos puissent illustrer un article de presse, mais trouve qu'elles devraient pouvoir se suffire à elles-mêmes.

C'est en travaillant pour un article sur l'Américain Frederick Remington (août 1988) qu'il se remit en question. L'exemple de cet illustrateur de magazine, qui se battit pour se faire reconnaître comme artiste, eut sur lui une influence décisive. « Remington partit en France pour s'imprégner des techniques des impressionnistes, explique-t-il. Il progressa considérablement. Cela m'a incité à me demander si je ne pouvais pas, moi aussi, tout en restant photographe de magazine, avoir une approche véritablement artistique de la photo. » « J'essaie constamment d'ajouter du sens à mes images pour interpeller ou émouvoir. Je veux les rendre plus riches, à la fois visuellement et émotionnellement. Je veux qu'elles dépassent la réalité immédiatement perceptible, qu'elles la montrent aux gens sous un angle différent et plus intériorisé. »

L'occasion de réaliser ce projet et de changer de style lui fut donnée lors d'un grand reportage sur la vallée du Rift qui traverse l'Afrique orientale. « Ce fut un tournant dans ma vie, se rappelle-t-il ; enfant, je m'étais passionné pour ce continent à travers mes lectures et j'étais grisé de le découvrir. Je trépignais d'impatience le matin pour démarrer, jamais je ne m'étais senti aussi stimulé dans ma créativité. » Il était en plus tenaillé par l'envie d'expérimenter une technique photographique très différente. « Je me souciais moins de réaliser les photos parfaites selon les critères du NATIONAL GEOGRAPHIC. Je me suis contenté de prendre des photos et de tester différentes techniques. »

Johns n'a rien contre la technique, mais il s'inquiète de sa surenchère : « Quand les photographes cherchent en permanence à prouver leur virtuosité, c'est au détriment de leur travail de journaliste et aussi, à mon avis, de leur développement personnel. Je cherche à créer une trame visuelle forte pour faire corps avec l'article. Il faut qu'elle soit belle et significative. La forme ne doit pas s'opposer au fond. J'ai même une ambition didactique ; je voudrais que, tous ensemble, nous fassions les bons choix pour l'avenir. Je ne suis pas là pour montrer quel grand photographe je suis. »

Marié et père de trois jeunes enfants, Johns est parfois loin des siens deux mois de suite ; il trouve cela
difficile, même s'il est très proche d'eux et leur consacre
beaucoup de temps dès son retour. Il estime que seuls
« l'amour, la patience et le dévouement de sa femme »
rendent cette vie possible. Heureusement elle partage
ses convictions et croit en son travail. « L'an prochain,
je compte les emmener tous en Afrique », conclut-il.

Johns n'a pas d'autre objectif, pour les dix années
à venir, que de maintenir le cap : « Je crois qu'il y a
encore beaucoup à montrer et à faire connaître aux

Quand il photographie,
comme il le fait
souvent, des animaux
sauvages, Johns
cherche à rendre
original ce qui pourrait
n'être que très banal.
Quand il a pris ce lion
en Afrique du Sud, il
voulait « aller au-delà

gens et que ma mission est de témoigner.» Et il ajoute :
«La photo peut continuer à jouer ce rôle parce qu'une
image garde toute la force de son impact.»

Peter Burian

Les conseils de Chris Johns

■ Pour faire de très bonnes photos d'une espèce, allez sur le terrain et rencontrez des gens qui la connaissent bien. Respectez ces animaux et les consignes de sécurité. Évitez de prendre des risques face à des espèces sauvages.

■ Levez-vous avant le soleil en Afrique ; moi, je suis debout en général vers 4 h 30. C'est le matin tôt et tard l'après-midi que les animaux sont les plus actifs.

■ Observez les animaux avec des focales différentes et sous tous les angles possibles. Veillez à ne pas les prendre en surplomb. Attendez qu'ils se jettent sur leur proie ou s'adonnent à quelque activité. Dans un véhicule ou un affût, laissez l'animal s'approcher de vous ; il est rare, de prendre de bonnes photos d'animaux qui se sentent traqués.

■ Une focale de 600 mm à f/4 est parfois nécessaire mais une 300 mm à f/2,8 avec un multiplicateur de focale (x2 ou x1,4) convient. Certaines de mes meilleures photos du monde sauvage ont été prises au grand-angle ; avec une focale courte, cherchez à inclure plus d'environnement dans le cadrage et à vous servir de la lumière pour faire ressortir l'animal.

■ Dans une luminosité faible, essayez des vitesses d'obturation plus lentes pour rendre le flou du mouvement et servez-vous d'un flash pour ajouter de la lumière dans les yeux. Enfin, si chaque photo de votre film est bonne, vous venez d'échouer !

du stéréotype et offrir au public quelque chose d'inédit sur le sujet». Un vent violent lors d'un orage a donné une touche surréaliste à cette image et son impact visuel s'en est trouvé renforcé.

LA PHOTOGRAPHIE AÉRIENNE

Mis en valeur par l'écrin flamboyant d'un été indien, ce château néo-gothique du comté de Weschester (New York) ressort dans toute sa splendeur. Essayez de faire des photos aériennes lorsque le ciel est très dégagé, soit le matin, soit en fin d'après-midi ; la lumière est plus chaude quand le soleil est bas et les ombres s'étirent, dessinant des contours.

LA PHOTOGRAPHIE AÉRIENNE donne aux sites une dimension nouvelle. Vous pouvez faire ces prises de vue depuis un avion de ligne, mais un petit avion de tourisme est bien sûr la solution idéale puisque vous êtes libre de survoler ce que vous voulez, à l'altitude qui vous convient le mieux.

Si vous faites des photos depuis un avion de ligne, évitez le côté au soleil et choisissez une place à l'avant des ailes où les hublots sont plus propres. Les moments les plus intéressants, à une altitude assez basse, sont le décollage et l'atterrissage, mais vous pouvez aussi faire de magnifiques vues, à plus haute altitude, de cimes enneigées ou de quelque autre paysage grandiose.

Un avion à ailes hautes (type Cessna) sera le plus indiqué, car la visibilité est meilleure et il peut voler très lentement. Si le pilote accepte de retirer la porte, vous obtiendrez une plateforme de prise de vue fantastique. Gardez en permanence votre ceinture de sécurité. Placez votre équipement photo à côté de vous et passez autour de votre cou la bandoulière de votre appareil. Si vous portez des lunettes, n'oubliez pas de les attacher, et enfin, au moment de changer le

Les photos aériennes révèlent souvent des motifs géométriques surprenants. En survolant cette habitation dans le sud du Soudan, j'ai pris cette photo que j'estimais intéressante à faire à la fois par son graphisme et sa valeur documentaire.

Robert Caputo

Jodi Cobb, photographe de la NGS

film, assurez-vous d'être bien assis. Dans un avion de ce genre ou à bord d'un hélicoptère, essayez de photographier à 1/500ᵉ s ou plus vite.

Si vous louez un petit avion de tourisme, expliquez au pilote ce que vous voulez photographier et l'angle de prise de vue que vous pensez être le meilleur. Demandez-lui de survoler à plusieurs reprises les endroits prévus à des altitudes différentes. Équipez-vous, si possible, d'un reflex motorisé pour prendre le maximum de photos à chaque passage.

Quel que soit le type d'avion, recherchez dans cette vue aérienne les éléments qui pourraient donner du caractère à la photo : les lacets d'une route, les méandres d'une rivière, une ferme au milieu des prés, un pic rocheux, la flèche d'une tour émergeant des buildings. Pensez aussi à intégrer le ciel dans le paysage s'il est particulièrement beau ou impressionnant, et soyez attentif à repérer dans ce paysage vu d'en haut toutes sortes de motifs étonnants par leurs formes et leurs couleurs.

Point pratique

Quand vous prenez une photo aérienne, n'oubliez pas que c'est un paysage ; alors, faites votre cadrage exactement comme si vous étiez en haut d'une falaise en vous demandant quel est le principal intérêt de ce panorama et comment votre image va le mettre en valeur.

L'AVENTURE

ESCALADER LES PITONS GELÉS, descendre dans l'écume des rapides, se glisser dans les anfractuosités humides des grottes, tailler sa route dans les profondeurs inextricables de la forêt vierge, toutes ces aventures ont fait l'objet de reportages grâce à l'avènement des formats 135 mm, suffisamment maniables pour être au cœur de l'action. Compacts, légers et polyvalents, ces appareils ont relaté avec acuité notre soif d'aventure, témoignent de nos succès comme de nos échecs. Ils nous ont offert des mondes inconnus ou inaccessibles : chacun d'entre nous a pu voir le sommet de l'Everest ou un Indien Yanomami du cœur de la forêt amazonienne. La première consigne est bien entendu la prudence ; aucune photo, si extraordinaire soit-elle, ne doit mettre une vie en danger, ni la vôtre ni celle de vos compagnons. Dans le feu de l'action, on peut bien sûr être tenté de prendre toujours plus de risques pour gagner les quelques centimètres qui vous semblent assurer le cadrage idéal. Mais réfléchissez : la photo vaut-elle vraiment cette prise de risque ? Peut-elle être réalisée dans des conditions de sécurité plus satisfaisantes ?

En milieu aquatique

Que vous descendiez les rapides bouillonnants ou fassiez le tour du monde à la voile, du surf ou tout autre exploit aquatique, le problème majeur est de protéger votre équipement. Des caisses et des sacs étanches sont prévus à cet effet ; pour ce genre de reportage, je prends une caisse et garde un sac imperméable dans lequel je glisse mon appareil avant de l'utiliser. S'il y a beaucoup d'embruns, vous pouvez aussi emballer votre appareil dans un sac en plastique transparent avec juste un trou pour l'objectif. Emportez du papier ou des chiffons doux pour essuyer la moindre goutte sur les lentilles de l'objectif. En revanche, s'il s'agit de surf,

Chris Johns, photographe de la NGS

Cette photo de rafting sur le Zambèze, prise à 1/1 000ᵉ s, traduit bien la violence et le bouillonnement de l'eau. Le photographe a reconnu les lieux à l'avance et trouvé un petit promontoire surplombant le rapide pour prendre sur le vif cette descente plutôt sportive.

de rafting ou de tout autre sport où vous êtes forcément trempé, équipez-vous d'un système Nikonos ou d'un appareil en enceinte étanche. Si vous êtes dans de l'eau salée, n'oubliez pas de rincer fréquemment tout votre matériel à l'eau douce.

Vous aurez sûrement envie de geler l'action ; optez alors pour une vitesse d'obturation rapide. N'oubliez pas que les embruns, une voile blanche ou tout objet brillant dans le cadrage risquent de fausser la mesure du posemètre qui aura tendance à sous-exposer. Vérifiez aussi que vos photos donnent une idée de l'environnement : l'importance des rapides, celle de la vague… Si vous êtes à bord du canoë ou du bateau que vous photographiez, servez-vous d'un

La trace et le but.
En combinant les
empreintes de pas des
alpinistes, au premier
plan, et le sommet,
à l'arrière-plan, le
photographe
a réussi à exprimer
à la fois les aléas de
cette expédition vers
le sommet de l'Everest
et l'impressionnante
splendeur du paysage.
Les couleurs vives
du matériel et des
vêtements renforcent
l'impact visuel
de l'image.

Point pratique

Les glaciers et les
pentes neigeuses
vont fausser
la mesure du
posemètre. Vous
risquez de sous-
exposer, alors faites
les réglages en
conséquence.

objectif couvrant le plus grand angle de champ possible. Et si vous faites partie d'un groupe de canoës, souvenez-vous qu'il est presque impossible de pagayer et de photographier en même temps ; choisissez un biplace pour vous consacrer entièrement à « mitrailler » la scène. Partez d'ailleurs un peu en tête du peloton pour le photographier dans la tumultueuse descente du rapide.

La montagne

La haute altitude est plus éprouvante pour les hommes que pour l'équipement photo, mais il est évident qu'il faut prendre des précautions. Si vous portez tout dans un sac à dos, essayez de vous en tenir à l'essentiel : un grand-angle, un téléobjectif (135 mm) ou un zoom de 80-200 mm suffisent amplement. Emportez aussi, par sécurité, un boîtier de rechange. Enveloppez appareil et objectifs dans des sacs en plastique, puis mettez le tout au milieu de vos vêtements pour bien les protéger des impacts et des chutes ; quant à l'appareil muni de la focale choisie, si vous ne le portez pas autour du cou, gardez-le dans une poche extérieure de votre veste avec un film de rechange dans une autre. Il existe aussi dans le commerce des sacs à dos conçus pour la photo qui sont très pratiques.

Le froid intense est désastreux à la fois pour les piles, l'huile qui lubrifie l'appareil et le film lui-même qui peut devenir cassant. Maintenez votre appareil à une température moyenne en l'enfouissant dans votre veste. Il ne doit être en contact avec la température extérieure qu'au moment même de la photo. D'autre part, si c'est possible sur votre appareil, vous avez intérêt à ralentir l'avancement du film pour réduire le risque d'électricité statique par frottement qui pourrait endommager le film et même en provoquer la rupture. Emportez aussi des piles en réserve.

Pour avoir de belles prises de vue, marchez tantôt devant la cordée franchissant une crête, ou grimpez le premier (ou le dernier) pour prendre vos compagnons en pleine ascension ; mais faites aussi des plans larges. Et comme toujours, soyez à la recherche du

Barry Bishop

Michael Nichols, photographe de la NGS

Toute une journée pour une photo : la mise en place de l'éclairage d'une salle des grottes de Lechuguilla (Nouveau-Mexique) prit à elle seule plusieurs heures de tâtonnements. Le photographe a d'ailleurs préféré laisser une grande partie de la scène dans l'ombre pour intensifier l'impression de profondeur souterraine.

détail révélateur : une barbe constellée de glaçons, un des alpinistes occupé à fixer des pitons dans la paroi, un autre en rappel dans un passage rocheux difficile.

La spéléologie

Les grottes sont par définition sombres, seul un éclairage artificiel permet de les photographier. Considérez donc que vous êtes dans les mêmes conditions que dans un studio. Pour éclairer une salle très vaste, il vous faudra de nombreux projecteurs et sans doute plusieurs assistants. Pour photographier un détail – une stalactite ou une paroi – installez le même éclairage que pour un portrait en studio : un flash d'un côté de l'appareil et un réflecteur de l'autre pour diffuser la lumière. Travaillez de près pour que l'arrière-plan, très sombre, n'envahisse pas trop le cadrage et évitez la lumière de face d'un flash placé sur l'appareil, un éclairage latéral étant toujours meilleur.

Dans une grotte, il vous faudra un super grand-angle. Dans les plus petites salles, un grand-angle de format moyen ou une focale standard peuvent suffire. Si vous travaillez dans une ambiance très humide, protégez votre matériel dans des sacs en plastique prévus pour les produits congelés.

Si la prise de vue inclut des spéléologues, profitez de leurs lampes pour éclairer la scène ; certaines, au kérosène, sont assez puissantes et projettent des ombres dures ; vous pouvez néanmoins les adoucir un peu avec un fill-in flash.

Dans les espaces d'un grand volume, servez-vous d'un flash pour balayer la scène pendant que l'obturateur de l'appareil est ouvert. Là aussi faites des essais avec des réglages différents pour obtenir une bonne photo. Dans les grottes, vous pouvez employer la même technique avec un flash très puissant. L'appareil posé sur un pied, cadrez la photo et réglez l'obturateur sur la pose B ; il reste ainsi ouvert tant que la pression est maintenue sur le déclencheur. Il faut alors déplacer le flash en lui imprimant un mouvement de balayage très régulier pour que certains endroits ne soient pas surexposés par rapport à d'autres. Éteignez votre flash, disposez-le différemment et recommencez la même opération, le but étant d'éclairer le lieu sous des angles différents pour éviter un éclairage inégal et trop contrasté. Fermez enfin l'obturateur.

La forêt tropicale

Les serpents, les sangsues et autres animaux de ce milieu sont très désagréables pour nous, mais ils ne s'attaquent pas à l'équipement, contrairement à la chaleur et à l'humidité. Comme vous travaillez presque toujours à l'ombre, la température est en fait supportable. Mais l'humidité, elle, fait proliférer toutes sortes de moisissures dans les appareils, et les lentilles peuvent être maculées de traces.

Vous allez transpirer énormément, alors ne prenez pas le risque de manquer d'eau et hydratez-vous très régulièrement. Emportez des bandanas dans vos bagages et gardez-les au sec ; noués autour de la tête, ils empêcheront la sueur de dégouliner sur votre appareil. Évitez aussi de changer les films avec des mains moites et méfiez-vous de certains répulsifs particulièrement virulents qui s'attaquent aux moustiques et parfois au plastique…

Point pratique

Le meilleur moyen de vous protéger contre l'humidité est de vous munir de cristaux de silice et de les répartir dans les petits sacs de toile à l'intérieur des caisses étanches où vous rangez vos accessoires. Si vous n'en avez pas, prenez des sacs de congélation et gardez appareil et objectifs à l'abri jusqu'au moment où vous en avez besoin. Les cristaux de silice vont absorber l'humidité de l'air et, une fois saturés d'eau, se colorer en rose. Séchez-les alors dans un four ou à la poêle jusqu'à ce qu'ils redeviennent bleus.

Chris Johns, photographe de la NGS

Avec une vitesse d'obturation lente et une faible ouverture de diaphragme, le photographe a réussi à donner à cette forêt hawaïenne une grande profondeur de champ. Il a fait cette photo au petit matin à l'aide d'un déclencheur souple et un trépied pour une plus grande stabilité. En forêt, veillez à ne pas surexposer.

Guettez les rayons de soleil qui percent à travers la cime des arbres et soyez à l'affût du moindre détail intéressant. Cherchez aussi des points de vue qui peuvent vous donner une vision d'ensemble de la forêt, car il est difficile, sous le couvert impénétrable des arbres, d'en mesurer l'immensité.

À la rencontre des autochtones

On aboutit parfois, après des journées harassantes de marche, d'escalade ou de rafting, dans des lieux très isolés où des gens mènent une vie paisible. Même s'ils sont dans un premier temps plus ou moins accueillants, vivre au rythme de ces gens est une des grandes richesses de ces expéditions.

Avant de commencer à photographier les habitants de ces contrées lointaines, prenez le temps de vous documenter sur leurs coutumes. Gardez aussi toujours à l'esprit que vous êtes chez eux et que, de ce fait, vous devez adopter un comportement respectueux. La plupart d'entre eux sont presque coupés du reste du monde, et ils peuvent ne pas comprendre ce que vous faites. Pointer un objectif sur quelqu'un peut sembler agressif. Il faut bien comprendre que ces gens estiment qu'on leur enlève quelque chose, en l'occurrence leur image. Se familiariser avec leur façon de vivre vous aidera à bien les photographier. Ayez dans votre viseur des personnes confiantes et coopératives : vous aurez forcément de meilleures images que si vous vous acharnez à prendre des visages fermés et apeurés.

Sachez aussi être un invité modèle. Dans beaucoup de communautés, il existe des traditions concernant l'hospitalité due aux voyageurs, en général le gîte et le couvert. Pour vos hôtes, il s'agit donc d'un geste de courtoisie élémentaire et ils s'attendent à la réciproque quand ils sont loin de chez eux.

Comme la plupart de ces gens ont juste le minimum vital, le repas qu'ils vous offrent est un réel sacrifice, aussi n'hésitez pas à partager avec eux vos provisions de route. Ils apprécient beaucoup ces saveurs nouvelles, et en particulier les aliments lyophilisés. Quant à vous, mangez ce qui vous est offert, même si vous n'en aimez ni l'aspect, ni l'odeur ni le goût. Refuser serait les insulter. Si les aliments sont bien cuits, ils ne peuvent pas vous rendre malade ; mais l'eau est souvent contaminée et vous ne devez la boire que bouillie ou filtrée. Emportez partout avec vous un petit filtre à eau ; c'est indispensable, aussi bien pour purifier l'eau que pour « rompre la glace ». Les autochtones s'amusent en effet de voir leurs invités pomper de l'eau à travers un filtre et boire ensuite un liquide apparemment identique.

Après un jour ou deux en leur compagnie, sortez votre appareil et, si les gens le désirent, laissez-les regarder à travers le viseur. Cependant, évitez qu'ils appliquent leur œil sur le viseur car, en milieu tropical, certaines affections oculaires sont contagieuses. Faites, pour commencer, des photos des personnes

Robert Caputo

Allez vers les gens de façon amicale, mais sachez rester un peu en retrait. Ces hommes regardaient le soleil couchant depuis des rochers surplombant leur village en Érythrée. Après les avoir salués en arrivant, je me suis assis à proximité. Ils n'ont pas tardé à se replonger dans leur contemplation, faisant preuve de la plus totale indifférence quand je les ai discrètement photographiés avec un grand-angle.

que vous connaissez le mieux et des enfants. Quand les autres seront rassurés, ils se laisseront photographier à leur tour. Puis, rapidement leur intérêt pour la photo va s'émousser et ils retourneront vaquer à leurs activités quotidiennes.

Qu'appelle-t-on un « coin reculé » ? Tout est relatif. Si c'est une région qui a déjà été arpentée par des voyageurs, les habitants sont peut-être très à l'aise face à l'objectif ; tout dépend de la façon dont ils ont été pris en photo. C'est pour cela, parce que vous avez à cœur de laisser un bon souvenir de votre passage, qu'une attitude correcte s'impose.

Dans certaines régions du monde, les gens peuvent vouloir se faire payer pour être photographiés. C'est pour eux une forme de commerce. Vous aurez certainement envie de marchander, mais restez respectueux de leur volonté. Les sommes ne sont pas élevées par rapport aux dépenses engagées dans ce voyage. Une rétribution pour l'ensemble du village est d'ailleurs souvent acceptée, à moins que vous n'offriez des T-shirts ou des stylos.

Ailleurs, les difficultés sont d'ordre spirituel plutôt que mercantile. Certaines personnes croient, en effet, que lorsque vous prenez une image d'eux, vous leur extorquez leur âme ou que, par un mystère quelconque, vous pénétrez par effraction dans leur esprit ; c'est une croyance à respecter. Si vous voyagez à plusieurs, photographiez-vous les uns les autres pour que ces gens réalisent à quel point c'est inoffensif. Emportez des magazines avec vous pour leur expliquer en quoi consiste une prise de vue et, si vous avez un polaroïd, distribuez quelques photos des uns et des autres ; il suffit que deux ou trois personnes acceptent d'être photographiées pour que les autres suivent le mouvement.

Faites, à chaque étape dans un village, une série de photos, avec des plans serrés sur des visages et des portraits en situation ; suivez les villageois quand ils vaquent à leurs activités quotidiennes, dans les champs, à la chasse dans la forêt, à la pêche ou au ramassage du bois. Puis montez en haut d'une colline ou à la cime d'un arbre pour avoir une vue d'ensemble sur tout le village. Pensez aussi à la façon dont vous décririez cet endroit, cela vous donnera sans doute des idées de photos à faire pour illustrer votre propos.

Si vous êtes amical et attentif aux usages, les gens, même les plus farouches, seront généralement hospitaliers et serviables à votre égard. Votre passage est une occasion mutuelle d'apprendre à connaître un monde complètement différent et, pour eux, c'est aussi une distraction inespérée dans la routine de tous les jours.

L'avis d'un être humain est toujours beaucoup plus important qu'une photo, alors ne faites jamais le portrait de quelqu'un contre sa volonté. Cela peut le rendre très agressif et provoquer toutes sortes de conflits dans le village entre les irréductibles opposants à la photo et les autres. Ne travaillez donc qu'avec les gens qui vous acceptent. C'est une attitude de respect élémentaire, mais c'est aussi la seule façon de travailler efficacement. Les photos que vous prenez traduisent de bien des façons la teneur de votre relation avec le sujet au moment où vous avez déclenché : si elle était bonne la photo sera bonne, et inversement.

Point pratique

Si vous savez à l'avance que vous allez rencontrer les habitants d'une région reculée, apprenez à quels cadeaux ils seront sensibles et quels sont les impairs à ne pas commettre ; ces précautions vous permettront de mieux vous faire accepter. Alors que j'allais chez les Rendille, une communauté de nomades du nord du Kenya, j'ai eu la chance de prendre en stop un jeune Rendille qui rentrait chez lui. Il m'a conduit à un grand arbre à l'extérieur du campement où nous avons attendu que les anciens viennent nous accueillir. Je leur ai alors offert le sel, le sucre et le tabac dont je savais qu'ils étaient amateurs. En me conformant à leur étiquette, j'ai pu passer avec eux un moment très enrichissant.

MICHAEL NICHOLS
Photojournalisme et écologie

Avec l'aimable autorisation de Michael Nichols

MICHAEL NICHOLS est particulièrement fier de son article sur la forêt Ndoki en Afrique centrale intitulé «*Last place on Earth*» (juillet 1995): «Ce document alarmiste sur la forêt équatoriale a eu un tel retentissement dans l'opinion publique internationale que son exploitation n'a pu se poursuivre de la même façon. Les exploitants, ainsi que le gouvernement de la République démocratique du Congo, ont subi des pressions; cela a renforcé l'action des écologistes qui travaillent sur place et les a aidés à trouver des fonds importants. » Son reportage «*Apes and Humans*», paru en mars 1992, eut lui aussi des répercussions importantes. «Après avoir étudié les grands singes sous tous leurs aspects – sur le terrain, dans les livres et en captivité à Las Vegas – nous avons montré la menace qui pèse sur leur habitat et leur environnement. »

Ses premiers reportages comme photographe du NATIONAL GEOGRAPHIC «*Making room for wild Tigers*» et «*Sita, life of a wild Tigress*» (parus en décembre 1997) furent plus appréciés que ses travaux avec Jane Goodall et Diane Fossey. Le même sujet fut d'ailleurs repris dans *Le Tigre,* un livre édité par NATIONAL GEOGRAPHIC et dans une exposition à la Smithsonian Institution, à Washington. Pour ce projet de deux ans, Nichols voulait faire un reportage approfondi sur les tigres dans les parcs nationaux indiens. Or, la seule méthode admise était des prises de vue à dos d'éléphant: ce que Nichols ne voulait pas faire. Il voulait être encore plus près des tigres. Il

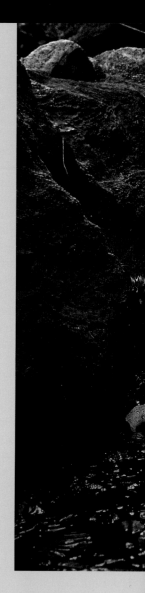

Saisie dans une position qui dément toute sa grâce habituelle de félin, cette tigresse a elle-même déclenché la photo en traversant le rayon infrarouge du déclencheur à

distance relié à un Nikon N90 et à trois flashes SB-25. La diffusion des images de Michael Nichols a contribué à réunir des fonds qui, il l'espère, assureront la protection des tigres et leur avenir.

soumit donc son projet à l'Office des forêts de l'État de Madhya Pradesh. Le ministre en exercice accepta, conscient de la valeur pédagogique d'une publication dans le NATIONAL GEOGRAPHIC. Nichols put utiliser les éléphants plus de deux heures par jour, se promener à pied dans les parcs et installer des affûts équipés d'appareils photo près des points d'eau.

« C'est presque impossible de s'approcher des tigres, et c'est pourquoi la plupart des photographes travaillent avec des animaux en captivité, » explique-t-il.

Michael Nichols et son équipe ont travaillé dans l'obscurité la plus totale pour photographier les grottes de Lechuguilla (Nouveau-Mexique). Ils ont usé des centaines d'ampoules de flash pour éclairer cette vaste salle. Pour illuminer la seule petite partie de celle-ci, cinq flashes Vivitar 283 furent employés, complétés par un flash dirigé vers l'assistant de Nichols. Ce site, très vulnérable, est fermé au public.

Caché dans les affûts, il réussit à obtenir quelques-unes des images qu'il souhaitait. Néanmoins, il ressentit rapidement le besoin d'une technique plus adaptée pour saisir le comportement des tigres dans leur vie sauvage. En collaboration avec l'équipe technique du NATIONAL GEOGRAPHIC, il parvint à élaborer un ingénieux réseau d'appareils et de flashes avec des déclencheurs camouflés que les animaux actionneraient au hasard de leurs déplacements. La combinaison des deux stratégies permit de réaliser une série d'images comme le public les aime «à cause de leur intensité, de leur évidente authenticité, et parce qu'il sent bien que ces animaux-là sont vraiment sauvages».

Entré au sein de l'équipe des photographes du NATIONAL GEOGRAPHIC en 1996, Nichols avait été surnommé l'«Indiana Jones de la photographie» par le mensuel *Photo* dans les années 1980. Il fut pris dans l'œil d'un cyclone, catapulté en bas d'une colline par un gorille de 200 kg, chargé par un éléphant; il traversa à pied la vallée de la Mort en plein été, tomba d'un bateau dans les rapides mortels de l'Indus. Il descendit les rapides sous les chutes Victoria, en rappel au fond des plus grands gouffres d'Amérique du Nord. Il survécut même à la typhoïde et à une grave infection pulmonaire. Pourtant, Nichols ne recherche pas l'aventure pour l'aventure, il veut avant tout faire des photos spectaculaires dans des conditions difficiles. «L'aventure, c'est très bien, mais quand vous avez atteint le sommet d'une montagne, vous avez touché au but. Après, vous en cherchez un autre plus élevé. Maintenant que j'ai découvert ma véritable motivation, faire prendre conscience aux gens de la fragilité de la planète, c'est ma raison de vivre.»

Un équipement photo qui lâche à des centaines de kilomètres de la ville la plus proche peut être catastrophique; chaque voyage est un défi qui impose des précautions invraisemblables. Nichols range son matériel dans des caisses rigides et étanches, y glissant des petits sacs en toile remplis de cristaux de silice; chaque accessoire est enfermé dans une housse à fermeture à glissière. Dès que les prises de vue sont terminées, le tout est replacé dans la caisse.

Le chef d'une tribu de Pygmées craint pour la sécurité de l'assistant de Nichols qui grimpe le long d'un arbre à l'aide de cordes. C'est en fait le matériel qui risquait le plus d'être endommagé dans cet environnement tropical. Enfermé dans une caisse rigide, il fallait régulièrement l'en extraire pour le sécher dans une caisse remplie de cristaux de silice qui avaient d'abord été régénérés au-dessus d'un feu de camp.

La pluie et l'air ambiant saturé d'humidité font des ravages dont Nichols a fait les frais quand il se servait de sacs à dos inadaptés ; maintenant, il a aménagé une caisse remplie de cristaux de silice dans laquelle il place chaque soir son matériel humide.

Nichols emporte les objectifs les plus usuels en deux exemplaires et se sert d'appareils professionnels, des Canon EOS-IN spécialement conçus pour résister aux moisissures. Il a d'ailleurs ajouté un joint autour des différents boutons de réglage ou de commande. Lorsqu'il pleut, un parapluie fixé à un trépied ou à un affût en toile sans toit assure une protection supplémentaire. Il se préoccupe moins des films, car ils ne sont pas trop sensibles à la chaleur et les couleurs sont rarement altérées, même en milieu tropical. « Les gens imaginent à tort que la jungle est écrasante de chaleur, elle l'est seulement si les arbres ont été abattus, explique-t-il. Sous l'épaisse frondaison d'un gros arbre, il fait une température supportable alors qu'à découvert, la chaleur peut être extrêmement pénible. »

Photographe du NATIONAL GEOGRAPHIC, Nichols connaît les honneurs, mais ce ne sont pourtant pas ceux-ci qui le poussent à accepter des conditions si difficiles de travail et d'être séparé des siens des mois durant, mais le désir de « faire changer les choses grâce au photojournalisme ». Et il ajoute : « J'ai la conviction que je peux contribuer à la préservation de l'environnement ; à la suite de mes reportages et de ceux de confrères, certaines espèces ont été sauvées et la destruction de la forêt amazonienne a été freinée. Nous avons les moyens de changer une situation. On me dit parfois que je fais le plus beau métier du monde, vu sous cet angle-là, je suis d'accord. »

Peter Burian

Les conseils de Nick Nichols

■ Choisissez un enseignement artistique général, vous pourrez toujours apprendre la photo après. Plongez-vous dès maintenant dans l'étude des grands maîtres de la photo comme Ernst Haas, Henri Cartier-Bresson et ceux que vous admirez vraiment.

■ Si vous rencontrez un photographe dont vous aimez le style et la personnalité, faites un stage avec lui ou proposez-lui de l'assister.

■ Plutôt que de partir chez les Massaï et de photographier ce qui a déjà été traité de façon extraordinaire, faites des clichés de votre univers, en vous consacrant à un sujet que vous estimez pouvoir traiter mieux que quiconque.

■ Lisez des revues consacrées à la photo.

■ Quand vous faites de la photo animalière, trouvez le sujet qui convient et passez beaucoup de temps à le prendre sous tous les angles. Faites la mise au point, puis attendez patiemment, et recommencez sans vous décourager.

■ Quand vous prenez des gens en photo, approchez-vous, servez-vous d'une focale plus courte et intéressez-vous à eux.

■ Trouvez une idée de reportage qui vous motive vraiment et lancez-vous à fond.

■ Sachez regarder vos photos d'un œil très critique. Si vous voulez travailler pour le NATIONAL GEOGRAPHIC, vous aurez affaire à des gens reconnus et impitoyables. Si c'est pour faire de beaux voyages que vous voulez faire ce type de photos, laissez tomber.

L'IMAGERIE NUMÉRIQUE

par Peter Burian

Belle illustration des possibilités des logiciels actuels de traitement d'images, l'image ci-contre fut réalisée en combinant les trois originaux, pris en vue de cette composition. La réussite tient à l'harmonie de la lumière de ses éléments. Un peu de lumière a été ajoutée autour de la fée pour créer un halo.

LA CONTEMPLATION D'UN PORTRAIT au daguerréotype vers 1840 fit dire à Paul Delaroche, peintre célèbre en son temps, qu'« à dater de ce jour, la peinture est morte ». Bien que certains, conservateurs, se demandent si l'imagerie numérique annonce la fin de la photographie classique, nous croyons pouvoir affirmer que la photo – sous toutes ses formes, y compris la chambre noire – a encore quelques belles années devant elle. La photo numérique, quel que soit son succès considérable, n'en représente qu'un nouveau domaine.

Au dernier recensement, on trouvait sur le marché une centaine de ces appareils qui ont remplacé le film par une carte mémoire. Il existe pour ordinateurs personnels des imprimantes qui reproduisent les images avec une « qualité photo », des lecteurs externes, des dizaines de logiciels de traitement d'images et de plus en plus de scanners de films ou à plat. Nombre de photographes estiment que leur intérêt pour la création d'images a été stimulé par cette nouvelle technologie. Selon certains adeptes de l'imagerie numérique, elle constituerait même l'avenir de la photographie.

Rob Sheppard

Le film et la carte mémoire

Beaucoup de photographes professionnels et amateurs restent fidèles au film : il demeure le moyen le plus efficace pour obtenir des images d'une netteté parfaite avec une remarquable saturation des couleurs. Le numérique connaît cependant un essor considérable et présente bien des avantages. Vous pouvez numériser une diapo, un négatif ou une épreuve haute résolution, grâce à un scanner. Visionnez le résultat sur l'écran de votre ordinateur, manipulez-le, transmettez-le à des amis ou à des acheteurs par e-mail, envoyez-le sur un site Web ou produisez une nouvelle épreuve.

Rob Sheppard, rédacteur en chef de *PC Photo*, souligne la relation entre numérique et argentique : « L'association des nouvelles technologies et de la photographie traditionnelle débouche sur toutes sortes de possibilités très séduisantes, qui promettent de donner un nouveau souffle à tous les photographes. »

Les principes de base

Les images numériques se composent de séries binaires qui sont converties en pixels, acronyme de *PICture ELement* (élément d'image). Les pixels sont l'équivalent des grains photosensibles qui constituent une photographie. Minuscules carrés, ils contiennent des informations et leur combinaison produit l'image. Plus les pixels sont nombreux, plus la résolution est élevée : bonne définition des détails complexes, précision excellente et impression de grande netteté.

La résolution d'un fichier informatique se réfère à la quantité d'informations contenues dans l'image. C'est cette dernière qui est déterminée par le nombre de pixels, que ce soit dans un appareil numérique ou dans la mémoire de votre ordinateur.

De la photo au fichier numérique

Si vous prenez une photo (diapo, épreuve ou négatif) pour point de départ, vous devez la convertir

Il est indispensable d'utiliser la bonne résolution pour une photo. Avec une résolution de 72 dpi, la photo ci-dessus convient à une utilisation sur le Web, mais non à une impression. La résolution correcte, celle de 300 dpi, et acceptée par la plupart des imprimantes à jet d'encre, a servi pour l'impression ci-dessous.

Rob Sheppard

Les scanners à plat sont parfaits pour numériser des tirages, mais, pour les diapositives ou les négatifs, le scanner de films reste la meilleure solution. Il augmente nettement la résolution des images – ne l'oubliez pas si vous avez l'intention de faire des tirages de plus de 10 x 15 cm.

Avec l'aimable autorisation de Minolta

dans un format exploitable par ordinateur. C'est là qu'intervient le scanner : un périphérique qui convertit la photo en fichier numérique. Vous pouvez acheter un scanner ou faire scanner vos photos dans un laboratoire ou une société de services informatiques.

Le labo vous rendra votre image sur un CD, dont il existe plusieurs versions. Sur un Photo CD Kodak, chacune de vos photos est enregistrée en cinq résolutions, de la plus faible (128 x 192 pixels) à la plus haute résolution (3 072 x 2 048 pixels) dans un format spécifique au Photo CD. Ce CD peut contenir 100 photos. Le Pro Photo CD, la version la plus aboutie du Photo CD, permet d'ajouter une très haute résolution (4 096 x 6 144 pixels) pour chaque image, mais il n'est possible d'enregistrer que 25 photos par CD. Certains labos proposent des solutions plus abordables comme le Picture CD Kodak ou des systèmes d'archivage CD génériques. Sur ces CD, les fichiers de vos photos sont généralement gravés en résolution moyenne (1600 x 1200 pixels) dans un format .jpeg.

Les principes du scanner

Il existe plusieurs types de scanners, de taille et de prix variés. Ceux qui sont présentés sont abordables, simples, de petite taille, et donnent de bons résultats.

■ Les scanners à plat ressemblent à un photocopieur avec leur couvercle et leur plateau de verre sur lequel

vous placez l'épreuve : un tirage ou un transparent (une diapo). Ils admettent tous les formats jusqu'au 20 x 25 cm. La résolution, la profondeur de l'échantillonnage (capacité à voir des nuances fines dans tous les tons) et la profondeur de la couleur sont fonction du prix. Les modèles haut de gamme proposent une résolution optique de 2 400 dpi, une profondeur de couleurs de 36 bits et une profondeur de densité optique de 3,4 ou plus. Presque tous les scanners de ce type donnent de grands fichiers qui excellent par le piqué, le rendu des couleurs et le détail de l'image.

■ Les scanners à plat qui comportent un adaptateur pour diapos grand format permettent de numériser les négatifs ou les diapos. Si vous voulez faire un fichier numérique de haute qualité à partir d'une petite image (diapo en 24 x 36 ou négatif), prenez un scanner ayant une résolution optique de 2 400 dpi ou plus.

■ Les scanners de films, dont les modèles les plus courants travaillent en 24 x 36, sont conçus pour scanner des négatifs et des diapositives. À partir d'une résolution optique de 2 400 à 2 800 dpi, les scans conviennent à des tirages de 20 x 30 cm de qualité photo et de bonne qualité en 30 x 45 cm. Les scanners de films atteignant 4 000 dpi peuvent produire des fichiers images considérables, qui à leur tour donnent des tirages photo jusqu'à 50,8 x 75 cm. Si vous comparez des modèles haute résolution, vérifiez leur vitesse, qui peut varier dans de larges proportions.

Les appareils photo numériques

L'appareil photo numérique permet de faire l'économie du processus précédent. La plupart des modèles actuels utilisent un capteur divisé en multiples zones photosensibles (pixels) et enregistrent les images sur une carte mémoire après les avoir compressées. Vous pouvez ainsi voir immédiatement les photos en couleur sur l'écran de l'appareil ; vous pou-

Point pratique

Pour obtenir une bonne photo à partir d'une épreuve qui a été scannée, vous devez régler votre scanner sur la bonne résolution, qui se mesure en dpi (*dots per square inch*, points par pouce, en français). Plus vous avez de dpi, plus l'impression sera réalisable dans un grand format. Si vous scannez une photo en 10 x 15 cm à 300 dpi, vous obtiendrez une bonne impression en 10 x 15 cm. Si vous voulez une bonne épreuve en 20 x 25 cm, vous devrez scanner l'original avec une résolution plus élevée, 600 dpi.

Le numérique étant en perpétuelle évolution, vous aurez le choix entre les formes d'appareils, les diverses fonctions et les performances. Avec une résolution supérieure à trois millions de pixels, vous aurez des tirages de 20 x 30 cm de qualité photo et de bonne qualité en 30 x 45 cm.

Avec l'aimable autorisation de Fuji Photo Film USA, Inc. (ci-dessus) ; avec l'aimable autorisation de Nikon Inc. (ci-dessous).

vez aussi les imprimer et les offrir ou les envoyer à des amis par courrier électronique.

Avec un appareil photo numérique, vous faites l'économie du film et du développement, mais vous aurez sans doute besoin d'acheter des cartes mémoire supplémentaires – ou films numériques – pour produire davantage d'images. Vous pouvez visionner les photos dès que vous les avez prises, effacer celles qui vous déplaisent ou même les recommencer. Ensuite, vous transférez simplement les images sur votre ordinateur, en ne gardant que les meilleures. Lors d'un anniversaire, par exemple, vous pouvez montrer tout de suite vos photos sur l'écran en couleur de l'appareil, faire des tirages et les distribuer ou encore envoyer par e-mail des photos de l'événement à vos amis.

Les modèles actuels

Le prix des numériques a baissé considérablement depuis leur apparition au début des années 1990. Aujourd'hui, vous trouvez des compacts numériques de qualité à partir de 300 €. La résolution varie, mais la plupart des nouveaux modèles comptent au moins 3 mégapixels. Si vous prenez un cliché en réglant l'appareil sur la « meilleure » qualité, la résolution sera assez élevée pour donner des tirages de 20 x 25 cm de qualité photo sur une imprimante à jet d'encre pour photo. De plus en plus de modèles ont un capteur de 5 mégapixels doté d'une résolution suffisante pour obtenir un très bon tirage en couleur de format 30 x 45 cm.

Plusieurs fabricants commercialisent désormais des reflex numériques possédant un capteur de 6 mégapixels ainsi que les nombreuses fonctions des reflex argentiques. Comme ils coûtent 50 % moins cher que les modèles professionnels, un nombre croissant d'amateurs les a adoptés, du moins pour une partie de ses photos. Les reflex numériques utilisant un capteur d'images d'une taille supérieure avec des pixels plus

grands (et plus nombreux), leurs photos sont de meilleure qualité que celles de la majorité des compacts numériques.

La plupart des modèles compacts sont équipés d'un objectif intégré à mise au point automatique – souvent zoom – et d'un flash intégré, d'un écran ou moniteur à cristaux liquides en couleur, pour visionner les photos, et d'un viseur optique. Même si vous pouvez vous servir de l'écran pour regarder et composer la scène, le viseur est préférable en cas de lumière naturelle vive ; de plus, désactiver le moniteur LCD permet d'augmenter la durée de vie des piles. Les piles rechargeables de type Ni-MH ou Li-Ion sont – à la longue – plus économiques et durent plus longtemps que les piles alcalines classiques.

La plupart des compacts sont automatiques, mais beaucoup comportent des réglages manuels pour la balance des blancs, la saturation des couleurs, l'équivalence ISO et l'exposition.

Pour les compacts d'entrée de gamme, le réglage de la qualité de l'image compte en général trois niveaux, de faible à élevé. Les modèles supérieurs proposent deux options distinctes de qualité de l'image : vous pouvez sélectionner la résolution (faible à élevée) ainsi que la taille du fichier (petit à grand). Les petits fichiers images, fortement compressés, perdent beaucoup de données ; il est donc judicieux d'utiliser l'option grand fichier pour la plupart des photos. Pour réaliser des tirages de 20 x 25 cm, sélectionnez une résolution élevée avec un grand fichier. Toutefois, n'oubliez pas que la capacité de la carte-mémoire de votre appareil limitera le nombre d'images « haute-résolution » que vous pourrez prendre.

Quel que soit sa qualité, l'appareil numérique comporte en général les éléments suivants :

■ Un câble USB pour connecter votre appareil photo à votre ordinateur. Bien entendu, votre ordinateur doit être équipé d'un port USB. Une autre solution intéressante consiste à acheter un lecteur de carte

Les reporters adoptent peu à peu les reflex numériques à haute résolution. Conçus pour un usage professionnel, leur prix est en conséquence. Reprenant le principe du reflex classique, ces appareils acceptent des flashes TTL, des objectifs adaptables, et d'autres accessoires.

Avec l'aimable autorisation d'Eastman Kodak

Point pratique

Si vous choisissez un appareil avec un zoom, lisez bien les spécifications. Le zoom optique est préférable au zoom numérique. Avec ce dernier, la résolution de l'image décroît fortement avec le rapprochement.

Dotés de processeurs et d'une électronique de pointe, les appareils photos numériques sont complexes. Paradoxalement, la conception de presque tous les modèles permet d'en faciliter l'emploi : les menus électroniques vous donnent le choix entre les commandes analogiques ou les nouvelles commandes numériques.

Avec l'aimable autorisation de Minolta

mémoire comportant un port USB. Il permet de charger les fichiers sans avoir besoin de l'appareil photo.

■ Un logiciel pour organiser les images, choisir le format du fichier de sauvegarde et améliorer couleur, contraste, luminosité et piqué.

■ Une carte mémoire, pour enregistrer les images. Les appareils numériques utilisent plusieurs formats qui ne sont pas interchangeables. Les cartes Smartmedia et CompactFlash sont très répandues et coûtent de moins en moins cher. Des formats plus petits comme SecureData et xD-Picture Card se développent. Presque tous les modèles de Sony ne fonctionnent qu'avec la carte MemoryStick. Aucun de ces formats n'offre un réel avantage sur les autres. Emportez des cartes de rechange pour ne pas tomber en panne de « film ».

De l'appareil photo à l'ordinateur

Un câble véhiculant le signal numérique transfère à l'ordinateur les photos prises par l'appareil numérique. Pendant longtemps, les appareils numériques étaient vendus avec un câble série, désormais, les constructeurs les proposent avec un câble USB, car il permet d'optimiser les temps de transfert. Certains appareils sont maintenant dotés d'une connectique de type FireWire ou I.Link, ce qui permet d'augmenter encore la vitesse de transfert ; à condition, bien sûr que votre ordinateur soit lui-même équipé d'un port FireWire.

Stocker des fichiers numériques

Les logiciels peuvent prendre beaucoup d'espace mémoire sur le disque dur. Les images se montrent encore plus voraces, en particulier les fichiers haute résolution. Les accessoires suivants vous permettront de stocker des images et de libérer votre disque dur :

■ Un disque dur supplémentaire. Certains disques externes peuvent stocker plus de 80 gigaoctets.

■ Un lecteur de cartouches comme le Iomega Zip sert à la sauvegarde à court terme. Une seule disquette Zip de 250 Mo contient beaucoup d'informations, mais les photos stockées sur le disque dur ou un disque Zip ont une stabilité inférieure à dix ans.

■ Les graveurs de CD-R (R pour *recordable,* enregistrable) équipent à présent la plupart des ordinateurs. La capacité d'un CD-R peut atteindre 700 Mo. S'il est impossible d'effacer ou d'écraser les données sur un CD-R, ce support est indéniablement bon marché (alors que les CD-RW, plus chers, sont effaçables et réutilisables). Un CD-R de qualité supérieure (mais non un CD-RW) préserve vos photos de cinquante à cent ans.

Modifier l'image

Vous pouvez modifier vos images après les avoir transférées sur votre ordinateur. La première étape – essentielle – dans la chambre noire numérique consiste à améliorer la photo pour obtenir le meilleur tirage ou fichier numérique. Souvent, il faut au moins affiner le contraste, la luminosité, le piqué et la balance des couleurs. Les professionnels utilisent souvent des logiciels adaptés comme Adobe Photoshop et Corel PhotoDraw, mais ceux-ci sont chers et complexes. Aujourd'hui, il existe un nombre important de logiciels à des prix raisonnables qui sont d'une utilisation simple. Parmi les plus connus, citons Adobe Photoshop Elements, Microsoft Picture It ! et Roxio PhotoSuite. Si leurs fonctions et leurs caractéristiques diffèrent, ils sont très conviviaux et vous pouvez :

■ Rectifier la luminosité et le contraste pour un effet plus agréable ou de meilleures épreuves numériques. Vous devez pouvoir éclaircir ou foncer certaines parties, comme un visage à l'ombre ou un ciel trop clair.

■ Recadrer les photos pour supprimer les détails superflus ou modifier la forme de la photo.

■ Corriger les couleurs pour les enrichir, réduire leur saturation ou éliminer une dominante. Vous devriez aussi pouvoir affiner les couleurs dans des zones sélectionnées de l'image. Certains logiciels vous permettent de convertir les images en noir et blanc.

■ Contrôler la netteté, grâce au filtre d'accentuation. Les images scannées ont en général besoin d'une augmentation de la définition des objets photographiés une fois qu'elles sont enregistrées sur votre ordinateur. (Les photos prises avec un appareil numérique n'ont pas toujours besoin de cette opération.)

■ Cloner, ce qui consiste à copier de petites parties d'une photo afin de corriger des défauts : éraflures, poussière ou saletés. Copiez, par exemple, une partie du ciel et utilisez-la pour couvrir une zone adjacente qui présente une imperfection.

■ Combiner deux images ou plus en une seule pour obtenir, par exemple, un ciel d'un bleu plus intense,

Rookie Prospect

45

Adam

Shortstop — RB Mariners

Rob Sheppard

Vous pouvez réaliser facilement des cartes et des pages avec vos sportifs préférés grâce aux modèles offerts avec les logiciels de mise en page. Vous pouvez ajouter du texte, des blocs de couleur, des bordures, des éléments décoratifs afin de parvenir au résultat recherché.

davantage de personnages, des éléments sans rapport les uns avec les autres.

Les logiciels permettent de réaliser des effets spéciaux à l'aide de filtres pour obtenir des déformations ou un grain élevé. Essayez, mais n'en abusez pas.

Le problème de l'éthique

Les logiciels de traitement d'images vous permettent de manipuler les photos assez vite et facilement, et de créer des images qui relèvent plus du domaine de la fantaisie que de la réalité. Ces manipulations sont devenues la norme en publicité et en photographie commerciale, ce qui semble légitime puisque les publicités ne prétendent pas décrire le monde tel qu'il est. Cependant, les facilités qu'offre le numérique ont suscité des débats sur l'éthique de l'utilisation de ces travaux comme documentaires. Avec un logiciel de professionnel, on peut combiner des photos d'espèces animales qui ne vivent pas sur le même continent, faire des montages photographiques scabreux avec des gens qui ne se connaissent pas, inventer de toutes pièces certaines situations. Il y a un degré de perfection dans la réalisation de ces photos qui les rend très crédibles.

Les amateurs de photo et d'informatique peuvent manipuler les photos pour réaliser des collages dans un but artistique. Peu de gens voient là un problème d'éthique puisque ce processus s'apparente à la peinture et constitue une interprétation des intentions de l'artiste, et non forcément de la réalité. De plus, force est de constater que les photographes manipulent les images depuis très longtemps : les expositions multiples sur un même plan du film ; la combinaison de plusieurs négatifs pour obtenir une seule épreuve ; le masquage pour éclaircir ou foncer et le recadrage dans la chambre noire ; l'utilisation de filtres à effets spéciaux et la retouche des épreuves afin que celles-ci répondent mieux aux attentes du créateur.

Il est irréaliste d'affirmer que l'appareil photo ne ment jamais, parce que les outils et les techniques de manipulation ont toujours existé. Aujourd'hui, l'ordinateur et le logiciel ne font que simplifier le processus. Pour préserver leur intégrité, les photographes pourraient désigner les images manipulées par l'expression « illustration photo ». La nuance importe en particulier pour le photoreportage et la photo de faune ou de nature. La plupart des éditeurs, pour ne pas induire en erreur leurs lecteurs, appliquent des règles strictes pour accepter ou du moins qualifier les images manipulées dans un but éditorial.

Il n'existe pas de code d'éthique bien établi. Les discussions sur le sujet se poursuivent néanmoins. Les amateurs, qui se servent de la photo et de l'informatique pour s'amuser ou pour créer des œuvres – et qui ne cherchent pas à tromper le public – sont en définitive peu concernés par le débat. Gardez votre sens de l'intégrité, donnez à vos images manipulées le nom qui leur convient et continuez à apprécier les possibilités de création que vous offre cette technologie.

L'utilisation des photos sur Internet

Il est facile de joindre à un message électronique des photos que vous avez sauvegardées. Certains opérateurs affichent vos photos sur un site Web pour un certain temps. Vos amis peuvent les visualiser s'ils disposent d'un accès Internet.

Les fichiers joints

Certains logiciels de traitement d'images vous permettent d'envoyer facilement des images à une adresse électronique. Si vous joignez un fichier image à un message, vous devez tout d'abord considérablement le compresser ; sinon, le destinataire risque de mettre des heures pour l'ouvrir. La plupart des logiciels de traitement d'images fournissent ces préréglages de compression. Quand vous envoyez un message, vous avez une option « joindre fichier ». Cliquez sur cette option, puis sélectionnez le fichier dans votre disque dur et joignez-le au message.

Le bon format

Les fichiers images volumineux, dont l'envoi est long, doivent être compressés, ce qui réduit leur taille. Si vous souhaitez afficher une œuvre sur un site Web de partage de photos, réglez la résolution de votre logiciel d'édition d'images sur 72 dpi ; si vous l'envoyez par e-mail, choisissez 100 dpi. Ensuite, ajustez les dimensions de la photo pour qu'elle ne dépasse pas 500 Ko. Enfin, pour réduire encore le poids du fichier, enregistrez la photo dans un format compressé. Le format de compression le plus courant est le .jpeg *(Joint Photographic Expert's Group)*.

Consultez le glossaire à la fin de ce guide pour vous renseigner sur les formats suivants : .bmp, .jpeg, .tiff et .gif. Vous découvrirez leurs avantages et leurs inconvénients, ainsi que leurs applications types. Les photos en .tiff, par exemple, sont trop volumineuses, ou « lourdes », (sauf en basse résolution) pour que vous puissiez les envoyer, mais elles conviennent parfaitement au traitement de l'image. Le format .jpeg est le plus adapté pour envoyer des photos que le destinataire pourra convertir en .tiff.

Les sites Web

Si vous voulez créer votre page Web, vous avez tout intérêt à suivre un cours. Cependant la simplification des outils de création vous dispenseront d'apprendre le langage de programmation HTML *(HyperTextual Mark-Up Language,* le langage standard pour le Web). Un kit de création de site Web vous fournira tous les outils et les instructions nécessaires à la création de vos pages. Votre fournisseur d'accès à Internet propose en

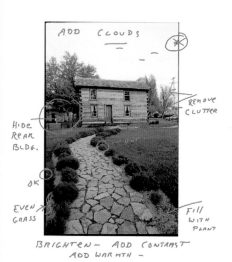

Bruce Dale

Les logiciels de traitement d'images peuvent améliorer une photo. Faut-il considérer l'image définitive comme une illustration numérique ou faut-il tenir compte de l'usage final ? S'il s'agit de publicité ou d'art, la licence est tolérée, mais si vous prétendez être un journaliste, vous devez être plus rigoureux.

général des services d'hébergement. Réservez un espace et lancez-vous ! Les dernières versions des logiciels de traitement d'images que nous avons signalées ont des fonctions de création sur le Web comme Microsoft Publisher et Adobe PageMill. Il existe aussi des logiciels qui préparent les photos pour le Web et permettent de faire un intéressant travail de détail. Ces programmes sont en vente dans tous les bons magasins d'informatique. Ils offrent tous une option de compression des fichiers, afin d'accélérer le chargement, la possibilité pour les amateurs de rapidement voir vos photos sur votre page d'accueil. Sur une page Web, les fichiers doivent rester aussi petits que possible. Proposez-les en petit sur votre page et donnez la possibilité à l'internaute qui souhaite les voir de plus près d'accéder à l'image en taille réelle. Les fichiers de format .jpeg sont les plus fréquents sur le Web, à cause de leur très petite taille, de la grande qualité de l'image et de leur aptitude à reproduire une grande quantité d'informations sur les couleurs.

Créer une page Web exige du temps et du travail. Elle peut se révéler un outil de communication efficace et séduisant, que vous l'utilisiez pour faire admirer votre famille, vos photos de voyage ou comme vitrine des activités familiales.

Avant de créer votre site Web, visitez les sites d'autres photographes en lançant une recherche depuis un moteur avec les mots clés tels que « photographe » ou « photographe de paysages ». Cette opération, très instructive, vous donnera toutes sortes d'idées pour créer votre propre site.

De l'ordinateur à l'imprimante

Toutes les imprimantes couleur peuvent imprimer des images à partir de votre ordinateur, mais celles qui sont conçues spécialement pour l'impression photo donneront les meilleurs résultats. Certains laboratoires proposent de tirer des épreuves de vos fichiers, parfois à un prix élevé. Aujourd'hui, les imprimantes « qualité photo » sont plus abordables et vous avez tout intérêt à en acheter une si vous voulez imprimer régulièrement. Voici quelques modèles courants pour un usage privé.

Les imprimantes laser couleur comportant un réglage photo ne mettent que quelques secondes, au lieu de plusieurs minutes, pour donner des tirages corrects (mais non de qualité photo). En raison de son prix, ce matériel n'est pas à la portée des amateurs.

Les imprimantes à sublimation thermique, plus chères et moins courantes, restituent remarquablement les couleurs. Avec cette technologie plus rapide, les images résistent mieux au temps, mais le papier et les encres sont d'un prix très élevé.

La plupart des imprimantes photo courantes sont à jet d'encre. Jusqu'à une date récente, la norme était quatre couleurs ; aujourd'hui, de nombreux modèles en proposent six ou plus. Souvent, ces couleurs supplémentaires donnent de meilleurs résultats dans les nuances et les tons de chair. Il est parfois possible de ne remplacer que la couleur épuisée, au lieu de la cartouche tout entière, ce qui est plus économique à long terme.

Au bout d'un an ou deux d'accrochage au mur, les tirages réalisés avec une imprimante à jet d'encre perdent en général leurs couleurs. C'est pourquoi certains nouveaux modèles utilisent des encres spéciales qui assurent la stabilité à la lumière des tirages. Ces encres, associées à du papier de qualité archive, donnent des photos qui, montées et présentées selon les recommandations du fabricant, conservent leurs couleurs pendant 15 à 25 ans, parfois plus. Avant d'acheter une

Que l'original soit une photo numérique ou scannée, vous avez toutes sortes de possibilités pour l'utiliser une fois que vous l'avez transférée sur un ordinateur. Vous pouvez la modifier ou l'« affiner », l'imprimer, la télécharger sur un site Web ou la joindre à un message électronique.

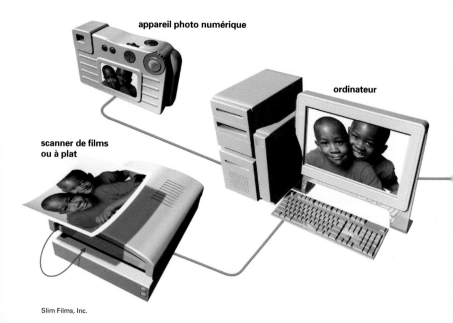

appareil photo numérique

ordinateur

scanner de films
ou à plat

Slim Films, Inc.

imprimante photo, vérifiez les spécifications de longévité des tirages sur les sites Web des fabricants.

La résolution de l'imprimante est définie par des
chiffres tels que 1 440 x 720 dpi ou 2 400 x 1 200 dpi
(pour comparer, c'est le premier chiffre qui compte).
Les modèles récents possèdent une résolution encore
plus élevée : 4 880 x 1 200 dpi, par exemple, voire
5 760 x 720 dpi. La différence entre 1 440 dpi et une
résolution supérieure est difficilement visible à l'œil
nu sur un tirage. Toutefois, pour vos plus belles photos, il est peut-être préférable de choisir une résolution de 2 400 dpi. N'oubliez pas que l'imprimante
consomme davantage d'encre si vous augmentez la
résolution et qu'elle mettra infiniment plus de temps
à imprimer.

Faites des tirages de haute qualité

Avec les imprimantes photos performantes récentes,
tout le monde devrait pouvoir faire de bons tirages

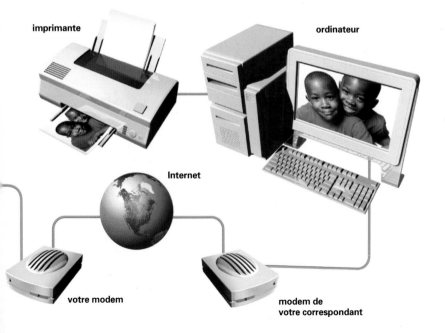

imprimante

ordinateur

Internet

votre modem

modem de
votre correspondant

Point pratique

Pour déterminer le type et le modèle d'imprimante qui vous conviennent, allez voir dans un magasin qui vend les marques principales et propose une vaste gamme de modèles de qualité photo. Demandez à voir des tirages de 20 x 25 cm réalisés avec les imprimantes situées dans vos prix. En général, les fabricants fournissent de bonne grâce ces échantillons, qui témoignent des meilleurs résultats produits par un modèle donné.

couleur à la maison. Pourtant, même la meilleure imprimante ne produit pas automatiquement de beaux tirages. Voici quelques conseils pour que vos tirages rivalisent avec d'authentiques agrandissements.

Le choix des techniques et du matériel influe nettement sur la qualité des tirages. Pour obtenir le meilleur résultat, commencez par une excellente photo convenant à un tirage digne d'être encadré. Choisissez un fichier image haute résolution net, impeccable et lumineux, sans trop de contraste. Avec l'outil de formatage de votre logiciel d'édition photographique, réglez la résolution sur 240 ppi ; le programme calculera automatiquement le plus grand tirage possible. Adobe Photoshop ou Genuine Fractals permettent à peu près de doubler la taille du fichier sans sacrifier la qualité de la photo.

Une fois que l'image à l'écran semble bonne, faites un tirage test de 10 x 12,5 cm sur le papier qui servira au tirage définitif. Ainsi, vous jugerez la couleur de l'encre, la luminosité et le contraste en économisant votre encre et votre papier. Si l'essai n'est pas concluant, procédez aux corrections nécessaires dans votre logiciel d'édition de l'image et essayez de nouveau.

Quand vous cliquez sur la commande Imprimer de votre logiciel, vous accédez à diverses options d'impression. Sélectionnez « Avancé », « Manuel » ou « Qualité ». Précisez le type et le format du papier, puis réglez le niveau de qualité sur « Meilleure » ou la résolution sur 1 440 dpi. (Dans ce cas, dpi est le terme adéquat parce qu'il détermine le nombre de gouttes par pouce carré de papier.)

Faites contrecoller vos meilleures photos et encadrez-les. Ce n'est pas seulement une question d'esthétique, mais aussi de longévité. La plupart des données concernant la stabilité à la lumière d'une encre ou d'un papier sont basées sur une photo pelliculée et placée sous verre, ce qui élimine une partie des rayons ultraviolets. Enfin, pour minimiser la décoloration, accrochez vos photos sur des murs qui ne reçoivent pas la lumière directe du soleil. Grâce à ces précautions, vous pourrez montrer fièrement vos œuvres pendant de longues années.

Le photographe a scanné cette photo – à l'origine une diapo en 24 x 36 mm –
avant d'effectuer quelques retouches de couleur et de contraste avec un logiciel
de traitement d'images. Il a tiré cette épreuve sur du papier qualité photo,
à l'aide d'une bonne imprimante à jet d'encre, également de qualité photo.

INFORMATIONS PRATIQUES

Préparer le voyage

Les voyages sont toujours enrichissants, qu'ils nous conduisent soit dans notre propre pays soit au bout du monde. Nous sommes alors plus attentifs à la mode vestimentaire, aux activités des habitants, à l'atmosphère et à l'architecture du pays que nous visitons. Nous prenons conscience avec plus de force de tout ce qui nous entoure et nous regardons le monde avec émerveillement. Que nous fassions un reportage pour un magazine ou voyagions en touriste, les photos que nous rapportons doivent refléter cet émerveillement devant ce qui nous est inconnu et le communiquer à ceux qui n'ont pas eu la chance de partir.

Avant de partir

Informez-vous. Lisez tout ce que vous trouvez sur le lieu où vous partez. Allez à la bibliothèque de votre quartier et cherchez les livres consacrés à ce pays sans oublier de consulter les encyclopédies. Allez dans une librairie pour comparer les guides et faites un tour au rayon photographie, car nombre de pays ont inspiré de magnifiques albums. Surfez sur Internet et sur les sites des magazines de voyage qui peuvent avoir en archive des articles sur votre destination. Appelez l'office de tourisme ou visitez son site Web pour savoir si votre voyage coïncidera avec des événements particuliers. Ne négligez pas l'histoire du pays. Plus vous en saurez sur un pays et son peuple, mieux vous pourrez décider ce qu'il faut rechercher et photographier.

En lisant, prenez des notes sur ce qui vous paraît intéressant. Avant de partir, reportez vos notes en une liste de photos à prendre qui correspondra à votre itinéraire et n'oubliez pas de marquer l'heure et la date de tout événement particulier. Choisissez un carnet qui tienne dans votre poche ou votre sacoche.

Vérifiez s'il vous faut un visa. Si oui, demandez-le assez longtemps à l'avance. Si vous partez comme touriste, vous obtiendrez votre visa en une semaine à peu près. Si vous voyagez comme photographe professionnel, l'ambassade du pays de votre destination peut devoir demander une autorisation auprès de votre pays d'origine, ce qui risque de prendre

du temps. En général, les touristes n'ont pas de problèmes pour emporter un peu de matériel photographique à l'étranger, mais si vous en avez beaucoup, munissez-vous de photocopies des factures d'achat en France. Si vous sortez de France avec des appareils fabriqués à l'étranger, il est judicieux de les déclarer à la douane avant de partir. Car vous risqueriez au retour de devoir vous acquitter des droits de douane. Vous pouvez déclarer votre équipement à n'importe quel aéroport international avant de partir. Prenez votre temps et établissez une liste dactylographiée de tous vos appareils et de leurs numéros de série. Cette liste vous servira souvent à l'arrivée.

Ce qu'il faut emporter

Réfléchissez aux situations dans lesquelles vous risquez de vous trouver et à l'équipement minimal que vous devriez emporter. Vous voulez explorer les lieux à fond mais sans être surchargé par votre équipement, ce qui constitue toujours un équilibre délicat. Il n'y a rien de pire que de se dire «J'aurais dû emporter ça», si ce n'est rater une photo parce que vous êtes trop chargé. N'achetez rien de nouveau juste avant de partir. Prenez le temps de vous familiariser avec vos accessoires et assurez-vous que tous fonctionnent correctement.

Si vous n'avez pas de besoins spécifiques, tout devrait tenir dans votre sacoche. Je voyage d'habitude avec deux boîtiers, des objectifs de 20, 28, 85 et 80-200 mm, un flash et plusieurs paquets de piles. Il est utile d'emporter deux boîtiers : vous disposez ainsi en permanence de deux objectifs sans perdre de temps à en changer ou de deux pellicules différentes pour des situations différentes. C'est aussi une bonne garantie en cas de défaillance de l'un des boîtiers. Les quatre objectifs me donnent enfin toute latitude pour photographier à peu près tout, et le flash est nécessaire pour les vues d'intérieur, de nuit, et l'éclairage d'appoint.

Avant de partir, faites une provision de pellicules. Vos favorites risquent de ne pas être en vente là où vous allez, ou d'être très chères. Achetez-les en une seule fois pour profiter d'éventuelles promotions et prenez des pellicules de 36 poses, moins chères, qui vous font gagner du temps sur le terrain puisque vous avez moins souvent besoin de recharger. Si vous n'avez qu'un boîtier et que vous voulez changer une pellicule avant de l'avoir finie, notez le numéro de la photo, puis rembobinez la pellicule jusqu'à ce qu'elle se détache de la bobine réceptrice – vous devriez à la fois le sentir et l'entendre. Inscrivez le numéro de la dernière photo exposée sur l'amorce. Quand vous remettrez cette pellicule dans le boîtier, réglez l'obturateur sur la plus grande vitesse possible, fermez le diaphragme autant que possible, laissez le cache de l'obturateur et faites défiler la pellicule jusqu'au numéro suivant celui que vous avez noté. Vous pouvez programmer la plupart des appareils à rembobinage automatique pour qu'ils s'arrêtent de rembobiner en laissant dépasser l'amorce.

Liste des accessoires indispensables

Ces suggestions valent pour un voyage «normal». Si vous photographiez des animaux sauvages, sous l'eau ou dans toute autre situation, vous aurez besoin de vous y adapter.

Boîtiers. 2 reflex 135 mm.

Objectifs. Du grand-angle au téléobjectif moyen : 28, 50 et 105 mm,
24, 50 et 80 à 200 mm,
35 à 70 et 80 à 200 mm.

Filtres. Filtres «skylight» pour protéger les objectifs et réduire la brume atmosphérique.
Filtre polarisant pour foncer la couleur du ciel et réduire les reflets.

Flash. Petite unité à tête pivotante. Prenez un cordon de raccordement pour le tenir à distance de l'appareil.

Accessoires. Trépied et déclencheur souple.
Piles pour le boîtier et le flash.
Chargeur pour batteries si vous en utilisez. N'oubliez pas votre transformateur ni les adaptateurs de prise.
Un pinceau en poils de chameau, une petite poire, du liquide pour nettoyer les objectifs et des mouchoirs en papier.
Des tournevis de joaillier pour les réparations de fortune.
Un carnet et de quoi écrire.
Des étiquettes autocollantes.
Un feutre indélébile.

Vos bagages

Emportez votre sacoche en bagage de cabine ou enveloppez bien vos accessoires dans de la mousse dont vous aurez tapissé votre sacoche si vous l'enregistrez. Si vous n'avez pas de boîte spécialement capitonnée, roulez vos appareils dans vos vêtements et placez-les au milieu de votre valise où ils seront protégés des chocs. Choisissez un sac ou une valise photo que vous verrouillerez pour éviter les vols à l'aéroport et à l'hôtel, et de préférence des bagages usés ou sans prétention. Vous n'avez aucun intérêt à porter une sacoche qui signale «équipement photo de luxe à l'intérieur». Si vous prenez une boîte en métal de toute évidence destinée à des appareils photos, recouvrez-la de toile pour la rendre plus discrète.

Le dilemme de la radiographie

Bagages de cabine. Des tests très complets menés aux États-Unis et en Grande-Bretagne ont démontré que les pellicules de faible à moyenne sensibilité ne sont pas vraiment affectées par les appareils radiographiques modernes qui sont en service dans les aéroports, même si elles sont soumises à plusieurs inspections. Si vous emportez des films de 400 ISO ou plus, essayez de ne pas dépasser cinq expositions dans les pays utilisant des machines à faible radiation. Vous ne risquez pas de subir davantage d'inspections, même au cours d'un long voyage, et les pellicules d'une faible sensibilité tolèrent des inspections multiples sans dommage apparent. Les résultats de ces tests sont sans doute valables pour 90 % des aéroports internationaux. Dans certains pays, vous pouvez demander au personnel de sécurité d'inspecter manuellement vos bagages de cabine ; retirez les pellicules de leur boîtier et mettez-les dans un sac en plastique transparent. Si vous voyagez dans des pays qui utilisent des appareils radiographiques antédiluviens, les risques sont beaucoup plus élevés. Dans certains pays, vous n'aurez pas droit à l'inspection manuelle. J'ai entendu plus d'une fois : «Ou bien tout passe dans la machine, ou bien vous ne montez pas dans l'avion.» Dans ce cas, prenez la boîte tapissée de plomb qui bloque les rayons X. En général, le personnel de sécurité ouvre la boîte de l'autre côté de la machine, regarde si elle contient des films et vous laisse passer.

Autres situations. C'est dans le cas de figure de bagage à soute qu'ils sont maintenant inspectés systématiquement par de nouveaux systèmes de contrôle à forte radiation. Ces machines émettent des radiations puissantes qui voilent toutes les pellicules non exposées, les films très sensibles étant les plus vulnérables. Prenez vos films non exposés en cabine.

Pour renvoyer vos pellicules chez vous sans dégâts, vous pouvez aussi faire appel à un transporteur. Vérifiez tout d'abord s'il ne soumet pas les colis à des systèmes à fortes radiations. Adressez-les à un voisin, à votre laboratoire habituel ou à votre bureau, s'il n'y a personne chez vous. Je numérote mes rouleaux de films et les envoie en deux fois, les pairs d'un côté, les impairs de l'autre. J'évite ainsi de tout perdre sur un sujet donné s'il arrive un incident à l'un des colis.

À l'arrivée

Étudiez les cartes postales pour découvrir ce qu'il y a à photographier. Demandez à un chauffeur de taxi ou au personnel de l'hôtel de vous indiquer la plus belle vue de la ville. Promenez-vous et ne craignez pas de vous perdre. Cela vous aidera à vous faire une idée des lieux et à davantage découvrir ce qui ne se trouve pas sur les circuits touristiques habituels. Levez-vous de bon matin : à la ville comme à la campagne, l'activité matinale, baignée dans une belle lumière, est en général pittoresque. Ne soyez pas timide. J'ai souvent constaté que les gens sont tout à fait coopératifs si vous les abordez gentiment. Ne négligez pas les coutumes locales concernant la photographie. Si les gens refusent que vous les preniez en photo, respectez leur volonté et passez votre chemin.

Les bonnes manières

La négligence vestimentaire des Occidentaux, ces dernières années, a atteint des sommets. Si cela peut convenir en de nombreux endroits en Amérique du Nord ou en Europe, ou dans les stations balnéaires partout dans le monde, bien des peuples estiment les shorts et les débardeurs troublants, voire offensants.

Observez ce que l'on porte autour de vous et faites-en autant : si les hommes récusent les shorts, mettez des pantalons. Si les femmes couvrent leurs bras et leurs jambes, faites de même. Sans pour autant vous transformer en indigène, vous devez vous adapter aux mœurs locales. Vous faites ainsi preuve de courtoisie et de respect, tout comme en apprenant quelques phrases de la langue locale.

Il existe des pays où vous ne pouvez pas tout photographier : dans de nombreux pays musulmans, il est interdit de photographier des femmes. Ailleurs, ce sera tout ce qui est considéré comme revêtant une importance militaire : aéroports, ponts, barrages… Renseignez-vous d'abord. À cause de simples malentendus, j'ai passé de longues heures dans des prisons plus que délabrées. Un jour, alors que je faisais des photos du haut d'un pont, on m'a arrêté parce qu'il était interdit de photographier ce pont. C'est en vain que j'ai expliqué que le pont ne figurait pas sur les clichés.

Ayez toujours votre appareil prêt à portée de main. Outre les sujets que vous avez sur votre liste, recherchez des thèmes de la vie quotidienne et autres détails. Le sourire d'un marchand ambulant peut en dire autant sur un pays que la photo d'un monument. Si vous remarquez un arrière-plan particulièrement esthétique, asseyez-vous sur un banc ou dans un café bien situé et attendez qu'un sujet intéressant se présente. Prenez votre temps ; vous constaterez souvent que les photos viennent à vous. Lorsque vous déambulez dans une ville, n'emportez que le strict nécessaire. Dans la foule, fermez votre sacoche et mettez-la devant vous. Quand je travaille dans des endroits très fréquentés, je choisis une vieille sacoche abîmée.

On me demande souvent comment je décide de prendre une photo. En général, je n'en sais rien jusqu'au dernier moment, à l'exception des sujets recensés au cours de mes recherches. Je passe quelques jours à me promener sans but véritable, pour m'imprégner du caractère de l'endroit – ce peut être l'architecture, ou l'agitation d'un marché. Réfléchissez à ce qui fait l'originalité du lieu et cherchez à l'illustrer. Fiez-vous à votre instinct. Nous finissons tous par faire des photos de ce qui a frappé notre imagination.

Robert Caputo

Présenter et classer vos photos

Les dispositifs d'archivage

Certains types de vinyle utilisés pour insérer les négatifs ou les diapositives dégagent des émanations qui les endommagent. Certains produits en papier, comme les cartons qui servent de passe-partout aux photos encadrées, sont acides et finissent par abîmer les photos. Il est plus sûr de les remplacer par des matériaux d'archivage qui ne réagissent pas chimiquement avec leur contenu.

Procurez-vous des pochettes en plastique étiquetées « qualité archives ». Fabriquées en polyéthylène, en polyester ou en Tyvek, elles sont disponibles pour les négatifs et les diapos du format APS aux feuillets moyens et grands. Pour les diapositives en 35 mm, les pochettes de 20 diapos, les plus fréquentes, sont très pratiques pour visionner rapidement vos images. Tenez-les au-dessus de la lumière, ou posez-les sur une table lumineuse. Vous pouvez aussi trouver des classeurs d'archives et des dossiers suspendus afin de stocker des pages de négatifs ou de diapos. Il importe que l'air circule, et les dossiers suspendus offrent sans doute la meilleure solution à cet égard.

Les albums photos pour archives utilisent des matériaux qui n'adhèrent pas aux épreuves. Les supports pour la couleur pâlissent vite s'ils sont conservés ou exposés en pleine lumière. Accrochez vos photos à l'abri de la lumière directe du soleil. Classez vos épreuves, diapos et négatifs dans un endroit frais, sec et sombre comme un classeur métallique.

Il existe aussi des articles en papier pour l'archivage : enveloppes, adhésifs pour fixer les épreuves sur des tableaux, passe-partout, boîtes, etc. Ils portent en général une étiquette « sans acide » et « pH équilibré » (8,5 à 10) et n'abîment pas le papier, les colorants ou les émulsions. Si vous encadrez des photos, utilisez un passe-partout, afin que l'épreuve ne soit pas en contact avec le verre ; sinon, elle pourrait coller et se détériorer. Évitez d'archiver vos matériaux photographiques dans des meubles fabriqués en panneaux de particules car les émanations des adhésifs (souvent du formaldéhyde) peuvent les endommager. Une forte humidité posant également problème, ne choisissez pas une cave ou un lieu humide pour vos archives.

Comment montrer votre travail

Rien de tel que l'album de photos familial pour se souvenir des grands événements et des vacances. Si les matériaux utilisés sont de qualité archives, l'album peut être le moyen idéal pour stocker vos photos et les montrer rapidement à vos amis. (Vos photos courent néanmoins le risque d'être endommagées quand vous soulevez la feuille de plastique recouvrant chaque page, une couche de l'épreuve pouvant adhérer à la feuille.) Amusez-vous avec vos ciseaux pour mieux recadrer vos tirages ou les découper. Marquez la date, le lieu et les noms tant que vous vous en souvenez.

Les pochettes d'archives de 20 diapos constituent le moyen le plus usuel pour envoyer des diapos par la poste. Vous pouvez insérer chaque diapo dans sa propre enveloppe en plastique de 5 x 5 cm tout d'abord, pour réduire les risques d'éraflure quand vous prenez les diapos pour les visionner. Pour donner un aspect professionnel à votre book, utilisez des feuilles de carton noir comportant des ouvertures pour chaque diapo ou pour les formats supérieurs. Vous pouvez les visionner rapidement sur une table lumineuse.

Vous pouvez décorer vos murs avec des photos encadrées, en général 24 x 30 cm ou plus. Demandez à un professionnel de les encadrer ou faites-le vous-même avec les kits disponibles dans le commerce. Le passe-partout donne à la présentation une petite touche professionnelle. En général, les galeries utilisent des passe-partout blancs, mais vous pouvez l'assortir aux couleurs de votre œuvre ; pour la photo en noir et blanc, le blanc reste de rigueur quoique le noir ait aussi ses adeptes. Vous trouverez chez le photographe de votre quartier, ou dans une boutique d'encadrement, des passe-partout découpés aux formats standard ou sur mesure.

La projection des diapositives

Pour faire le vide autour de vous, rien de tel que de faire apparaître votre projecteur et l'écran. Personne n'a échappé à ces projections ennuyeuses, endurées par politesse. Pour que votre présentation soit agréable et intéressante pour les autres, respectez la règle suivante : soyez bref, soyez vivant.

La projection idéale ne saurait excéder une vingtaine de minutes ; au-delà, vous risquez d'être monotone. Comme en règle générale les gens se concentrent sur une image que vingt secondes, passez vos diapos à un rythme soutenu ; elles n'ont pas toutes besoin d'un commentaire détaillé. Vous pouvez toujours revenir en arrière si on vous le demande.

Soyez sans pitié au moment du montage. Éliminez toutes les diapos qui ne sont pas parfaites techniquement ou celles qui se ressemblent. Ne présentez que le meilleur sur un lieu ou un sujet et selon un séquence logique. Préparez plusieurs paniers de diapos sur des thèmes précis, en les disposant selon des critères géographiques ou logiques si possible. (Soyez tout aussi rigoureux pour disposer vos photos sur un mur.) Entraînez-vous sans spectateurs pour vérifier que toutes les diapos sont correctes, non poussiéreuses et bien insérées. Tout en organisant votre projection, rappelez-vous que vous cherchez à obtenir une réaction de vos amis. Une projection bien ficelée leur donnera envie d'en voir plus.

Les clubs de photo

Les clubs de photo varient des petits groupes décontractés qui se retrouvent dans les sous-sols d'un centre culturel aux grandes organisations qui possèdent parfois leurs propres locaux. Leurs activités habituelles comprennent des séminaires sur les techniques de la photo, des excursions, la découpe des passe-partout et des ateliers audiovisuels. Les réunions régulières peuvent ranimer votre motivation, vous rappeler les notions de base et vous encourager à tenter des approches nouvelles et créatrices.

Les concours

Chaque année se déroulent toutes sortes de concours photographiques, depuis les concours organisés par les clubs, les magasins ou les fabricants de matériel jusqu'aux grands concours des magazines de photo et de voyage. Pour la plupart, ils ont bonne réputation. Avant de faire acte de candidature, lisez avec attention les règles écrites en petits caractères pour répondre aux questions suivantes : Vous renverra-t-on vos photos ? Si c'est non,

où iront-elles ? Les sponsors auront-ils le droit de les utiliser dans un but commercial sans vous rétribuer ? Dans certains concours, il est stipulé que les envois seront détruits pour éviter les frais de port. Dans ce cas, n'envoyez pas des épreuves de valeur ou des originaux de diapos. Si on vous renvoie vos épreuves, on vous demande souvent une enveloppe affranchie à votre adresse à cet effet. Parfois, il est exigé que vous renonciez à vos droits d'auteur sur les photos, ou du moins sur celles qui seront déclarées gagnantes. Dans ce cas, le sponsor détiendra bel et bien tout ou partie des droits sur l'image. Selon la valeur des prix, vous pouvez avoir envie ou non de participer à ces concours.

Le classement

Si vous utilisez des négatifs classiques, il est indispensable de mettre au point un système pour les retrouver rapidement plus tard. Demandez à votre labo s'il imprime des « planches contacts » qui montrent toutes les photos du rouleau en petit format. (Également appelée planche index, cette formule est courante pour les APS mais aussi pour les films 35 mm et les grands formats.) Si c'est le cas, rangez les négatifs avec la planche contact et donnez-leur le même numéro. Vous pouvez aussi numéroter chaque épreuve pour repérer rapidement son négatif. La plupart des laboratoires impriment le numéro de l'épreuve sur le dos de la photo, ce qui vous permet de les retrouver aisément sur la bande de négatifs.

Essayez de classer vos diapos par catégorie : Action, Animaux, Bateaux, Bombay... Numérotez-les en utilisant un code indiquant l'année, le lieu et le type de film. De nombreux logiciels informatiques, à des prix abordables, vous permettent de classer vos images et d'imprimer des étiquettes avec les informations indispensables. Certains photographes accumulent des centaines de boîtes de diapos, ce qui rend difficile, voire impossible, de repérer une image précise. Éditez vos photos en ne gardant que les meilleures et peut-être celles que vous souhaitez améliorer numériquement ou, tout au moins, séparez les meilleures de celles qui sont moins bonnes. Classez-les dans des pochettes, par catégorie.

Peter Burian

SITES WEB

Il existe de nombreux sites dans toutes les langues, dans tous les pays sur la photographie, les photographes, le matériel, les clubs… La liste qui suit n'est pas exhaustive et surtout gardez à l'esprit que le contenu des sites peut changer. Pour trouver des sites sur des sujets plus pointus ou rares, utilisez vos moteurs de recherche habituels.

Magazines de photo en ligne

Apogee On-Line Photo Magazine
www.apogeephoto.com
www.photographie.com
Revue Photographie
www.revue.com
www.aidda.com
www.dazibao.net
Portfolios en ligne
www.portfolios.com
Photobis, portail photo
www.photobis.com

Sites pour ouvrages de photographie

www.amazon.fr
www.fnac.com
www.alapage.com
www.chapitre.com

Photo numérique

www.pixelactu.com
www.cplus.fr/html/photonum
www.megapixel.net

Magazines

National Geographic
www.nationalgeographic.fr
Téléobjectif
www.en-print.fr
Photo
www.photoamateur.net
Chasseur d'images
www.photim.com
Objectif Nature
www.objectif-nature.tm.fr
www.photo.net
Outdoor Photographer magazine
www.outdoorphotographer.com

Organismes

Centre National de la Photographie (CNP)
www.cnp-photographie.com

Associations

www.visapourlimage.com
Fédération photographique de France
ourworld.compuserve.com
GNPP (syndicats de professionnels)
www.gnpp.com
Société française de photographie
www.sfp.photographie.com
Fédération des cercles photographiques
www.belgiumphotography.yucom.be

Apprentissage de la photo

Le B.A-BA de la Photo
www.detonphoto.net
Débuter en photographie
members.aol.com
La Photographie - Christian Judei (Le cours)
www.chez.com/dolphin
Photographie pas à pas
perso.club-internet.fr/aleske/index.html
Photo numérique.com
www.photo-numerique.com
Photogramme - Procédés artisanaux
www.photogramme.org
Techphoto (anglais)
www.techphoto.org

Fabricants d'appareils

www.agfa.fr
www.canon.fr
www.interphoto.co.uk
www.kyocera.com
www.fujifilm.com
www.kodak.com
www.leica-camera.com
www.olympus-europea.com
www.pentax.com
www.rollei.com

Fournisseurs d'accès et hébergeurs gratuits

www.M6.net
www.free.fr
www.chez.com

BIBLIOGRAPHIE

Magazines en français

Sur la photo
Le photographe
Réponses photo
Chasseur d'images
Photo
Pour voir
De l'air

De photoreportage
National Geographic Magazine
Geo
Terre sauvage
Grands reportages

Ouvrages

Les ouvrages de photographie et de photographes sont très nombreux dans le commerce. Dans la perspective d'une meilleure connaissance des courants de photographie et des styles, rien ne vaut la confrontation avec les regards des grands photographes. Voici quelques pistes et suggestions.

Eugène Atget
Eugène Atget, Andreas Krase, Taschen, 2000
Atget le pionnier, Jean-Claude Lemagny, Exposition du 23 juin au 17 septembre 2000, Marval, 2000
Itinéraires parisiens, Paris-Musées, 1999
Eugène Atget, Françoise Reynaud, Centre National de la Photographie, 1984

August Sander
Photographie, Taschen, 1999
Hommes du XXe siècle, Ulrich Keller, Le Chêne, 2000

André Kertész
Le photographe à l'œuvre, E. Rogniat Presses Universitaires Lyon, 1997
André Kertész
The Getty Museum Museum, 1995

Cecil Beaton
Cecil Beaton, C. Spencer, Academy Eds, 1996
50 ans de collaboration avec Vogue *: photographies dessins*, Cecil Beaton, Jean-Baptiste Médina, Herscher.

Édouard Boubat
Parisiens, Peter Turnley, Abbeville Press France, 2000
Images du XXe siècle, Abbeville Press France, 1998
Carnets d'Amérique, E. Boubat, Complexe Eds, 1995
Lella, E. Boubat, Contrejour, 1992

Helmut Newton
Helmut Newton's illustrated, Assouline Eds, 2000
Helmut Newton, Centre National de la Photographie, 1999

Sebastiao Salgado
Exodes, Sebastiao Salgado, de La Martinière Eds, 2000
La Main de l'homme, Sebastiao Salgado, de La Martinière Eds, 1998

Éric Valli
Himalaya – L'enfance d'un chef, Eric Valli, Debra Kellner, de La Martinière Eds, 1999
Nomades du miel, Eric Valli, de La Martinière Eds, 1998
Les Voyageurs du sel, Eric Valli, Diane Summers, de La Martinière Eds, 1994

Les photographes du National Geographic
Un regard sur le monde, James Stanfield, 1999
Cuba, David Alan Harvey, 2000
Australie, Sam Abell, 2000
Femmes photographes, 2000
Photographies, Hier et Aujourd'hui, 2000
Au cœur du Vatican, James Stanfield, 2000
Le Tigre, Michael Nichols, 2000
Grands chasseurs sous la lune, Beverly Joubert, 2000
Jardins, Sam Abell, 2001

GLOSSAIRE

Aberration. Défaut optique, provoqué par un objectif, qui produit une image floue ou déformée. L'aberration peut être corrigée (voire éliminée) par la conception optique de l'objectif. Choisir une ouverture d'un diaphragme inférieur permet parfois de réduire l'effet de certaines aberrations.

Aberration chromatique. Défaut optique qui se produit quand un objectif ne parvient pas faire converger toutes les couleurs de la lumière sur un point commun, le plan du film ; elle provoque des franges colorées (couleurs étrangères sur les contours des sujets) et diminue la netteté apparente. Très fréquente sur les téléobjectifs pour les grandes ouvertures. On peut la corriger avec du verre à faible dispersion ou une autre technologie optique.

Aberration sphérique. Défaut optique très courant des grands-angles réglés sur une grande ouverture, puisque les longueurs d'onde de la lumière ne convergent pas toutes sur un même point. Ce défaut se manifeste surtout par une réduction de la netteté près des bords de l'image. On peut le corriger par diverses méthodes optiques, dont l'utilisation de lentilles asphériques, et le choix d'ouvertures plus petites.

Angle de vue. Ce que l'objectif « voit » d'une scène, mesuré en degrés. Plus la focale est courte, plus la couverture est grande.

Anticipation de mise au point (ou mise au point prédictive). Système perfectionné de mise au point automatique qui suit un sujet en mouvement. Comme il existe laps de temps entre le moment où l'on appuie sur le déclencheur et l'exposition, ce système anticipe la position probable du sujet au moment de l'exposition pour mettre au point.

Apochromatique. Terme désignant les lentilles des téléobjectifs qui font converger toutes les couleurs (longueurs d'onde) de la lumière sur un plan commun, le film.

Autofocus (AF). Synonyme de mise au point automatique. Mémorisation de l'exposition. Option qui bloque la valeur de l'exposition, ce qui permet au photographe de recadrer à sa convenance sans modifier la mesure de l'exposition. Très utile pour remplacer la lecture moyenne en mode automatique.

Bague-allonge. Pièce mécanique creuse d'écartement qui s'insère entre le boîtier de l'appareil et l'objectif. Elle sert à augmenter la longueur focale et à agrandir le sujet. Pour les gros plans essentiellement. Les bagues-allonges conservent les automatismes boîtier-objectif mais rarement la fonction autofocus.

.bmp. Format de fichier informatique qui est très proche du .tiff. Ne peut être lu que par les PC sous Windows.

Bracketing. Technique consistant à prendre plusieurs photos identiques en modifiant seulement l'exposition, de manière à obtenir au moins une exposition idéale.

C–41. Terme générique désignant les produits chimiques (Eastman Kodak) utilisés pour le tirage des films chromogènes (couleurs).

CCD *(Charge-coupled device).* Dispositif à transfert de charge en français. C'est en fait un type de capteur imageur. Le capteur imageur est un récepteur sensible qui remplace le film dans un appareil photo numérique. Il est constitué de millions de zones photosensibles. Plus le capteur en possède, meilleure sera la résolution de l'image.

Cellule en lumière incidente. Accessoire qui mesure la lumière tombant sur le sujet. Il recommande une combinaison d'ouverture et de vitesse d'obturation qui est ensuite transmise à l'objectif ou au boîtier. (Appelé aussi posemètre).

Cellule en lumière réfléchie. Accessoire, en option ou intégré, qui mesure la lumière réfléchie par le sujet. (*Voir* cellule en lumière incidente.)

Chrome. Terme désignant couramment les films pour diapos en couleurs.

Chromogène. Film dans lequel l'image est formée avec des colorants, comme dans la plupart des films en couleurs et quelques nouveaux films en noir et blanc. Le tirage de ces films s'effectue en C–41 ou avec des produits chimiques comparables provenant d'autres fabricants.

Clonage. En imagerie numérique, copie de partie d'une zone de l'image qui va couvrir d'autres zones pour corriger des défauts (éraflures, grains de poussière). Le clonage peut aussi servir à ajouter des éléments similaires (par ex., des feuilles dans un arbre) à l'image définitive.

Compact. Terme désignant les petits appareils entièrement automatiques de format 135 mm sur lesquels le mécanisme d'obturation est intégré dans l'objectif.

Compositing. En imagerie numérique, combinaison de deux images ou plus, ou de parties de plusieurs images en une seule.

Contraste, contrasté. 1. Surface de luminosité d'un sujet ; différence entre les parties les plus claires et les plus sombres d'une image. Une scène comportant de forts contrastes associe des points extrêmement clairs à des ombres très prononcées. 2. Avec un film, aptitude à noter les différences tonales des lumières hautes aux zones ombrées. Un film très contrasté retient moins bien les détails des deux zones mais augmente l'impression de netteté. En général, un film à faible contraste est préférable pour les scènes à forts contrastes tandis qu'un film plus contrasté convient mieux en éclairage plat.

Correcteur d'exposition. Commande existant sur la plupart des boîtiers automatiques qui permet à l'utilisateur de surexposer (facteur +) ou de sous-exposer (facteur −) par rapport à la valeur mesurée.

Correcteur d'exposition pour le flash. Commande sur certains reflex sophistiqués et/ou unités de flash qui permet d'augmenter, de réduire la luminosité du flash en mode automatique. Utilisé le plus souvent pour réduire l'intensité du flash, pour obtenir un fill-in modéré.

Correction de distorsion. Terme s'appliquant aux objectifs ultralarges qui sont corrigés pour rendre les lignes avec précision, sans les déformations convexes fréquentes (distorsions en barillet) des fish-eyes.

Déclencheur souple. Câble mécanique ou électronique servant à déclencher un appareil monté sur trépied sans le toucher, ce qui évite toute secousse ou vibration.

Diaphragme. 1. Mécanisme situé à l'intérieur de l'objectif qui contrôle la taille de l'ouverture au moyen de lamelles métalliques. 2. Unité (« stop » pour les professionnels) désignant la taille de l'ouverture de l'objectif. La longueur focale, divisée par le diamètre de l'ouverture de l'objectif, est égale à ce nombre, qui s'écrit f/. Quelle que soit la taille de l'objectif ou la longueur focale, un même diaphragme permet de transmettre une même quantité de lumière au film. Les grandes ouvertures sont notées par un petit numéro comme f/2 et les petites ouvertures par un numéro supérieur, comme f/22. (*Voir* ouverture.)

Diffuseur. 1. Matière translucide que l'on tient en général entre le sujet et la source de lumière pour adoucir l'éclairage. 2. Filtre. 3. Accessoire pour flashes électroniques qui peut servir à diffuser (adoucir) la lumière.

Distorsion. Aberration optique qui tord les lignes droites au bord d'une image, soit vers l'intérieur (en coussin), soit vers l'extérieur (convexe). 2. Se dit lorsque la perspective de la photo peut paraître très surprenante.

Doubleur de focale. *Voir* multiplicateur de focale.

dpi *(dots per inch)*. Points par pouces en français. Terme courant pour indiquer la densité d'informations produite par un appareil. Le dpi définit le niveau de résolution d'un scanner ou d'une imprimante. La résolution, ou définition, est d'autant meilleure que le nombre de dpi est important, dans certaines limites.

Élément asphérique. Élément optique ayant une surface non sphérique. Il corrige certains défauts en utilisant moins de verres optiques que les modèles classiques.

Fill-in flash. Source lumineuse supplémentaire ou d'appoint, mais non primaire, fournie par un flash électronique pour adoucir les ombres dures. Utilisé en général par temps ensoleillé, le fill-in flash est moins lumineux que la lumière solaire et produit un effet subtil tout en préservant la douceur des ombres.

Filtre. Pièce de verre ou de plastique enduit ou coloré, placée devant l'objectif de l'appareil et qui modifie la lumière qui atteint le film. Le filtre peut changer la couleur ou la qualité de la lumière ou le rendu relatif des différents tons, réduire la brume ou les éclats, ou servir à des effets spéciaux.

Filtre d'accentuation. Dispositif commun dans les programmes d'imagerie numérique pour augmenter la netteté apparente d'une image. Utilisé en général pour donner aux images numériques la netteté de l'image d'origine. Mais, si une photo est floue, le filtre d'accentuation ne peut pas la rendre nette.

Flash indirect. Lumière, émise par un flash électronique, qui rebondit sur un mur, un plafond ou un autre matériau réfléchissant au lieu d'être dirigée directement sur le sujet. L'éclairage produit est plus doux. Certains flashes ont un pivot, ou une tête pivotante, qui permet d'avoir un flash indirect avec l'unité montée sur le boîtier.

Flashmètre. Posemètre conçu pour mesurer l'intensité de la lumière produite par un flash électronique. L'information fournie par le compteur sert à régler la bonne combinaison ouverture-vitesse synchro.

.gif *(Graphics Interchange Format).* Type de fichier informatique couramment utilisé sur Internet pour les graphiques – à cause de sa petite taille – mais loin d'être idéal pour les photos à cause de sa palette limitée à 8 bits (256 couleurs) et parce qu'il supprime des informations sur les couleurs quand il est compressé.

Grain. Les images étant enregistrées sur le film par des particules photosensibles d'halogénure d'argent ou des molécules colorantes, leur motif (grain) est visible en cas de fort grossissement. Plus le grossissement est important, plus on les remarque, comme sur les épreuves de très grand format. Les films lents ont en général un grain beaucoup plus fin que les films rapides.

Grand-angle. Objectif d'une longueur focale plus courte que la normale pour le format. Varie en fonction du format, mais en 135 mm tout objectif inférieur à 40 mm est considéré comme grand-angle. (Ce terme est également utilisé pour les objectifs dont l'angle de vue est d'une largeur supérieure à 50° environ.)

ISO. 1. Abréviation de *International Standards Organization,* organisme qui établit les normes pour classer la sensibilité des films. ISO remplace l'ancien terme « ASA » *(American Standards Association).* 2. Série de nombres exprimant la sensibilité des films à la lumière. Les sensibilités courantes vont de 25 à 1 600 ISO. Un film de 200 ISO est deux fois plus rapide qu'un 100 ISO, ce qui signifie qu'il est deux fois plus sensible à la lumière. Un film de 50 ISO est deux fois plus lent, et donc deux fois moins sensible à la lumière, qu'un 100 ISO. *(Voir* sensibilité du film.)

Interpolation. Permet d'augmenter la taille du fichier de l'image en ajoutant des pixels et par conséquent la résolution de l'image.

.jpeg *(Joint Photographic Experts Group).* Format de fichier informatique utilisé par la plupart des appareils numériques pour stocker les images en les compressant afin de diminuer la taille des fichiers. C'est aussi le format standard pour les photos sur Internet, étant donné la petite taille des fichiers et la richesse de la palette de 24 bits (16 millions de couleurs). Il existe divers niveaux de compression. Or celle-ci élimine des données : si une faible compression a peu d'impact sur la qualité des images, une forte compression les abîme.

Lampe au tungstène. Lumière continue fournie par des ampoules à filaments de tungstène. Cette lumière fait apparaître le sujet en jaune-orange sur la photo, à moins d'utiliser un filtre bleu pâle ou un film spécial, équilibré pour le tungstène.

Lecture moyenne. Technique qui consiste à prendre une mesure d'après une demi-teinte (comme une carte d'un gris neutre) et à bloquer cette mesure d'exposition (ouverture/vitesse d'obturateur) pendant que le photographe recompose l'image.

Loi du carré inversé. Lorsque vous doublez la distance à partir de la source de lumière (flash), seul un quart de sa lumière atteint le sujet.

Lumière parasite. Dégradation de la qualité de l'image due à une lumière accidentelle qui réduit le contraste ou forme des taches de lumière. Due à des reflets à l'intérieur de l'objectif et entre ses nombreux éléments. Ce problème, particulier des éclairages à contre-jour, s'aggrave avec les objectifs comportant un grand nombre d'éléments optiques (plus de surfaces de contact entre l'air et le verre). On peut réduire la lumière parasite en mettant plusieurs couches d'enduit sur tous les éléments, par d'autres techniques internes et en utilisant un pare-soleil (ou un accessoire faisant de l'ombre à l'objectif) pour empêcher la lumière de porter sur la lentille frontale.

Macro. Terme désignant la mise au point rapprochée et la capacité de mise au point rapprochée d'un objectif. Au sens strict, il s'utilise quand le sujet est reproduit grandeur nature (ou plus) sur l'image. (Nikon utilise le terme « micro ».)

Marge d'exposition. Aptitude du film à reproduire une image avec une exposition acceptable même s'il a été sous-exposé ou surexposé. Les négatifs ont une assez grande marge d'exposition, la photo est donc satisfaisante même si le film a été sous-exposé ou surexposé d'un ou deux diaphragmes. Les films pour diapos ont une très faible marge d'exposition, ce qui impose de mieux régler l'exposition pour un résultat satisfaisant.

Megapixel (MP). Un million de pixels. La résolution d'une photo numérique augmente avec le nombre de pixels.

Mesure pondérée. Analyse de la lumière dans laquelle la cellule photoélectrique donne la priorité à la lecture de la lumière réfléchie par les objets au centre ou près du centre de l'image.

Mesure sélective (ou spot). Technique de mesure qui n'analyse que la luminosité réfléchie par une très petite portion de l'image. Intégrée ou en option, la mesure spot implique une certaine expérience pour juger les valeurs tonales.

Multiplicateur de focale. Accessoire monté entre l'appareil et l'objectif pour augmenter la longueur focale réelle. Aujourd'hui, les multiplicateurs de focales 1,4 x et 2 x (souvent appelés doubleurs) sont les plus courants.

Multizone. Système de mesure à microprocesseur qui effectue la mesure de la lumière simultanément sur différentes zones de l'image puis procède à des calculs algorithmiques. Le multizone donne automatiquement plus d'expositions précises dans des conditions plus variées que d'autres systèmes de mesure.

Nombre guide. Nombre qui indique la puissance relative fournie par un flash électronique. Ce nombre, exprimé en mètres ou en pieds, voire les deux, doit être indiqué pour une sensibilité de film donnée, en général 100 ISO. Avec les flashes manuels, le nombre guide sert à déterminer l'ouverture de l'objectif en fonction de la distance au sujet. Cependant, comme la plupart des flashes actuels sont automatiques, ce nombre sert surtout à comparer la puissance maximale des différents modèles.

Objectif à décentrement. Le décentrement est le mouvement produit par des objectifs spéciaux, ou des pièces de l'appareil, qui cherchent avant tout à placer le plan du film parallèlement au sujet pour empêcher la distorsion apparente de la perspective. Ces mouvements, qui peuvent être dirigés vers le haut, le bas, le côté droit ou gauche, servent à éviter l'impression que le sujet «tombe à la renverse» en photo d'architecture ou de paysage.

Objectif à miroirs. Type particulier d'objectif qui offre une grande longueur focale réelle dans un barillet très compact. L'emploi de miroirs qui renvoient la lumière permet de raccourcir substantiellement la longueur du barillet. Également qualifié de catadioptrique – terme technique désignant la conception la plus courante de ces objectifs – l'objectif à miroirs dispose d'une ouverture constante (qui ne peut pas être modifiée).

Obturateur. Mécanisme à l'intérieur de l'objectif qui règle la durée de l'exposition du film à la lumière. Il s'ouvre pour que le film soit exposé à la lumière qui entre par l'ouverture de l'objectif. Après exposition, il se ferme.

Ouverture. Ouverture à l'intérieur d'un objectif qui laisse passer la lumière. La taille de l'ouverture se règle au moyen du diaphragme (sauf dans les objectifs à miroirs et quelques autres) et s'exprime en diaphragmes (f/). (*Voir* diaphragme.)

Pixel. Abréviation de *PICture ELement*, élément d'image en langage informatique. Ce sont les plus petites informations que l'on puisse combiner pour former une image numérique. La résolution est d'autant plus élevée que le nombre de pixels est important.

Posemètre. Appareil de mesure de l'exposition. C'est un élément intégré ou indépendant du boîtier. (*Voir* cellule en lumière incidente / en lumière réfléchie.)

«Pousser» (un film). Sur-exposition volontaire de diapos en couleurs ou de films en noir et blanc, corrigée par un temps de développement plus court afin d'obtenir une image bien exposée. Cette technique s'emploie en général avec les films lents s'il faut une vitesse d'obturation plus rapide. Si vous exposez un film de 100 ISO à 200, par exemple, précisez-le au labo.

Poussoir du test de profondeur de champ. Bouton existant sur certains appareils qui permet de réduire l'ouverture d'un diaphragme (avant l'exposition) avant de prendre la photo. L'utilisateur peut ainsi évaluer visuellement la zone de netteté pour plusieurs diaphragmes.

Pouvoir séparateur. Mesure de la capacité d'un film ou d'un objectif à reproduire des détails complexes avec une haute définition. Les fabricants de films indiquent souvent cette capacité en lignes par millimètres – plus le nombre de lignes est important, plus la résolution est élevée. Les films lents ont en général une résolution plus élevée que les films rapides.

Priorité ouverture. Mode semi-automatique qui permet à l'utilisateur de régler l'ouverture voulue tandis que l'appareil détermine la vitesse d'obturation correspondante. (Également appelé priorité diaphragme.)

Priorité vitesse. Mode semi-automatique qui permet au photographe de régler la vitesse d'obturation tandis que le système détermine lui-même le diaphragme requis. Ce mode se fonde sur les informations fournies par le posemètre de l'appareil.

Profondeur de champ. Zone de netteté apparente sur une photographie. Même si seul le sujet (et les objets situés à égale distance) sur lequel a été effectuée la mise au point est vraiment net, la zone de netteté s'étend devant et derrière ce point.

Rapide. 1. Objectif ayant une ouverture maximale très large 2. Film très sensible à la lumière.

L'un et l'autre permettent des vitesses d'obturation plus rapides (que les «lents») pour obtenir une exposition correcte.

Reflex. Appareil dont la conception permet à l'utilisateur de voir la scène à travers le même objectif que celui qui prend la photo. Ces appareils ont recours à un miroir qui renvoie l'image à l'oculaire de visée. Ils sont en général équipés d'un pentaprisme, de sorte que le photographe voit la scène à l'endroit.

Résolution. Mesure la capacité d'un support à résoudre les détails les plus fins. Pour un appareil numérique, la résolution indique en pixels la quantité d'informations détenues dans l'image.

Sabot. Accessoire placé sur le boîtier et servant à fixer le flash ; il contient des contacts électroniques qui se connectent avec ceux du talon du flash. Ces contacts servent à transmettre des données entre l'appareil et le flash, celui-ci se mettant en marche automatiquement quand on appuie sur le déclencheur de l'appareil photo.

Sensibilité du film. Valeur numérique s'appliquant à chaque type de film et indiquant sa sensibilité relative à la lumière. Un nombre élevé indique une très grande sensibilité du film, souvent appelé «rapide» puisqu'il permet d'obtenir une bonne exposition à des vitesses d'obturation rapides. Un nombre faible s'applique à un film moins sensible à la lumière, souvent appelé «lent» parce qu'il lui faut une vitesse d'obturation plus lente. (*Voir aussi ISO.*)

Sublimation thermique. Type d'imprimante qui utilise des colorants gazeux pour produire une image en tons continus, tout à fait comme une photographie traditionnelle.

Télémètre. Instrument qui détermine la distance de l'appareil au sujet en visant d'après deux positions différentes. On peut voir les deux images dans l'oculaire de visée avant la mise au point. Après la mise au point, les deux images se superposent pour ne plus former qu'une seule image nette. (Ce terme est souvent utilisé pour les compacts simples qui sont dépourvus de véritable visée télémétrique : *voir* compact.)

Téléobjectif. Objectif d'une conception particulière qui offre des longueurs focales supérieures à la norme, mais ce terme s'applique maintenant à tous les objectifs longs. En format 135 mm, le téléobjectif correspond en général à toute longueur focale supérieure à 65 mm.

Température de la couleur. Mesure de la couleur de toute source lumineuse exprimée en degrés Kelvin. La lumière «chaude», comme celle du coucher de soleil, a une basse «température» tandis que la lumière «froide» (bleutée) d'un ciel couvert a une température élevée sur cette échelle.

.tiff *(Tagged Image File Format).* Format de fichier informatique compatible avec presque tous les ordinateurs. Convient parfaitement à la photo, grâce à ses 16,8 millions de couleurs. Si le fichier est compressé en mode «sans pertes», l'image n'est pas détériorée (et ne perd donc aucune information).

TTL *(Through the lens).* Sigle anglais signifiant «à travers l'objectif». La cellule photoélectrique de l'appareil mesure la quantité de lumière qui passe à travers l'objectif et atteint le film. Ce système présente un avantage décisif quand on utilise des accessoires qui réduisent la transmission de la lumière – filtres, doubleurs de focale, bagues-allonges, etc.

USB *(Universal Serial Bus).* Type de port (ou liaison) qui permet de connecter des éléments externes à un ordinateur comme une imprimante, un appareil photo, un lecteur de carte-mémoire ou de disques.

Verrouillage autofocus. Option qui bloque et conserve la mise au point automatique sur le sujet pendant que le photographe recadre. Cette fonction est souvent intégrée dans le déclencheur d'un appareil autofocus.

Verrouillage miroir. En option sur certains appareils, cette fonction permet de relever le miroir – et de le maintenir en position haute – avant l'exposition. Ce blocage empêche les vibrations internes dues à l'action du miroir, mais n'est nécessaire que pour les photographies très grossies à certaines vitesses d'obturateur, en général 1/4 à 1/15ᵉ de seconde.

Viseur. Système optique qui permet à l'utilisateur de voir l'image telle qu'elle figurera sur la photo. Il existe toutes sortes de viseurs, certains permettant de voir à travers l'objectif qui prend la photo, d'autres situés près de l'objectif et n'offrant qu'une vue approximative de l'image définitive.

Vitesse synchro. Vitesse maximale de l'obturateur qui puisse être utilisée avec la garantie que l'éclair du flash sera synchronisé avec la durée d'ouverture de l'obturateur.

INDEX

Les chiffres **en gras** font référence à une illustration.
Le petit signe *, qui figure après certaines entrées,
indique que ce mot est défini dans le glossaire.

Peter Burian est un photographe, spécialiste du matériel photographique. Il a été le responsable éditorial du magazine *Outdoor and Nature Photography* et a participé régulièrement à la publication des magazines de photos américains *Shutterbug,* et *Photo Life* ainsi que l'australien *Australian Photography.* Burian est également l'auteur d'un guide sur les appareils de format 135 mm pour le magazine *Outside* dans leurs éditions de 1998 et 1999. Il est enfin le co-auteur de dix éditions d'un guide sur les appareils de format 135, le *Magic Lantern Guide.* Il vit à Milton en Ontario.

Robert Caputo écrit et photographie pour le NATIONAL GEOGRAPHIC depuis 1980. Son travail, régulièrement récompensé par des prix, est également publié dans de nombreux autres magazines. Il fait l'objet d'expositions internationales. Caputo est aussi l'éditeur de deux ouvrages pour enfant sur la faune et de deux ouvrages sur la photographie, *Journey Up The Nile* and *Kenya Journal.* Pour le documentaire du National Geographic *Zaïre River Journey,* Caputo en a écrit le commentaire. Il a renouvelé cette expérience, en tant qu'auteur et producteur associé pour le film *Glory & Honor* (TNT Original), qui retrace l'exploration du pôle Nord. Il vit à Washington, DC.

Remerciements à Lyn Clement; Dave Howard; Andrew Hudson; Diane Kane; Jim Lyon; Robert W. Madden; Bob Shell; Brian Strauss; Anne Schwab's Model Store; Arion Corp.; Bogen Photo Corp.; Calumet Photographic; Canon USA, Inc.; Eastman Kodak Company; Epson America, Inc.; the F. J. Westcott Co.; Flexfill; Fuji Photo Film USA, Inc.; Hakuba USA, Inc.; Lee Filters; Leica Camera, Inc.; Lexar Media; Lowepro; LumiQuest; Mamiya America Corp.; MGI Software Corp.; Minolta Corp.; NGS Image Collection and Sales; NGS Photo Engineering; Nikon, Inc.; OP/TECH USA; Olympus; Pentax Corp.; Photoflex; Rollei; RTS; SanDisk Corp.; SIGMA Corp. of America; THK Photo Products, Inc.; Tamrac, Inc.; Tamron Industries, Inc.; Tiffen Company; Vivitar; and Wisner Classic.

Le Guide pratique de la photo
de Peter Burian et Robert Caputo
est une publication de la National Geographic Society.

Président-directeur général : John M. Fahey, Jr.
Président du conseil d'administration : Gilbert M. Grosvenor
Vice-président : Nina D. Hoffman

Réalisation éditoriale :
Vice-président et directeur éditorial : Kevin Mulroy
Directeur de l'iconographie : Charles Kogod
Directeur artistique : Marianne R. Koszorus

Ont participé à la réalisation de ce livre :
Chef de projet et responsable iconographe : John G. Agnone
Responsable éditoriale : Rebecca Lescaze
Responsable artistique : Cinda Rose
assistée de Melissa Farris
Documentaliste : Anne E. Withers
Consultants : Bob Krist, Rob Sheppard
Directeur de la fabrication : R. Gary Colbert
Responsable du projet en fabrication : Lewis R. Bassford
Responsable de fabrication : Richard S. Wain
Assistante : Johnna Rizzo
Assistante iconographe : Janet A. Dustin
Index établi par : Mark Wentling

Production et contrôle de la qualité :
Analyste financier : Christopher A.Liedel
Directeur : Phillip L. Schlosser
Directeur technique : John T. Dunn
Chef de fabrication : Alan Kerr

Édition originale
© 1999, 2001, 2003 par la National Geographic Society
sous le titre de *National Geographic Photography Field Guide*
All rights reserved.

Édition française
© 2004 par la National Geographic Society. All rights reserved.

Réalisation éditoriale
NG France
Direction éditoriale : Françoise Kerlo
assistée de Marilyn Chauvel
Chef de fabrication : Alexandre Zimmowitch

Traduction : Virginie de Bermond-Gettle, Claire Geoffroy
Consultante pour l'édition française : Laurence Vidal

ISBN : 2-84582-118-2
Toute reproduction intégrale ou partielle de l'ouvrage, par quelque
procédé que ce soit, est strictement interdite sans l'autorisation écrite
de l'éditeur.

Première institution scientifique et pédagogique à but non lucratif du monde, la National Geographic Society a été fondée en 1888 « pour l'accroissement et la diffusion des connaissances géographiques ». Depuis lors, elle a apporté son soutien à de nombreuses expéditions d'exploration scientifique et fait découvrir le monde et ses richesses à plus de neuf millions de membres par le biais de ses différentes productions et activités : magazines, livres, programmes de télévision, vidéos, cartes et atlas, bourses de recherche. La National Geographic Society est financée par les cotisations de ses membres et la vente de ses produits éducatifs. Ses adhérents reçoivent le magazine National Geographic – la publication officielle de l'institution. Le magazine existe en français depuis octobre 1999.

Visitez le site web de National Geographic France :
www.nationalgeographic.fr

Couverture : Malgré la détresse des Afghans fuyant leurs villages sous les bombardements soviétiques, Steve Mc Curry a su établir un lien de complicité avec cette réfugiée au regard si envoûtant, ici dans un camp de réfugiés pakistanais à la frontière entre l'Afghanistan et le Pakistan.
© Steve McCurry

Dépôt légal : septembre 2004
Impression Cayfosa-Quebecor
(Espagne)